Vender en Internet

Las claves del éxito

SEGUNDA EDICIÓN

Vender en Internet
Las claves del éxito

Segunda Edición

Javier Escribano Arrechea

SOCIAL MEDIA

Edición española:

Juan Ignacio Luca de Tena, 15. 28027 Madrid
Depósito legal: M. 17.473-2014
ISBN: 978-84-415-3577-0
Printed in Spain

La primera edición de este libro se la dediqué a Mónica, mi mujer.
Gracias a todos los que le avisasteis. Mónica, "tu es la fille de mes rêves".

Esta Segunda Edición, me gustaría ampliar la dedicatoria a mis padres.

Los amigos se eligen, la pareja se elige, pero tu familia...
tienes que conformarte con lo que te toca. Si hubiera podido elegir,
nunca hubiera podido encontrar unos padres mejores.

Ellos no leen este tipo de libros, pero si les veis decidles que se lo he dedicado
con mucho cariño por todas aquellas veces que me llevaron de la mano a comprar
mis primeros tebeos y libros, seguro que les hará mucha ilusión.

AGRADECIMIENTOS

Quiero dar las GRACIAS a:

BEGOÑA PANCORBO CRESPO, por hacer de la sencillez virtud.

BERNARDO CRESPO VELASCO, por hacer del trabajo un juego rentable.

PABLO POZUELO MAYORDOMO, por hacerme más agradable el camino.

GUILLERMO VICANDI, sin cuyas clases la parte legal no habría sido posible.

VÍCTOR RUIZ, sin cuyo apoyo este libro no hubiera visto la luz.

MÓNICA CUENA, por ayudarme durante innumerables horas a dar forma a este texto.

TVSS, por presentarme a emprendedores locos como yo.

IE BUSINESS SCHOOL, por enseñarme a ver oportunidades en vez de amenazas.

LA UNIVERSIDAD DE DEUSTO, por demostrarme que *"Sapientia melior auro"*.

BBVA y a todos mis compañeros de allí, por su paciencia y apoyo a lo largo de estos años.

MI FAMILIA Y AMIGOS, por aguantarme.

CONTACTO CON EL AUTOR

¿Tienes dudas?

¡No seas tímido! A lo largo de este tiempo muchos lectores se han puesto en contacto con nosotros para consultarnos dudas, hacernos sugerencias y contarnos sus experiencias, ¡y nos encanta!

Tenemos muchos canales donde puedes localizarnos:

- **Web:** A través del formulario de contacto de `www.creabytes.com`.
- **Twitter:** En nuestra cuenta `@creabtes_com`, ¡síguenos!
- **E-mail:** Enviando un email a `javier.escribano@creabytes.com`, indicando en el asunto [Vender en Internet].

Este es un libro pensado y escrito para vosotros, sus lectores. Así que animaros y enviadnos mensajes, atenderé encantado todas vuestras consultas.

Índice de contenidos

Prólogo a la edición ampliada y revisada

Este libro que tienes entre tus manos nace, como todos los buenos proyectos, de un sueño. El sueño de poder ayudar a otras personas a ganarse la vida en Internet y animarles a emprender en vez de dejarse derrotar por la crisis que aún nos rodea. Si cuando se escribió la primera edición de este libro, estando Europa en un mal momento económico, este libro podía servir de ayuda ahora es, sin duda, indispensable.

Mucho ha cambiado la venta a través de Internet desde la primera edición de este libro, pero el contenido del mismo sigue siendo igual de válido que cuando se escribió. Lógicamente, hemos aprovechado esta nueva edición para actualizar y revisar todas las secciones y añadir dos nuevos apartados que es necesario conocer para Vender con éxito en Internet pero que no pudimos incluir en la versión anterior por falta de espacio: La mejora de la "tasa de conversión" es decir, como conseguir que cada cliente que venga a nuestra página web acabe comprando y los escaparates de venta de un único producto que, por sus características y público al que van dirigidos, tienen características diferentes a las tiendas *on-line* "puras".

Por supuesto, siempre sin perder de vista nuestro objetivo final que siempre ha sido y sigue siendo **HACER DINERO VENDIENDO EN INTERNET.**

PERO YO NO TENGO CONOCIMIENTOS INFORMÁTICOS...

Precisamente por eso necesitas este libro. Mucha gente, como tú, no tiene tiempo para ponerse aprender a programar, ni tiene interés en dedicar su tiempo a ver letras ininteligibles en pantallas negras... ¿Sabes que hoy en día es posible poner en marcha una tienda en Internet sin tener conocimientos de programación? Y lo que es mejor, con este libro podrás aprender métodos para llamar la atención de los clientes, captarlos y conseguir que acaben formalizando una compra.

¿ES ESTE LIBRO UN MÉTODO PARA HACERSE RICO Y FAMOSO SIN ESFUERZO EN 15 DÍAS?

No. Este libro recoge consejos e información útil sobre la venta por Internet y trata de ser muy didáctico, simplificando aquellos aspectos técnicos que más pueden desanimar al lector con poca experiencia en comercio electrónico. Pero, por desgracia, aún no se ha inventado un método que permita ganar grandes cantidades de dinero con una baja inversión económica y sin dedicación.

Aclarado esto, este libro sí que os va a ayudar a situaros en el camino correcto para conseguir crear un negocio rentable en Internet invirtiendo muy poco dinero.

UN LIBRO POR Y PARA SUS LECTORES

Un libro, una vez escrito, deja de ser del autor y pasa a ser de sus lectores. Por eso, siempre os animo a que os pongáis en contacto conmigo y me contéis vuestra opinión sobre el libro y cómo os está ayudando en vuestro día a día.

Lo más gratificante que uno puede encontrar es que muchos profesores utilicen *"Vender en Internet"* como guía en sus cursos de comercio electrónico, o que nuestros lectores hayan colgado en Internet las fotografías de sus productos que han realizado siguiendo los métodos de este libro y compartan sus experiencias positivas en las Redes Sociales.

Este libro ya está siendo realmente útil a personas que han comenzado a vender en Internet gracias a sus consejos, **¿te atreves a dejarte guiar y aprender a vender más en Internet?**

Espero que os encante esta nueva edición y pueda seguir disfrutando de los verdaderos protagonistas de este libro: sus lectores.

Un abrazo,

Javier Escribano.

Introducción

Si hace tan solo 15 años hubiéramos decidido crear una tienda, hubiésemos tenido que pensar en buscar un local adecuado, crear una marca, almacenar los artículos para su posterior venta, contratar personal para atender al público...

Hoy, años más tarde, y gracias a la aparición de Internet, a pesar de que conceptualmente todas las tareas son las mismas, el nivel de inversión requerido, así como la complejidad y número de horas que es necesario dedicar para lanzar una tienda se ha reducido drásticamente.

Esto permite que cualquier persona pueda lanzarse a la maravillosa aventura de vender por Internet con muy poco riesgo y a coste prácticamente cero.

Y ese es precisamente el objetivo de este libro, analizar la mejor forma de montar una tienda en Internet dedicándole el menor número de horas a su gestión y con la menor inversión posible.

POR QUÉ MONTAR UNA TIENDA *ON-LINE*

Hay muchos motivos para montar una tienda *on-line*, muchas personas destacarían que es muy divertido, emocionante, te permite tener contacto directo con tus clientes, identificar sus necesidades y cumplir con sus expectativas.

¿Qué más se puede pedir?

Pues en mi humilde opinión: DINERO. Todas las anteriores razones son importantes pero no deben ser el principal motivo para montar una tienda en Internet. Debemos ser conscientes que al crear nuestra tienda estamos iniciando un negocio cuyo objetivo principal es maximizar los beneficios para su dueño (en este caso nosotros).

El dinero que ganemos nos permitirá hacer cosas divertidas, emocionantes y tener tiempo para estar en contacto con nuestra gente más querida.

Este es el tipo de proyecto profesional que se puede compaginar con un trabajo a tiempo completo, porque no requiere excesiva dedicación y permite probar y hacer crecer nuestro negocio antes de dar el salto y dedicarnos a él de forma plena.

QUIÉN DEBE LEER ESTE LIBRO

Este libro está dirigido a todas aquellas personas que, independientemente de su nivel de conocimientos informáticos, desean montar una tienda virtual. A lo largo de este libro les guiaremos paso a paso por todos los aspectos importantes del proceso de creación de la misma.

De forma general este libro está dirigido a:

- **Dueños de tiendas físicas:** Empresarios que ya posean una tienda y deseen ampliar su negocio al mundo *on-line*.
- **Complementar ingresos:** Aquellos que, teniendo actualmente empleo, les gustaría mantener un negocio paralelo que les permita adquirir experiencia en otros sectores sin consumirles mucho tiempo y ofreciéndoles una serie de ingresos adicionales.
- **Desempleados:** Las personas que se encuentran en una situación de desempleo y necesitan buscar fuentes de ingresos para mantener su nivel anterior de sueldo.
- **Aficiones extraordinarias:** Aquellos que, teniendo un hobby que ellos consideran extraño y que pensaban que nunca iban a poder monetizar, ven en Internet una plataforma estupenda para encontrar a personas que, como ellos, tienen pasiones poco comprendidas y a las que se pueden vender productos y servicios relacionados con esa afición.

CÓMO SE ORGANIZA ESTE LIBRO

Este libro está organizado en tres partes diferenciadas, que se corresponden secuencialmente con el proceso natural de creación de una tienda *on-line*.

- **Parte I. Creación de la tienda:** Una primera parte que engloba hasta el capítulo 4, donde se explican los conceptos básicos para la apertura de una tienda *on-line*, desde qué nombre elegir hasta el sistema técnico más adecuado en función de su perfil y experiencia previa en aspectos informáticos.
- **Parte II. Diseño de la operativa:** En esta segunda parte, nos centraremos en los procesos operativos de la tienda, cómo enviar a los clientes los artículos que hayan adquirido, cuáles son los medios de pago que debemos admitir y qué riesgos y comisiones tiene cada uno de ellos.

- **Parte III. Desarrollo del negocio:** La parte final está centrada en cómo conseguir atraer a cuantos más clientes mejor. Para ello vamos a utilizar los recursos que Internet pone a nuestra disposición, y aquellos que se han venido utilizando tradicionalmente, con el objetivo de incrementar los ingresos de nuestra tienda.

¿QUÉ ME APORTA ESTE LIBRO?

Este libro está pensado para ser práctico, pretende solucionar los problemas que surgen a la hora de poner en marcha una tienda virtual, por lo que es especialmente útil como libro de consulta durante la creación de su negocio *on-line*.

En otras palabras, si lee este libro antes de comenzar su proyecto y sigue nuestras recomendaciones se ahorrará multitud de tiempo y problemas, ya que se aprovechará de nuestra experiencia indicándole aquellas decisiones que tienen más probabilidades de éxito.

No obstante, lo mejor para aprender, es hacerlo mientras uno se pone manos a la obra, así que adelante, le invitamos a sumergirse en las profundidades de este libro y disfrutar ganando dinero con su tienda *on-line*.

Parte I

Crear la tienda

1. Ideas para vender en Internet

En este capítulo aprenderemos:

- Fórmulas para encontrar nuestro hueco en el mercado.
- Sistemas de medición del potencial de un mercado.
- Cómo estudiar a nuestra competencia.
- Herramientas para comprobar de forma práctica el mercado de un producto.

Actualmente, y especialmente en los últimos años, multitud de empresas han comenzado a vender sus productos y servicios a través de Internet.

Su incorporación a este nuevo mercado se ha producido de forma simultánea al número de personas que ya navegan por Internet de forma regular en España, algunos estudios indican que el 54 por ciento de los hogares españoles ya cuentan con conexión a Internet de banda ancha y el 95 por ciento están conectados.

Esto en la práctica supone que existe un número enorme de potenciales clientes, ya que de los 27 millones de usuarios españoles un 41 por ciento ya realizan compras a través de Internet, oportunidad que muchas empresas quieren aprovechar para venderles sus productos y servicios usando este canal.

Si está leyendo este libro asumimos que su pretensión es atraer cuantos más compradores mejor de estos 10 millones potenciales en España, y por qué no, de todos aquellos que pueda captar en el extranjero.

Para lograr este objetivo, lo primero que debemos preguntarnos es: ¿Qué productos son los más adecuados para vender a través de Internet?

Esta es probablemente la pregunta más importante a la hora de montar una tienda *on-line*, y a la que debemos dedicar el tiempo que sea necesario a reflexionar sobre este punto. A lo largo de este capítulo vamos a mostrar una serie de pasos que recomendamos seguir, ya que no costando mucho tiempo ni dinero, nos evitarán multitud de errores y asegurarán el éxito futuro de nuestra tienda *on-line*.

En primer lugar los productos elegidos para nuestra tienda deberían cubrir una necesidad existente y no cubierta de un grupo de personas con necesidades más o menos homogéneas, lo que llamamos "nicho de mercado".

ENCONTREMOS NUESTRO NICHO DE MERCADO

"SI LE CONCEDEN UN SOLO DESEO, PIDA UNA IDEA."

Percy Sutton, Abogado, político y emprendedor.

¿Qué es un nicho de mercado? Es un hueco de mercado donde existe una necesidad no cubierta por las grandes empresas dedicadas a la venta en Internet. Algunos de los ejemplos más conocidos pueden ser Zara, el Corte Inglés, etc.

En España, los servicios que más se venden a través de Internet y por tanto donde más competencia existe actualmente son los siguientes:

- **Viajes:** Probablemente el producto más masivo de venta a través de Internet, tanto en su versión de transporte de corto recorrido, como en los viajes de placer o negocios de ámbito nacional e internacional.
- **Productos electrónicos:** Principalmente adquiridos por hombres jóvenes con un alto nivel de educación.
- **Productos de alimentación:** Adquiridos por mujeres adultas con un nivel alto de educación y de ciudades medianas y grandes.
- **Material deportivo y ropa:** Comprado por adolescentes y jóvenes.

Como indicamos anteriormente, un nicho es un hueco de mercado en el que las personas o colectivo dentro del segmento al que nos estamos dirigiendo poseen todos unas características y necesidades más o menos homogéneas, por lo que es factible poder diseñar productos o servicios orientados a ese tipo de clientes.

Estos huecos no suponen competencia para las grandes empresas del mercado. ¿Cuáles son los motivos por los que no están interesados en estas oportunidades? Uno de los principales motivos es que estas empresas están dirigidas a una gran masa de clientes con un mayor volumen y margen. Sin embargo, los segmentos a los que nos dirigimos son más pequeños y podrían resultarles más trabajosos y menos rentables.

¿Cómo poder encontrar un hueco de mercado que no esté cubierto?

Muchas personas que no se deciden a crear una tienda *on-line*, lo achacan a la falta de ideas e inspiración para encontrar un producto o servicio que atienda una necesidad y que no esté ya cubierta por algún competidor.

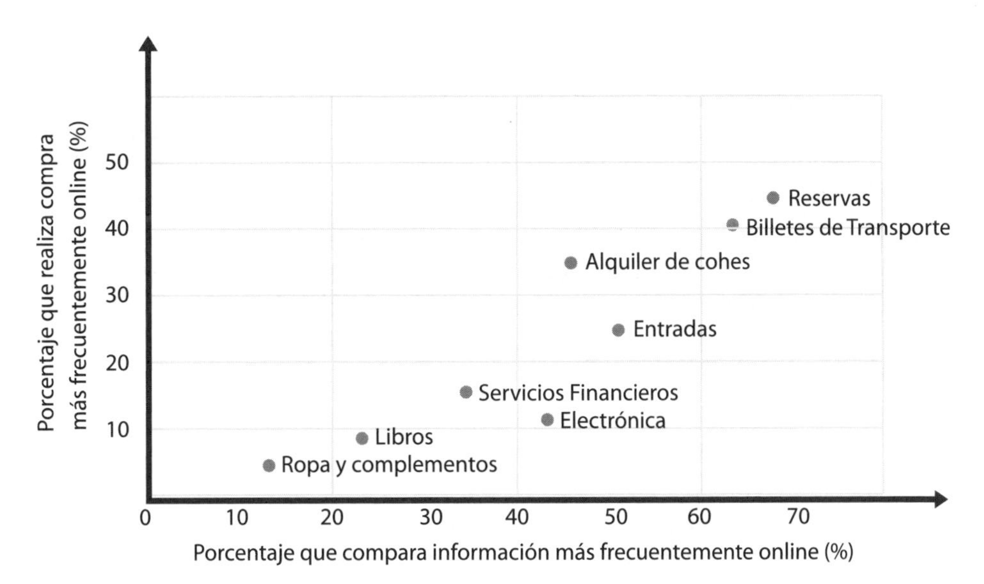

Figura 1.1. Gráfico de venta de productos versus consulta de información de los mismos en Internet.

Las ideas no tienen por qué ser especialmente innovadoras, pero sí que tenemos que intentar buscar la diferenciación. Es decir, aquella característica que nos hace destacar de la competencia y provoca que los clientes compren nuestros productos.

A continuación vamos a proponer una serie de fuentes de inspiración de las que obtener un número suficiente de ideas, que una vez analizadas y filtradas, nos permitan quedarnos con una que pueda ser un gran negocio *on-line*:

Aficiones

Podemos encontrar necesidades de mercado no cubiertas en nuestra propia experiencia, en aquellas cosas que nos gustan y en nuestras diversiones.

Un ejemplo bastante claro sería el hecho de buscar un producto en Internet con el objetivo de comprarlo y obtener como resultado o bien que no se encuentre a la venta en la red, o bien que solo se venda en el extranjero.

En ambos casos esta podría ser una oportunidad de negocio en España. Internet proporciona la posibilidad de llegar a ese tipo de colectivos de una forma muy dirigida y relativamente barata.

En conclusión, al igual que nosotros hemos buscado este producto y no lo hemos encontrado, otras personas pueden haber tenido la misma necesidad, por lo que a priori, parece que nuestras experiencias personales son una buena fuente de inspiración.

Revistas

En algunas ocasiones nuestras aficiones son tan comunes que ya están cubiertas por las grandes empresas de Internet, por lo que observar lo que se está vendiendo en las revistas, puede ser una gran fuente de inspiración para la obtención de ideas de productos y servicios en Internet.

¿Alguna vez hemos reflexionado sobre por qué se crea una revista? Una revista se crea básicamente para que los anunciantes puedan comunicarse con potenciales compradores. Para ello se le dota de un contenido acorde al público al que quieren dirigirse. Pero no olvidemos que la publicidad es el motor de existencia de dichas revistas.

Por ello, las revistas son un sitio estupendo para encontrar ideas de productos que vender en Internet, y todos esos anunciantes pueden ser potenciales distribuidores de nuestra futura tienda.

Partiendo de la base de que lo más probable es que no dominemos estos sectores, ¿cómo determinamos cuál de todos ellos es el más interesante? Una de las formas es acudir a la OJD (Oficina de Justificación de la Difusión) entidad que controla la tirada y difusión de varios tipos de medios de comunicación en España, es decir, controla cuántos números de una revista de un tipo se emiten, se compran y se venden. Esta información es muy valiosa, ya que permite a los anunciantes ver cuánto vale la publicidad en esa revista y a qué colectivo va dirigido.

Consultar la OJD nos permite saber cuáles son las revistas que tienen mayor público objetivo, lo que nos da la oportunidad de descubrir colectivos que poseen necesidades por atender. Por ejemplo si observamos que hay 80.000 personas que están dispuestas a pagar por leer una revista de caza, podemos intuir que ahí existe una oportunidad de negocio.

Internet

Otra fuente de ideas muy similar a la anterior son los controles de audiencia en Internet. Éstos nos permiten saber cuáles son las páginas y contenidos web más visitados.

Al ser mercados de Internet, normalmente los anunciantes ya suelen tener habilitada la venta *on-line*, por lo que deberíamos enfocarnos más en aquellos contenidos más solicitados pero que no tienen un número elevado de anunciantes.

La OJD tiene disponible un sistema de medición para medios *on-line* denominado OJD interactiva, que compite con el planificador de medios de Google denominado Display Planner y donde podemos consultar las páginas webs que visitan de forma regular nuestros clientes potenciales.

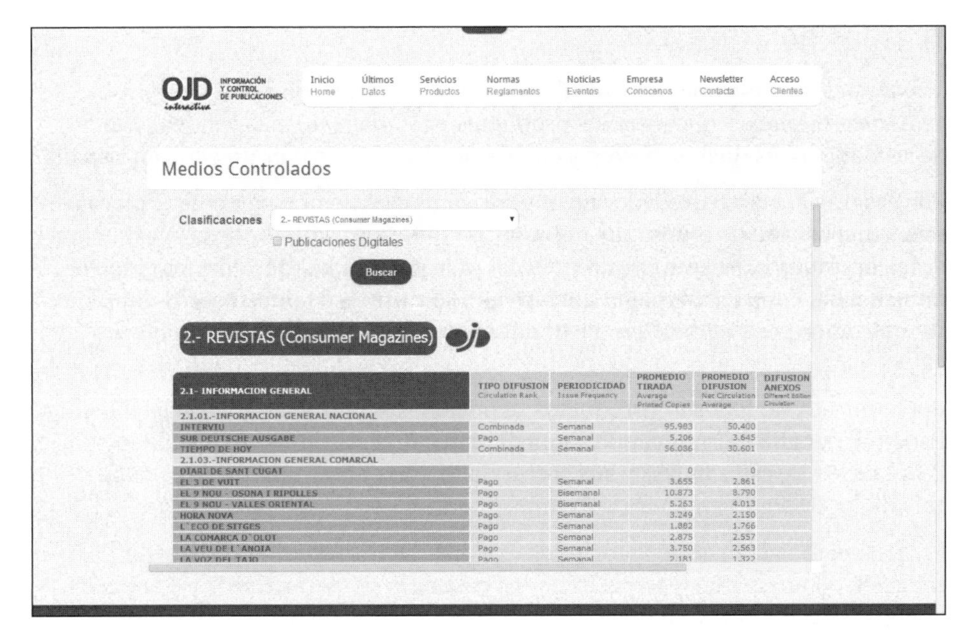

2.1- INFORMACION GENERAL	TIPO DIFUSION Circulation Rank	PERIODICIDAD Issue Frequency	PROMEDIO TIRADA Average Printed Copies	PROMEDIO DIFUSION Net Circulation Average	DIFUSION ANEXOS Different Edition Circulation
2.1.01.-INFORMACION GENERAL NACIONAL					
INTERVIU	Combinada	Semanal	95.983	50.400	
SUR DEUTSCHE AUSGABE	Pago	Semanal	5.206	3.645	
TIEMPO DE HOY	Combinada	Semanal	56.036	30.601	
2.1.03.-INFORMACION GENERAL COMARCAL					
DIARI DE SANT CUGAT			0	0	
EL 3 DE VUIT	Pago	Semanal	3.655	2.861	
EL 9 NOU - OSONA I RIPOLLES	Pago	Bisemanal	10.873	8.790	
EL 9 NOU - VALLES ORIENTAL	Pago	Bisemanal	5.263	4.013	
HORA NOVA	Pago	Semanal	3.249	2.150	
L`ECO DE SITGES	Pago	Semanal	1.882	1.766	
LA COMARCA D`OLOT	Pago	Semanal	2.875	2.557	
LA VEU DE L`ANOIA	Pago	Semanal	3.750	2.563	
LA VOZ DEL TAJO	Pago	Semanal	2.181	1.322	

Figura 1.2. Consulta de tirada de revistas en la OJD (Oficina de Justificación de la Difusión).

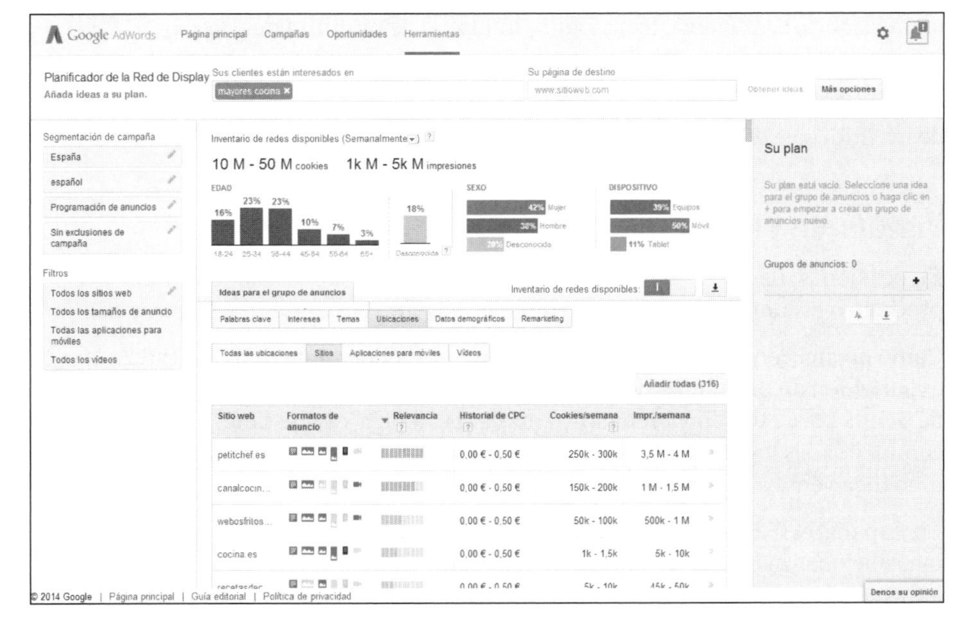

Figura 1.3. Página de Display Planner, un planificador de medios *on-line* ofrecido por Google.

Tiendas de otros países

Viajar suele ser una buena forma de obtener ideas, trasladarse a otros países y vivir experiencias, observar los productos y tiendas que más venden, qué necesidades o productos existen y cuáles de ellas podrían ser un éxito en España.

Por desgracia, viajar alrededor del mundo tanto por tiempo como por dinero no está a disposición de todos. Sin embargo, no todo son malas noticias, ya que una de las oportunidades que nos da Internet es la posibilidad de viajar por todo el mundo a bajo precio, simplemente navegando a través de nuestro explorador de Internet. Nos permite acceder desde casa a una gran variedad de tiendas de otros países y analizar cuáles son los productos que se podrían traer a España.

Por supuesto, no todos los productos se pueden adaptar a los gustos del mercado Español, por ello es importante adquirir el mayor conocimiento posible sobre la población de estos países y sus costumbres, para determinar si se pueden extrapolar de alguna manera a España.

En cada país existen observatorios de estadísticas disponibles a través de Internet, donde se puede ver el nivel de renta de la población, en qué gastan e invierten sus recursos, su grado de adaptación tecnológico...

Una fuente estupenda de datos es el World Factbook (literalmente, "Libro mundial de hechos") que anualmente publica la CIA (Agencia Central de Inteligencia) de los Estados Unidos y que recoge un resumen acerca de la información más importante (demográfica, económica, tecnológica, militar...) de multitud de países.

Los datos más específicos, como el volumen de ventas de los distintos productos, pueden obtenerse de la propia información corporativa de la empresa, así como de los informes de comercio electrónico anual del país en cuestión.

Vender en el extranjero

En ocasiones, hacer la reflexión al revés también funciona. Todos conocemos productos españoles de gran éxito que se podrían vender *on-line* en otros países.

Como norma general, comenzar nuestra primera tienda virtual dedicada a la exportación de productos no suele ser lo deseable, y es mejor postergar este tipo de tienda para cuando ya tengamos más experiencia ya que tiene una serie de complejidades logísticas, aduaneras, legales, fiscales... que pueden complicar mucho la venta e incrementar nuestros procesos operativos.

En España, el ICEX (Instituto de Comercio Exterior) se dedica a promover la internacionalización de las empresas Españolas, por ello realizan periódicamente informes de múltiples sectores y sus oportunidades de exportación a otros países.

Estos informes pueden proporcionarnos multitud de ideas para elegir productos que sean de fácil venta en el extranjero.

Figura 1.4. Página de la CIA World Factbook, que ofrece datos mundiales estadísticos.

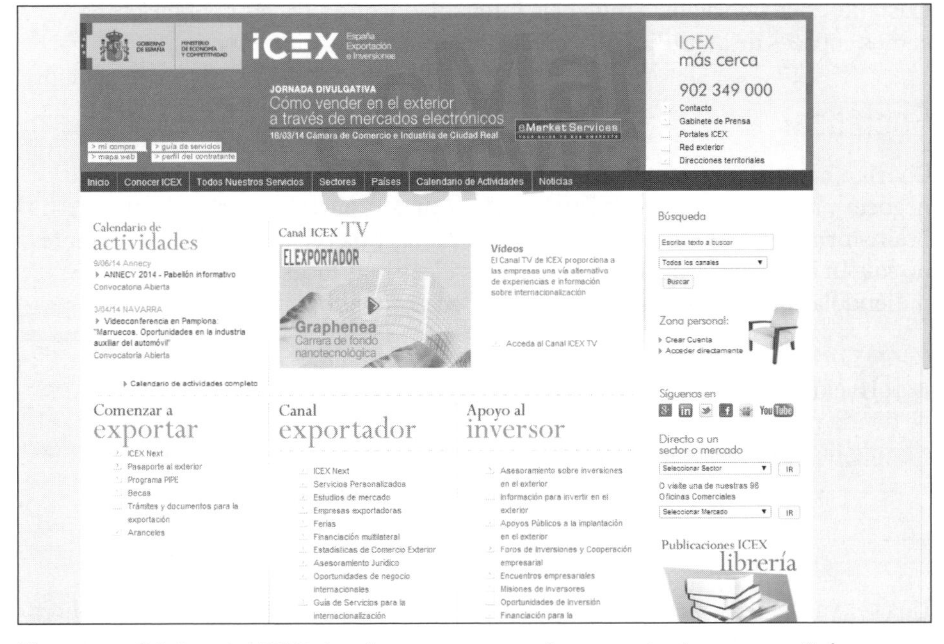

Figura 1.5. Página del ICEX, instituto que apoya las exportaciones españolas.

Micro tendencias

Una micro tendencia es un grupo creciente de personas con cierta identidad que tienen necesidades no cubiertas por empresas y gobiernos y cuyo comportamiento tiene impacto sobre la sociedad.

Según Mark Penn, autor del libro Microtrends, algunos ejemplos de estas micro tendencias que tendrán un gran impacto en el futuro son:

- **Romances de oficina:** En Estados Unidos casi un 60 por ciento de empleados han tenido algún tipo de romance en la oficina, lo que convierte a la oficina en el nuevo "bar para solteros". Esto tendrá implicaciones en el diseño de políticas en el centro de trabajo, así como en materia de conciliación familiar.
- **Población zurda:** En tan solo dos generaciones se ha duplicado en América el número de personas zurdas, lo que abre multitud de oportunidades de negocio en la comercialización de productos orientados a este segmento.
- **Fanáticos de los videojuegos:** La gran mayoría de los adultos jóvenes de la actualidad han crecido utilizando videojuegos, lo que abre un nuevo mercado de productos de ocio digital diseñados para adultos.

En realidad, es en el desarrollo de estas micro tendencias donde el marketing aporta realmente valor, ya que el reto consiste en encontrar una tendencia ya existente en la población a muy baja intensidad y que a través del Marketing somos capaces de amplificarlo y crear una gran tendencia de masas.

Socializar

Charlar, hablar y preguntar. Suele ser la mejor forma de encontrar ideas de negocio y de venta a través de Internet. Qué mejor que estar haciendo un brainstorming con los amigos mientras te tomas unas cervezas. Probablemente no salgan los mejores negocios, pero sí las ideas más locas y creativas que puliéndolas un poco, se puedan convertir en grandes oportunidades.

MIDAMOS NUESTRO MERCADO POTENCIAL

"LA EMPRESA ORIENTADA AL CLIENTE EMPIEZA POR EL MERCADO Y SE DEJA GUIAR POR ÉL EN CADA DECISIÓN, INVERSIÓN Y CAMBIO."

Jan Carlson. Presidente de SAS

Una vez ya tenemos encontrada esa idea inicial, es decir, qué podemos vender, ahora lo que tenemos que valorar es si el mercado al que nos dirigimos es lo suficientemente homogéneo y grande como para que merezca la pena crear una tienda *on-line*.

Vamos a poner como ejemplo el caso de una amiga mía, a la que le fascina la creación artística y que en sus ratos libres se dedica a la pintura de cuadros, elaboración de diseños para joyas, personalización de abanicos, etc.

De vez en cuando sus amigos le piden algunos de los productos que realiza a mano para regalar a sus familiares, como detalles en bodas, etc. y por ello está valorando si es este un producto que podría tener buena acogida comercializándolo a través de una tienda virtual.

Lo primero que debemos hacer es ver si existe un suficiente número de clientes potenciales en España, así como estimar si es posible obtener un número de ventas anuales suficiente para rentabilizar estos servicios.

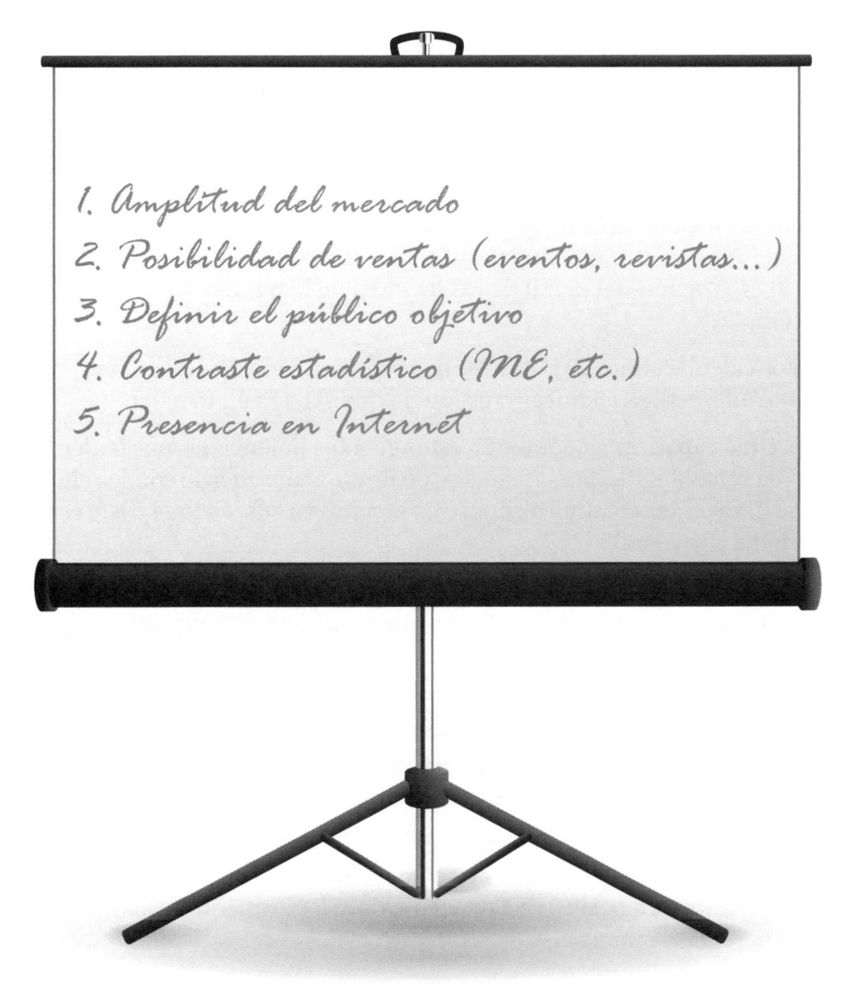

Figura 1.6. Pasos a seguir para la evaluación de un mercado.

Los pasos que deberíamos seguir para evaluar el mercado serían los siguientes:

1. Definir la amplitud del mercado: Inicialmente mi amiga ha decidido centrarse en el mercado español, por conocimiento del mercado y simplicidad de logística.
2. Podemos ver la tirada de revistas relacionadas con el arte o bien con la elaboración de manualidades.
3. ¿Cuántas bodas o eventos se realizan en España anualmente? ¿Y cumpleaños?
4. Deberíamos estimar el tipo de clientes que podríamos tener, en este caso por la experiencia previa de nuestra amiga, nos centramos en mujeres entre 25 y 50 años.
5. Calculamos en el INE el número de mujeres que hay en España comprendidas en esas edades.
6. ¿Qué páginas web de arte hay importantes en España? Una forma de comenzar a encontrar páginas de este tipo sería mediante una simple búsqueda en Google, aunque hay sistemas como la OJD interactiva o Google Ad Planner que nos permitirían afinar más la búsqueda, incluso en función del perfil de los lectores de la página web en cuestión.

Con estos datos calcularíamos cuál es el número aproximado de personas potencialmente interesadas en nuestro producto que existen en España.

De aquí deberíamos analizar a cuántos de estos clientes potenciales nos podemos dirigir de forma rentable. ¿Seríamos capaces de llegar a un acuerdo con los clubs o webs de arte para poder comunicar nuestros servicios a sus socios a coste cero (o con un variable por venta)?

Una de las cosas más importantes que debemos aprender a lo largo de este libro es cómo poder realizar acuerdos a coste cero, que es lo que a un emprendedor que está comenzando en Internet le va a servir para comunicar su producto a los usuarios sin gastar un dinero que todavía no ha ingresado.

Antes de comenzar la comunicación de nuestro servicio, especialmente si este se realiza de forma manual, es muy importante valorar el número de solicitudes que podemos asumir sin que el cliente pierda calidad de servicio.

En Internet no hay nada peor que "morir de éxito", es decir, recibir tantas peticiones por parte de tus clientes que no seamos capaces de atenderlos y se comiencen a generar incidencias o reclamaciones que lógicamente acabarán asociadas a tu nombre en Internet.

Por ello es preferible tener siempre un pequeño exceso de capacidad, así como definir un "Plan B" para atender repentinos incrementos de la demanda.

ESTUDIEMOS (Y COPIEMOS) A NUESTRA COMPETENCIA

"AQUÉL QUE OBTIENE UNA VICTORIA SOBRE OTRO HOMBRE ES FUERTE, PERO QUIEN OBTIENE UNA VICTORIA SOBRE SÍ MISMO ES PODEROSO."

Lao-tse. Filósofo Chino

Cuando ya llegamos a un punto en el que tenemos una idea sobre qué podemos vender y hemos medido que el mercado potencial es lo suficientemente grande, una de las cosas que debemos hacer es ver si tenemos competencia en ese mercado y en ese caso ver qué es lo que está haciendo.

Si realmente el negocio merece la pena, siempre suele haber empresas que están haciendo algo parecido o comercializando otros productos similares, bien en nuestro país o en el extranjero.

Actualmente es bastante sencillo poder realizar un análisis de nuestros competidores simplemente buscándolos en Internet, algunos de los aspectos en los que debemos fijarnos son:

- **Público objetivo:** Determinar cuáles son los clientes a los que se dirigen, qué características tienen, analizar el tipo de fotografías que usan para que el comprador se sienta identificado y definir si el decisor de la compra es un hombre o una mujer, así como su nivel de renta.
- **Comunicación:** Debemos ver qué contenido tienen los mensajes que dirigen a sus clientes, así como la forma y el tono de tratamiento.
- **Nivel de precio:** Para cada producto debemos analizar cuál es su nivel de precio, si hay algún artículo que un competidor posea a un precio especialmente bajo y tratar de explicar los motivos.
- **Forma de productos:** Si se centran en la venta de muchos productos, o especialmente en uno con un microsite dedicado a la venta del mismo.
- **Medios de pago aceptados:** Si aceptan tarjetas de crédito a través de una pasarela de pagos o bien directamente de Paypal, si se acepta pago contra reembolso, etc.
- **Logística y sus costes:** Analizar si los costes logísticos se incluyen en el precio de venta o si los paga directamente el cliente. En este último caso, ver los costes por zonas, etc.
- **Venta Cruzada:** Es habitual que los clientes al comprar un producto suelan interesarse por la adquisición de artículos relacionados. Este proceso es denominado "Venta Cruzada". Es importante estudiar la venta cruzada de nuestros competidores, para afinar los productos que debemos ofrecer a nuestros clientes.

- **Estética de la página web:** Cada sector suele tener unos colores, estructura y estética determinada. No es lo mismo dedicarnos a la venta de música por Internet a jóvenes, que vender productos de salud a gente mayor.
- **Medios en los que se publicitan:** Qué tipo de publicidad realizan: banners, acuerdos corporativos, acuerdos con asociaciones, blog en el que escriben sus noticias, etc.
- **Datos financieros:** Si es una empresa que tiene obligación de presentar sus cuentas en el registro, suele ser interesante consultarlas para ver su volumen de facturación (cuánto están vendiendo), cuál es la estructura de costes que tienen, su cuenta de resultados, etc. Esto nos permite ver cuáles son los márgenes que manejan y si a nosotros nos interesa o no entrar en ese mercado.

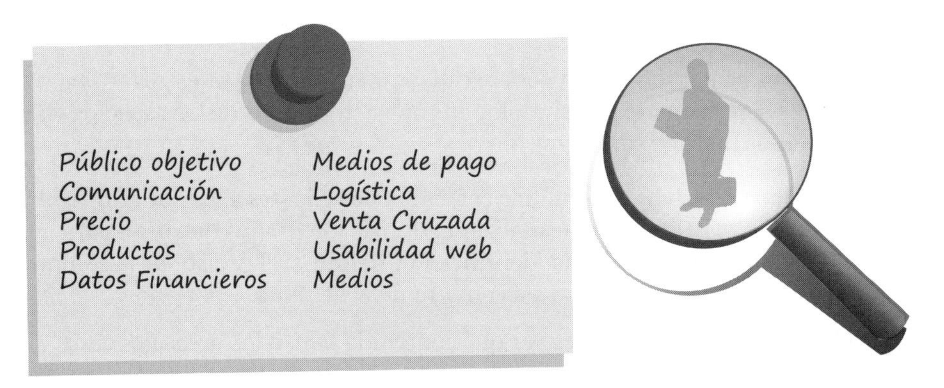

Figura 1.7. Aspectos críticos de análisis de nuestros competidores.

Si se tratase de un producto que actualmente no se vende en Internet pero sí en el mundo físico, deberíamos ampliar el concepto de competidor y analizar los datos de aquellas empresas que ya lo vendan.

Tenemos que observar si la línea de negocio crece o decrece, ya que esto nos puede indicar que es un producto cuyo ciclo de vida se está agotando, por lo que podría no ser interesante para el mercado de Internet.

Deberíamos ver cuál es la opinión de los clientes acerca de nuestra competencia. Una forma sencilla de recabar estas opiniones es haciendo búsquedas en Internet, tratando de encontrar quejas y felicitaciones de los clientes a nuestros potenciales competidores para poder ver si atienden las reclamaciones de sus clientes, y analizar aquellos aspectos que los clientes valoran como positivos.

Algunas de las quejas más comunes suelen estar referidas a:

- **Usabilidad:** La dificultad para utilizar la tienda *on-line*, opciones difíciles de encontrar, filtros de búsqueda inexistentes, etc.

- **Información de los productos:** Dudas de los usuarios acerca de ciertas características del producto, en ocasiones a los clientes no les queda claro cuáles son los productos incluidos en la compra o el formato de envío.
- **Atención postventa:** El teléfono de atención no atiende las llamadas, o se producen demoras en la atención de las incidencias vía e-mail.
- **Logística:** Problemas en el envío y entrega del producto al cliente, llega en mal estado, no lo entregan en el domicilio del cliente (muy habitual si tiene un peso elevado), demoras en la entrega, etc.
- **Pago:** No obtiene la confirmación del pago debido a problemas técnicos con la pasarela bancaria, no tienen disponible el tipo de medio de pago que desean, etc.

En la búsqueda de debilidades de la competencia, no solamente debemos fijarnos en las incidencias, sino también en las dudas de los clientes. Si los clientes poseen muchas dudas es que algo en la tienda de nuestra competencia no está bien diseñado, por lo que podemos encontrar una oportunidad de diferenciarnos y ofrecer mayor calidad de servicio que los establecimientos que ya están vendiendo a estos clientes potenciales.

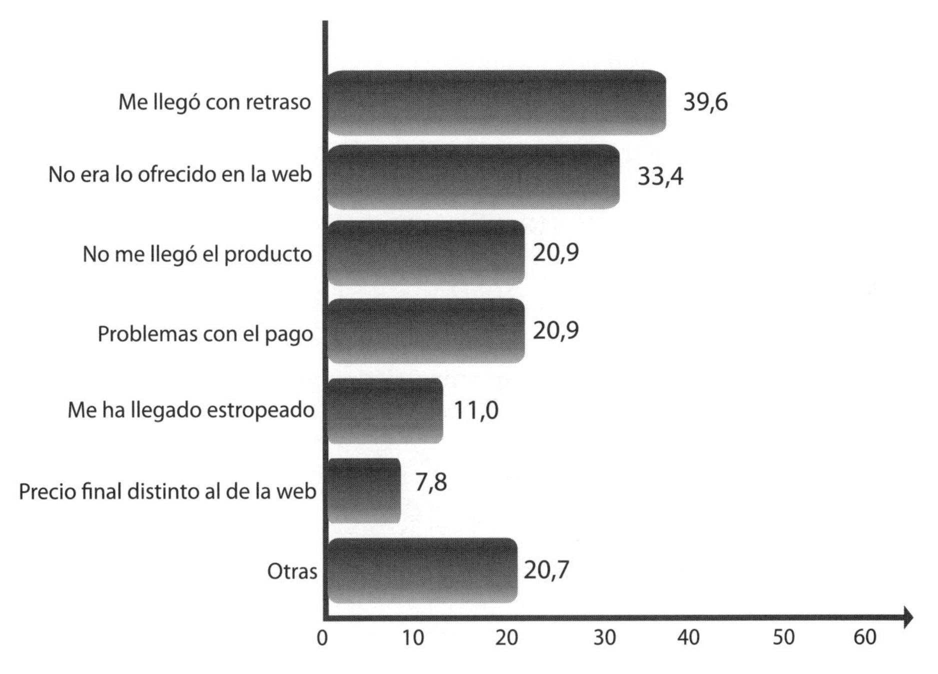

Figura 1.8. Reclamaciones e incidencias más frecuentes de los compradores en Internet.

PROBEMOS SI LA TEORÍA FUNCIONA

"TODO EL MUNDO MIENTE, LA ÚNICA VARIABLE ES SOBRE QUÉ."

Dr. House. Serie de TV

Es bastante sorprendente pero si hemos realizado correctamente los pasos anteriores y cogemos el producto que hemos decidido vender a través de Internet y se lo enseñamos a un grupo de gente que pertenezca a nuestro mercado potencial, casi todos te dirán que es un producto fenomenal, una necesidad que ellos ya habían detectado y que les parece una idea maravillosa.

Es más, te dirán que en cuanto surja la posibilidad, comprarán el producto sin dudarlo.

Ahora bien, ¿qué ocurre si les decimos que están de suerte, que tenemos dos artículos disponibles y que pueden comprarlos allí mismo?

Las reacciones en ese momento cambian radicalmente, en ese momento todos desean revisar el producto de nuevo, comienzan a sacarle fallos, analizan de nuevo si es una necesidad real...

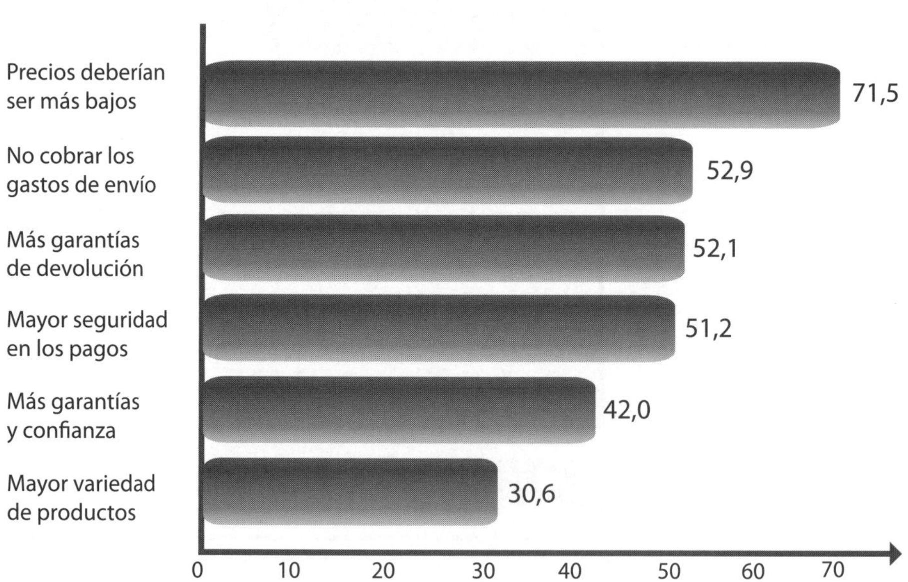

Figura 1.9. Aspectos de mejora que reclaman los usuarios para incrementar sus compras *on-line*.

En resumen: hacer que los clientes compren es mucho más complicado de lo que parece.

Por ello, siempre tras realizar los pasos de análisis y estudio anteriores y antes de desarrollar una tienda *on-line*, debemos hacer una prueba rápida de mercado.

Es decir vamos a coger nuestro producto y vamos a comunicarlo para hacer una pequeña prueba de mercado, a ver si la gente estaría dispuesta a comprar nuestro producto o no.

¿Cómo se puede hacer esto?

Compramos un número determinado de artículos de ese producto, y creamos una pequeña página web donde podamos hacer una pequeña prueba de compra.

Esto nos permite poner los productos a disposición del público y testar cuál es el interés real por parte de nuestros clientes potenciales así como una estimación de la redención que obtendríamos si pusiéramos el artículo a la venta.

Por ejemplo un foro relacionado con los aficionados al producto que pretendemos vender, en e-bay o en una simple página web que publicitamos contándoselo a nuestros amigos, etc.

Volviendo al ejemplo de mi amiga artista, analizando los productos que solía realizar nos dimos cuenta que uno de los que más aceptación tenía eran los abanicos personalizados, por lo que lo elegimos para hacer la prueba de mercado.

Los pasos que realizamos fueron los siguientes:

1. Compramos un abanico de madera de buena calidad en color blanco, fácilmente personalizable en una tienda de barrio por 6 euros.
2. Analizamos el mercado al por mayor de este tipo de abanicos, y conseguimos un precio para pequeñas cantidades inferior a 2,5 euros, lo que nos asegura que si el producto funciona, podremos tener buenos niveles de rentabilidad.
3. Mi amiga utilizó los materiales (pinturas y pinceles) que ya tenía disponibles, por lo que el coste de este material para la prueba fue mínimo (tendente a cero). Este proceso realizado en grandes cantidades tendría un coste inferior a 0,5 euros por abanico.
4. Una vez en su estudio, y mientras charlaba conmigo terminó de pintar el abanico personalizado con mi nombre en aproximadamente unos 5 minutos, lo que en una jornada de 8 horas diarias le permitiría realizar unos 100 abanicos diarios.
5. Sacamos una fotografía al abanico contra un fondo blanco para utilizarlo como ejemplo del tipo de producto que estamos comercializando.

6. Trabajamos en la descripción a incluir en los abanicos, donde explicamos detalladamente las ventajas con respecto a la competencia de nuestros abanicos, resaltando la experiencia de la artista, la gran calidad de los materiales que utiliza y la alta personalización en función de las indicaciones del cliente. Para coger ideas sobre cómo realizar esta comunicación, navegamos por las páginas web de competidores españoles y extranjeros con productos similares a la venta.
7. Decidimos realizar una subasta *on-line* en una página especializada (por ejemplo e-bay), para tratar de analizar la sensibilidad al precio de nuestros clientes. Analizando los niveles de precio de la competencia definimos un precio mínimo de subasta de 10 Euros para el abanico.
8. Cancelamos la subasta un poco antes de que finalice, habiendo alcanzado un precio de 20 euros.
9. Para terminar nuestro análisis, alcanzamos un acuerdo con un blog con muchas visitas de mujeres jóvenes, segmento al que se dirige este tipo de producto, asociando un banner a una pequeña página web donde obtenemos una redención de potenciales clientes con intención de comprar del 1,5 por ciento.

Este es un pequeño ejemplo que puede aplicarse a cualquier tipo de producto o servicio cuya demanda y precio se desee testar antes de comenzar su comercialización a través de una tienda virtual específica.

Llegados a este punto debemos decidir si continuar o no con nuestra tienda virtual, pero ¿cuál es un nivel de interés exitoso por parte de nuestros clientes? No hay una única respuesta a esta pregunta, ya que por supuesto dependerá del tipo de producto, el precio, el nivel de margen deseado, lo enfocado que haya estado la comunicación a nuestros potenciales clientes, etc.

De forma general podemos decir que, siempre que cubramos nuestros costes de comunicación con el margen que deseemos, con una redención de entre un 1 por ciento al 3 por ciento el producto está teniendo un nivel de aceptación razonable y debemos continuar con la creación de nuestra tienda *on-line*.

¡Enhorabuena!, llegados a este punto ya tenemos una idea viable para vender en Internet y lo único que queda es desarrollarla siguiendo unos sencillos pasos que explicaremos en detalle a lo largo de los próximos capítulos. Así que ánimo y ¡manos a la obra!

Para saber más:

- OJD (Oficina de Justificación de la difusión):

  `http://www.ojd.es`

- Google Display Planner (planificador de medios de Google):

  `https://adwords.google.es`

- CIA - The World Fact Book (Sistema de información):

  `https://www.cia.gov/library/publications/the-world-factbook/`

- ICEX (Instituto de Comercio Exterior):

  `http://www.icex.es`

- INE (Instituto Nacional de Estadística):

  `http://www.ine.es`

"INVERTIR EN CONOCIMIENTOS
PRODUCE LOS MEJORES INTERESES."

Benjamín Franklin. Padre fundador de los Estados Unidos

2. Una tienda *on-line*, ¿Cómo funciona?

En este capítulo aprenderemos:

- Las bases de la tecnología sobre la que funciona Internet.
- Los conceptos básicos para entender el lenguaje de un informático.
- Los módulos que componen una tienda virtual.

Poner en marcha una tienda *on-line*, es actualmente muy fácil incluso para una persona sin conocimientos técnicos.

Pero al igual que la contabilidad es "el solfeo de las finanzas", cuando se comienza a trabajar en Internet es importante conocer algunos conceptos básicos de su funcionamiento que nos permitan comprender mejor qué ocurre internamente en nuestra tienda *on-line*.

Por ello, vamos a dedicar este capítulo a explicar de la manera más simple posible el funcionamiento de una tienda en Internet, así como los módulos más importantes que componen una tienda virtual.

Este pequeño esfuerzo teórico merecerá la pena, ya que este conocimiento nos será útil a lo largo de los próximos capítulos del libro.

UN MUNDO TECNOLÓGICO EN ACELERACIÓN CONSTANTE

En los últimos años, se ha producido una aceleración de la velocidad de adopción por parte de los clientes de nuevos inventos y tecnologías. Desde el automóvil, que tardó 110 años en tener una cobertura del 80 por ciento de la población o el teléfono que tardó prácticamente 120 años en ser utilizado globalmente, hasta la actualidad donde para obtener una cobertura global el PC únicamente ha tardado 20 años, el móvil 15, e Internet menos de 10 años.

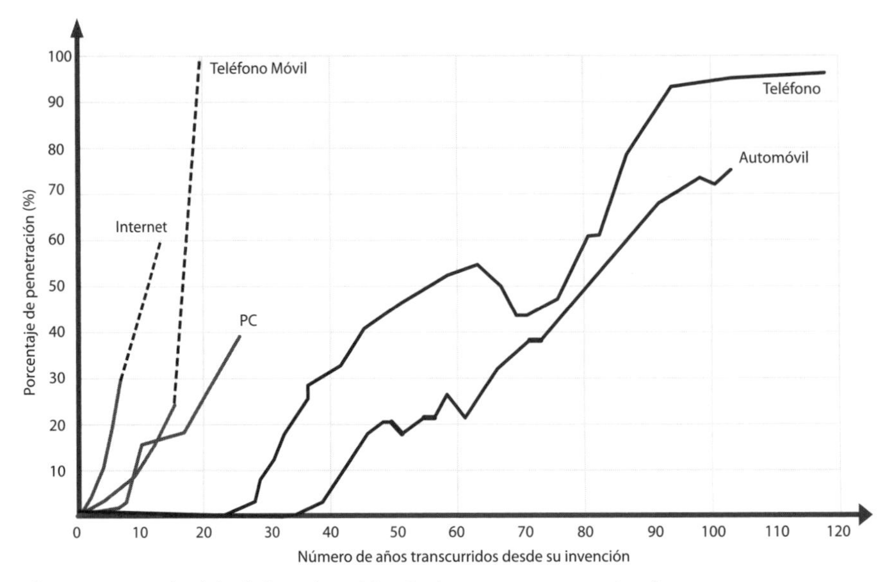

Figura 2.1. Velocidad de adopción de inventos y tecnologías.

Para confirmar esta tendencia de aceleración basta ver que los nuevos productos tecnológicos como el iPhone, el iPad y la Wii han tardado menos de 100 días en vender más de un millón de unidades.

Número de días en alcanzar 1millón de uds

Nintendo Wii	iPad	iPhone
13	28	74

Figura 2.2. Días que tardaron en alcanzar un millón de unidades algunas tecnologías.

Los medios de comunicación de hoy en día son mucho más globales que hace 20 años, lo que unido a las nuevas redes de contactos entre personas, permite que se pueda realizar un lanzamiento de productos o servicios a nivel mundial de una manera más sencilla y barata de lo que sucedía antiguamente.

Es el caso de muchas marcas globales, como Microsoft o Apple, que realizan lanzamientos mundiales de determinadas tecnologías que se ponen a la venta de forma simultánea en miles de países e idiomas.

Esta rápida aceleración nos genera un problema, si cada semana nacen nuevas tendencias y tecnologías, ¿cómo puedo diferenciar cuáles debo desarrollar dedicándole mi tiempo y recursos y en qué tendencias esperar por si su crecimiento no es el esperado?

Para poder responder a esta pregunta, debemos comprender cómo es la curva típica de adopción de las tecnologías por parte de los clientes, que dependerá de cuál es su tipología, que fundamentalmente se puede corresponder con uno de estos cinco tipos:

- **Los innovadores:** Se corresponde con las personas fanáticas de la tecnología, ese amigo que todos tenemos que siempre tiene el último móvil, el último modelo de televisión, etc. A pesar de ser el segmento más pequeño del mercado, son los motivadores de que el resto de grupos se interesen por un producto e investiguen sobre él.
- **Los visionarios:** Los *early-adopters* (los que adoptan las tecnologías de una forma temprana). Este grupo de personas se corresponde con aquellas a las que, no sintiéndose atraídas por la tecnología como un fin, sí les apasionan las ventajas que la tecnología puede traer a sus vidas.
- **Los pragmáticos:** Son un grupo de usuarios a los que no les interesa la moda por lo que esperan hasta que un producto es claramente práctico para sus vidas, momento en el que comienzan a utilizarlo.
- **Los conservadores:** Este grupo espera hasta que el producto haya sido validado y todos sus errores corregidos. Valoran la calidad de servicio y atención al cliente, al ser un grupo bastante grande (el 33 por ciento del mercado) representan un gran potencial de beneficio.
- **Los escépticos:** Dentro de este último grupo se encontrarían aquellos clientes que no consideran la tecnología importante.

Geoffrey Moore en su libro "Cruzar el abismo" (*crossing de chasm*) explica su teoría sobre el ciclo de vida de la adopción tecnológica. En él relata que la mayor parte de los productos tecnológicos no consiguen ampliar su mercado desde las personas que lo adoptaron tempranamente a una audiencia masiva. Superar ese obstáculo es lo que él denomina "cruzar el abismo".

Por ello, antes de comenzar a dedicar nuestros recursos a una determinada tendencia tecnológica, deberemos contrastar que efectivamente ya es utilizado por una audiencia masiva y no únicamente por los "visionarios". Para ello debemos analizar la penetración de esa tecnología en el mercado viendo cuántos usuarios ya la están utilizando, su tendencia a medio plazo, y si en otros países ya es una tecnología de uso habitual.

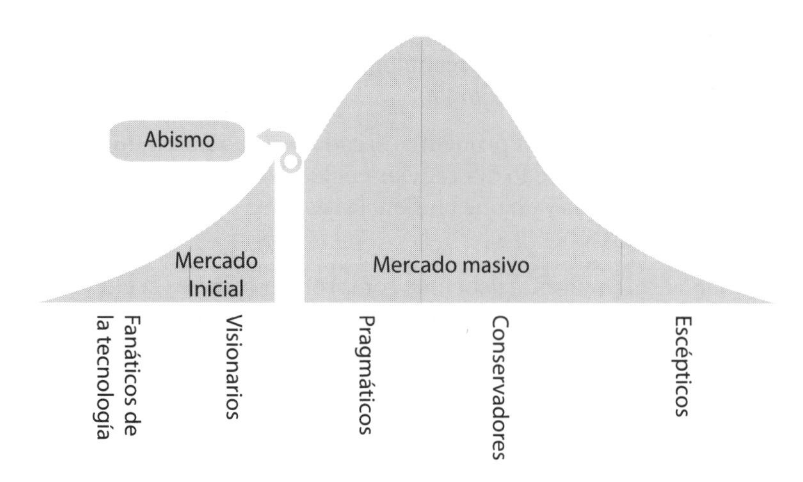

Figura 2.3. El denominado "gráfico de chasm", el abismo a cruzar por los usuarios.

TECNICISMOS EN INTERNET O CÓMO HACERNOS LOS IMPORTANTES

Siempre he pensado que en ciertos sectores como las finanzas y la informática sus profesionales se inventan múltiples acrónimos y tecnicismos difíciles de entender para evitar el intrusismo profesional y hacerse los importantes.

No causa el mismo efecto a un cliente explicarle que le has arreglado la conexión a Internet, que explicarle que "era un error del servidor DNS que no resolvía correctamente la dirección IP" ¿A cuál de los dos técnicos estarían dispuestos a pagarle una factura más alta?

En realidad el funcionamiento de Internet es bastante sencillo de comprender, simplemente tenemos que quedarnos con el concepto general y evitar ponernos nerviosos entre una maraña de siglas y nombres técnicos pensados para desanimar al alumno primerizo.

Cómo nos conectamos a Internet

¿Alguna vez nos hemos preguntado qué ocurre cuando navegamos por Internet? Encendemos nuestro ordenador, abrimos nuestro navegador favorito y tecleamos una dirección cualquiera, por ejemplo para ver las noticias de La Liga BBVA usaríamos la siguiente dirección `www.marca.com/futbol/1adivision.html`, el propio servidor incluiría el `http://` por delante. Pero, ¿Qué quiere decir cada una de esas cuatro partes que compone la dirección web (también conocida como URL)?:

Figura 2.4. Descomposición en partes de una dirección web (URL).

- **El protocolo:** De una forma simplista lo podemos entender como el idioma que los ordenadores van a hablar cuando se conecten entre sí. El más común en Internet es el HTTP (*Hypertext Transfer Protocol*, Protocolo de transferencia de hipertexto) se utiliza de forma habitual en la descarga de contenidos de Internet a través del navegador.
- **El servidor:** Es una máquina conectada a Internet y cuya función es proveer de contenido a los usuarios cuando se lo soliciten.
- **La ruta:** Es la carpeta dentro del árbol de directorios donde se encontrará el documento cuyo contenido deseamos recibir.
- **El documento:** Página con el contenido concreto que queremos descargar en nuestro navegador, en nuestro ejemplo serían las últimas noticas de la Liga BBVA.

Esta solicitud se rige por un esquema denominado cliente – servidor, ya que una máquina (en este caso la nuestra a través del navegador) realiza una solicitud a otra (denominada servidor) que se ocupa de ofrecer dicho contenido.

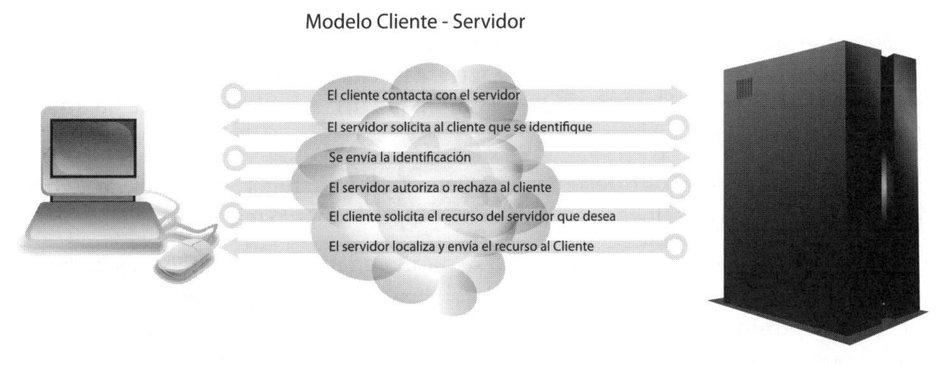

Figura 2.5. Descripción del flujo de mensajes en un modelo Cliente - Servidor.

A continuación se muestra un esquema detallado de una solicitud cliente-servidor:

1. Realizamos la solicitud a través de nuestro navegador, por ejemplo: "`http://www.marca.com/futbol/1adivision.html`".
2. El servidor solicita a nuestra máquina (denominada cliente) que se identifique y procede a comprobar que esa identificación sea correcta.
3. Recoge nuestra solicitud y busca el contenido solicitado dentro de sus sistemas y bases de datos.
4. Una vez localizado, devuelve dicho contenido a nuestra máquina, que nos la muestra en nuestro navegador.

Internet es una gran red de redes que conecta a millones de usuarios con una red de proveedores de contenidos que los generan y mantienen en servidores conectados a Internet para poder ser enviada a los clientes cuando los solicitan.

Como creadores de una tienda virtual nosotros vamos a pasar de ser meros usuarios, a convertirnos en proveedores de servicios (nuestra tienda) poniendo a disposición de los millones de clientes de Internet nuestro catálogo de productos.

LA RED DE REDES

Internet nació con el objetivo de obtener una red militar que permitiera transmitir información entre ordenadores, y que aunque alguno de esos ordenadores fuera bloqueado por el enemigo se generase una nueva ruta que permitiese continuar la comunicación.

Por ello, los mensajes en Internet se dividen en partes más pequeñas que se envían de forma simultánea por diferentes rutas de la red.

Para visualizar las rutas de Internet, Imaginemos un plano de metro con varias líneas interconectadas entre sí. En cada línea existen algunas paradas denominadas intercambiadores que permiten que un usuario se cambie de una línea a otra.

Ofrecemos a dos usuarios diferentes que determinen la mejor ruta entre origen y destino, pero a uno de ellos le ofrecemos un mapa de metro y al otro no.

El primer viajero (el que no tiene mapa) se monta en una línea de metro y cada vez que llega a un intercambiador analiza si debe cambiarse de línea para acercarse a punto de destino. En ocasiones entrará en vagones en hora punta y tendrá que esperar al siguiente, en otras se equivocará de línea y tardará algo más pero acabará llegando a su destino.

Sin embargo, el segundo viajero planifica su ruta en función de el menor número de paradas a realizar, la congestión de los vagones, etc. por lo que llega más rápido y en aquellos vagones en los que menos pasajeros había en cada momento.

Exactamente lo mismo es lo que ocurre en los viajes de información Internet, al igual que en el ejemplo con los intercambiadores en internet existen nodos de conexión que tratan de encontrar la mejor ruta para que el mensaje llegue a su destino.

Para realizar este enrutamiento tenemos dos grandes tipos de enrutadores:

- **Switch:** Que al igual que nuestro primer viajero, son máquinas que permiten ver únicamente los nodos con los que está directamente conectadas.
- **Router:** Como nuestro viajero con mapa, un router es capaz de ver los siguientes saltos con los que está conectada la red por lo que es capaz de determinar cuál es la mejor ruta entre varias alternativas.

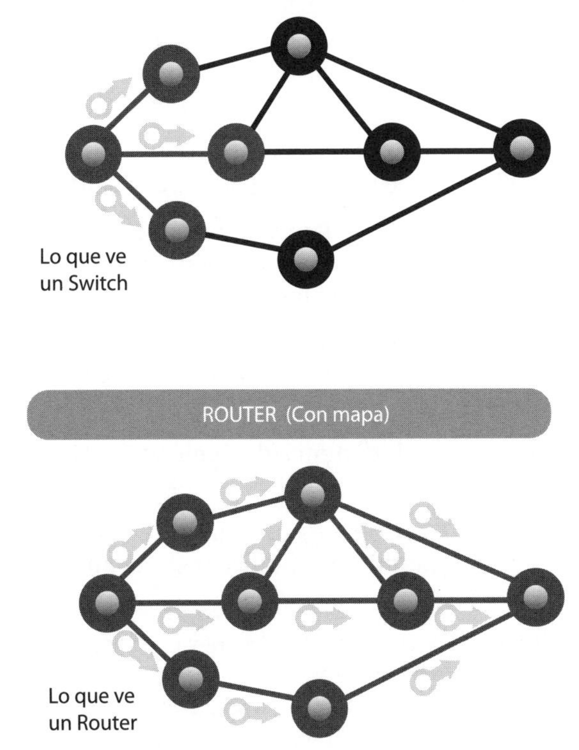

Figura 2.6. Diferencia conceptual de funcionamiento entre un router y un switch.

Antes comentábamos que los mensajes de Internet se troceaban en partes más pequeñas y se mandaban cada uno de ellos por la mejor ruta posible a través de Internet.

Si el servidor va recibiendo los mensajes desordenados, ¿cómo es capaz de identificar a qué usuario corresponde cada uno y cuál es su orden correcto?

Para que el servidor sea capaz de hacerlo, se han desarrollado un conjunto de guías generales de diseño e implementación de protocolos de red, que se utiliza actualmente en Internet, denominado TCP/IP (*Transmission Control Protocol/ Internet Protocol*).

Este modelo permite que aunque el servidor vaya recibiendo los mensajes desordenados sepa identificar a qué usuario corresponde cada uno y cuál es su orden correcto.

IDENTIFICAR UNA MÁQUINA EN INTERNET

En los orígenes de Internet todas las máquinas se identificaban exclusivamente mediante un número único denominado dirección IP.

Normalmente estas direcciones IP se corresponden con cuatro cifras entre el 0 y 255 separadas por un punto. Un ejemplo de representación de dirección IP sería 194.224.88.153.

Como ese número era muy complicado de recordar, a los servidores que lo solicitaron se le asoció un nombre identificativo denominado "nombre de dominio".

Las primeras máquinas asociadas a Internet debían descargarse un fichero que recogía todas las asociaciones entre direcciones IP y nombres de dominio y actualizarlo periódicamente cada vez que se añadía un nuevo servidor.

Con el paso del tiempo y debido al gran crecimiento experimentado por Internet, el fichero adquirió un gran volumen de registros por lo que ya no era práctico que todas las máquinas tuvieran que descargárselo.

Por ello se crearon los servidores de nombres de dominio (denominados DNS por sus siglas en inglés).

Básicamente la función de un servidor DNS es convertir un nombre de dominio a su correspondiente dirección IP, lo que nos permitirá identificar esa máquina en la red.

En la práctica, una de nuestras primeras tareas a realizar al poner en marcha nuestra tienda virtual será registrar nuestro nombre en Internet. El motivo es simple, poder comunicar a nuestros clientes que entren en `www.anaya.es` es mucho más sencillo que pedirles que recuerden su dirección IP asociada que en este caso sería 194.224.88.153.

COMPONENTES DE UNA TIENDA VIRTUAL

Figura 2.7. Principales módulos que componen una tienda virtual.

Para eliminar las ansiedades y miedos que suelen surgir cuando nos enfrentamos a un nuevo medio, os invito a que hagamos juntos una reflexión sobre los paralelismos que existen entre vender en una tienda tradicional y en Internet.

Veamos las profundas similitudes que existen entre vender por Internet y la venta tradicional, analizando las tareas que deberíamos realizar en una tienda física y cuál es su reflejo en la versión *on-line*:

- **Poner un nombre a nuestra tienda:** Lo primero que debemos hacer es elegir un buen nombre, que atraiga a clientes para que lo recuerden y realicen compras.
- **Situar y diseñar la tienda:** Al igual que en una tienda de barrio debemos seleccionar la mejor ubicación con una buena relación coste - facturación, en Internet debemos elegir en función de nuestro presupuesto qué tipo de servidor vamos a utilizar y qué grado de personalización de nuestra imagen necesita nuestra tienda.
- **Seleccionar el catálogo:** Al igual que en una tienda física, en la venta por Internet debemos analizar con nuestros distribuidores qué productos van a lanzarse la próxima temporada y cuáles de ellos incorporar a nuestro catálogo.
- **Colocarlos en el escaparate:** En nuestra tienda virtual tendremos que elegir que elementos captarán la atención de nuestros usuarios y por ello las situaremos en nuestra página inicial, y qué productos solamente estarán disponibles cuando el cliente los busque activamente.

- **Añadir etiquetas con el precio:** Debemos fijar para cada producto de la tienda un precio competitivo que atraiga a los clientes y mantenga nuestros márgenes.
- **Orientar al cliente:** Al igual que un cliente solicita al dependiente información acerca de un determinado producto, nuestras descripciones de artículos deben ofrecer todas las respuestas a las consultas que le pudieran surgir al cliente, con especial atención a detalles como colores y tallas disponibles, así como unas fotografías lo más descriptivas posibles del producto.
- **Recoger su pedido:** En caso de que no tengamos en ese momento stock sobre un determinado producto debemos ofrecernos a gestionar su pedido para entregárselo en cuanto esté disponible, tal y como ocurriría en nuestra tienda de barrio habitual.
- **Cobrarle:** En este punto debemos ser especialmente flexibles, aceptando la mayor cantidad posible de medios de pago, pero estableciendo medidas de control del fraude.
- **Paquetizar:** El envoltorio es una parte muy importante de nuestra imagen corporativa, pero además cumple una función mucho más práctica: asegurar que los artículos no sufran daños durante el envío. Tenemos que conseguir que cuando nuestros clientes reciban uno de nuestros paquetes tengan la seguridad de que encontrarán todos sus productos en perfecto estado.
- **Entrega:** Este punto es claramente diferencial con respecto a una tienda física. En nuestro caso, casi todos los pedidos se entregarán a los clientes a través de una empresa de mensajería, por lo que debemos asegurarnos que esté ajustada en costes pero cumpliendo estrictamente los niveles de calidad (plazos, número de intentos de entrega, etc.).
- **Atención al cliente:** En una tienda de barrio los clientes conocen al dependiente, charlan con él, saben que está a su disposición si tienen cualquier problema... Una tienda virtual debe ser exactamente igual. Debemos establecer un sistema de gestión de consultas para nuestros clientes y disponer de sistemas de garantía que minimicen los problemas que puedan surgir.
- **Captación de clientes:** Al igual que una tienda hace buzoneo en el barrio para atraer clientes y llega a acuerdos con comercios cercanos para situar su publicidad, en Internet debemos utilizar todos los medios que estén a nuestro alcance para hacer crecer nuestras ventas.
- **Fidelización de clientes:** Debemos trabajar en que nuestros clientes vuelvan a comprar en nuestro establecimiento, bien mediante clubs de fidelización, promociones específicas, etc.

Como se puede ver, vender en Internet es muy similar a vender a través de una tienda tradicional, simplemente cambian las herramientas que vamos a utilizar.

Todos estos módulos están desarrollados de forma práctica a lo largo de los próximos capítulos, por lo que su lectura y comprensión nos permitirá crear con éxito nuestra tienda *on-line*.

Para saber más:

- Entrada en la Wikipedia de "Crossing the Chasm" (Cruzando el abismo). En inglés:

  `http://en.wikipedia.org/wiki/Crossing_the_Chasm`

- Explicación de un modelo Cliente – Servidor:

  `http://es.wikipedia.org/wiki/Cliente-servidor`

- Descripción de una dirección web (URL):

  `http://es.wikipedia.org/wiki/Localizador_uniforme_de_recursos`

- Información sobre el sistema de Nombre de Dominios e IPs:

  `http://es.wikipedia.org/wiki/Domain_Name_System`

"NO SÉ TU NOMBRE,
SÓLO SÉ LA MIRADA CON QUE ME LO DICES."

Mario Benedetti. Poeta

3. ¡Alto, identifíquese! Nombre y Logo

En este capítulo aprenderemos:

- Cómo elegir un buen nombre para nuestra tienda.
- Métodos para seleccionar los colores de nuestra imagen corporativa.
- Herramientas de creación de logotipos en pocos segundos.

La importancia de una buena marca es incuestionable. A lo largo de nuestra vida recibimos multitud de impactos de las marcas que nos rodean. ¿Quién no conoce marcas como Coca-cola o Ferrari?, pero no solamente reconocemos estas marcas sino que nos generan una determinada sensación, ya que las asociamos a ciertos momentos de nuestra vida. Por ejemplo, como aficionados de la selección española todos recordamos su victoria en el mundial, los gritos de la gente y las miles de banderas de la roja que se agitaban a nuestro alrededor. Para todos nosotros el color rojo siempre estará asociado en nuestro subconsciente a esta victoria.

Nuestro reto a nivel de imagen de nuestra tienda *on-line* es conseguir exactamente eso, una afinidad visual con nuestros clientes que les haga sentirse a gusto cuando entren en nuestra tienda *on-line* y recuerden con cariño su experiencia cada vez que escuchen el nombre de nuestra tienda o vean nuestro logotipo.

EL DOMINIO EN INTERNET

¿Qué es un dominio de Internet? Es un nombre que se da a una determinada página o lugar en Internet, que deberá ser fácil de recordar por nuestros clientes, ya que accederán posteriormente con él a nuestra tienda virtual.

Hay muchos tipos de dominios en función de las terminaciones que poseen (por países, por tipo de organización, por tipo de dispositivo, etc.). Por ejemplo a España le corresponde la terminación de dominio .es siendo `NIC.es` el organismo encargado de gestionar estos nombres de dominio.

El tipo de dominio estándar en Internet es el .com, que es la terminación que un usuario va a asumir como terminación por defecto. En caso de que usemos otro tipo de terminación debemos asegurarnos de que lo comunicamos eficazmente para evitar errores de los usuarios.

En conclusión, para nuestra presencia en Internet las terminaciones que debemos usar son preferentemente el .com o en su defecto, si únicamente nos vamos a dirigir al mercado español el .es.

Nota: Desde 2007 es posible adquirir dominios con letras especiales del país (como la Ñ). No es recomendable utilizar este tipo de dominios, ya que los usuarios no están acostumbrados a utilizarlos y probablemente cometan errores al introducir ese tipo de dominio.

Novedad: En los últimos meses se ha abierto la posibilidad de registrar más de mil nuevas extensiones de dominio como ".guru", ".club", ".today" lo que ofrece nuevas oportunidades a los usuarios de encontrar nombres de Internet relevantes con la actividad de su tienda. Su precio anual es algo superior situándose entre los 25 y 50 Euros al año.

Antes de adquirir un determinado dominio, lo primero que deberíamos pensar es qué tipo de nombre deberíamos darle a nuestra tienda. Las características más importantes que debe tener el nombre de nuestra tienda se recogen a continuación:

1. Ese nombre debe estar **relacionado con la actividad** de nuestra tienda.
2. Debe ser **coherente** con el tipo de público al que nos dirigimos.
3. **Utilizable en todo el ámbito geográfico de la tienda:** Imaginemos que nos estamos dirigiendo al ámbito de España, en ese caso deberíamos conseguir un nombre que sea comprensible en español. Sin embargo si quisiéramos ampliar nuestro radio de acción y llevarlo a un público Internacional deberíamos confirmar que el nombre que hayamos elegido suene bien en otros países y que se pueda recordar con facilidad.
4. **Fácilmente memorable:** Los clientes deben poder recordarlo de forma sencilla con solamente verlo escrito una vez en nuestras comunicaciones. Es decir, debe ser tan sencillo que se les quede grabado en la mente y cuando lo vuelvan a ver lo asocien automáticamente a nuestra tienda.

5. **Diferente:** Debe ser lo suficientemente distinto a los nombres de nuestra competencia para que exista una clara diferenciación. De esta manera evitamos tener algún tipo de problema en el futuro con competidores que nos reclamen el nombre con el que estemos operando porque entiendan que lesiona su imagen de alguna forma.

Atención: Algunas empresas fraudulentas de Internet intentan aprovecharse de los errores de tecleo de sus usuarios, registrando nombres de dominio que se parecen a los de páginas web de venta legítima. Esto puede afectar negativamente a nuestra imagen y por ello una vez veamos que nuestra tienda comienza a ser un éxito es interesante que registremos no solamente nuestro dominio sino todos aquellos que incluyan algunos errores tipográficos comunes.

De manera general, los dominios son más valorados cuanto más corto sean, de hecho es muy difícil conseguir un dominio libre de tres letras. También son muy valorados los dominios genéricos, es decir aquellos de una única palabra recogida en el diccionario de la lengua Española.

El proceso de registro de un dominio/nombre en Internet es muy simple, por ejemplo, estos son los pasos que realizamos con mi amiga artista para el registro de un nombre de dominio para su tienda:

1. Accedimos a una de las empresas de registro disponibles en el mercado. Hay multitud de ellas tanto españolas como extranjeras (Network Solutions, Namesecure, goDaddy, Acens, Arsys, Nic...). En este caso utilizamos el servicio de registro de `Namesecure.com` en inglés.
2. Mi amiga quería rendir homenaje a su madre María Mercedes fallecida recientemente, por lo que me pidió que intentásemos registrar el dominio `marimerce.com`.
3. Escribimos el dominio en el campo de texto y hacemos clic sobre el botón **Buscar**.
4. Actualmente ese dominio aparece disponible. Como podemos observar, cada empresa puede gestionar más de un tipo de dominio con diferentes terminaciones por lo que únicamente seleccionamos la .com y lo añadimos al carrito de la compra.
5. Procedemos a rellenar nuestros datos para la compra del mismo. A lo largo del proceso veremos que la empresa de registro nos intenta vender otros servicios asociados al mismo, como por el momento no nos interesa ninguno, los deseleccionamos y continuamos el proceso.

6. Una vez validado el pago a través de tarjeta de crédito, ¡ya tenemos disponible nuestro dominio!

Nota: ¿Sabías que en Internet es posible registrar nombres de dominio de manera gratuita? El archipiélago neozelandés deTokelau ofrece nombres de Internet gratuitos con extensión .tk, que se pueden obtener a través de la página web `dot.tk`

Figura 3.1. Proceso de registro de un dominio en `Namesecure.com`.

En este caso, como mi amiga quería realizar un homenaje a su madre, fue sencillo encontrar un dominio libre, pero en general es difícil hallar disponible el dominio que queremos registrar.

Es por ello, que tenemos que estar abiertos a diferentes alternativas, una opción es intentar utilizar un nombre que sea válido tanto en España como en otros países, mezclando palabras en diferentes idiomas, por ejemplo Español e Inglés. Estos dos idiomas son de los más utilizados en el mundo, cubren a los hispanohablantes y a los anglosajones y permiten dirigirse a la mayor parte de la población mundial con acceso a Internet (que al fin y al cabo, es a quien nos dirigimos).

Cuando se adquiere un dominio, realmente lo que compramos es el derecho a utilizarlo durante un determinado tiempo, normalmente períodos anuales con un máximo de 10 años. Una vez finalizado ese plazo debemos volver a pagar para poder seguir utilizándolo. El coste anual ronda los 8 euros, aunque este importe puede variar en función del tipo de terminación y la empresa registradora.

Existen personas que una vez pasado el periodo de caducidad no realizan la renovación, bien porque ya no les interesa ese nombre, o bien porque se les ha olvidado.

Para aprovecharnos de esta circunstancia y comprobar si existe algún dominio que acabe de caducar que nos interese, se puede utilizar un servicio tipo `justdropped.com`, una herramienta que nos permite buscar entre aquellos nombres de dominio que no se han renovado.

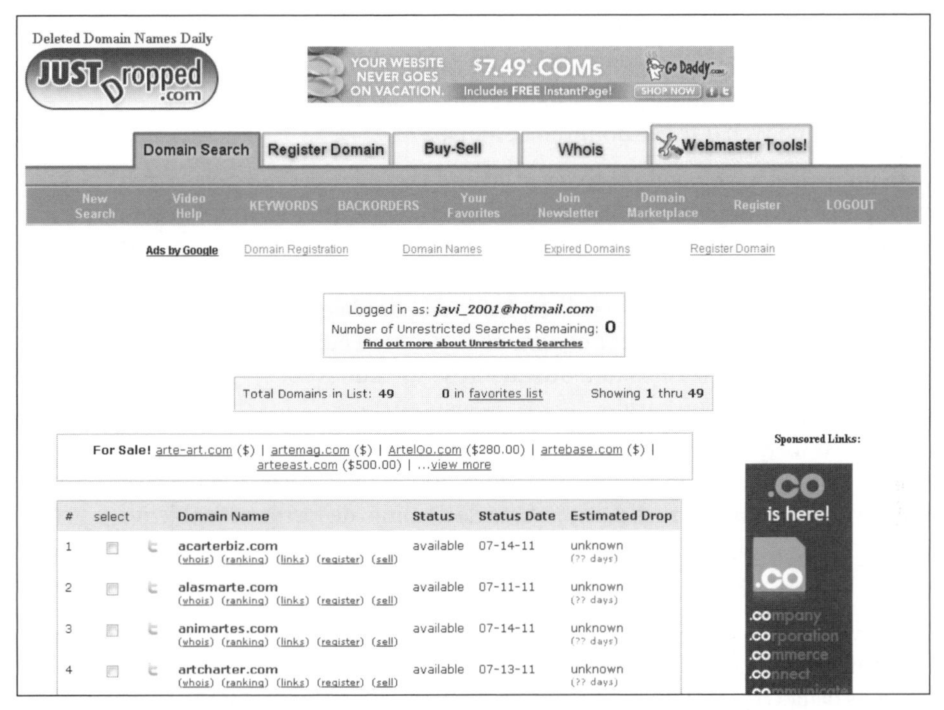

Figura 3.2. Resultados de una búsqueda de dominios liberados en los últimos días en `Justdropped.com`.

El proceso de búsqueda en `justdropped.com` es muy sencillo:

1. Determinamos los términos a buscar, en el ejemplo de nuestra amiga artista buscaríamos el texto "arte" que podría aparecer en cualquier posición dentro de los nombres de dominio caducados.

2. Indicamos el número de días máximo que ha transcurrido desde que el dominio se liberó (por ejemplo 30 días).
3. Seleccionamos el tipo de terminación del dominio (en nuestro caso .com).

Procesada la búsqueda, se nos muestra un listado con los nombres de dominio caducados que cumplen con estos criterios.

Una vez encontrado el nombre liberado que nos interese, podemos ir a nuestro sistema de registro de dominios favorito donde comprobaremos que el dominio efectivamente sigue libre y procederemos al registro del mismo.

Para poder ver cuáles de esos dominios son los más interesantes, debemos revisar algunos aspectos de los mismos como:

- Número de enlaces que recibe el dominio desde los buscadores.
- Posicionamiento en las búsquedas.
- Nivel de tráfico que poseen.
- Histórico de ese dominio: Realizar una búsqueda en `Archive.org` para ver en si ese dominio ha estado activo anteriormente y cuál era el tipo de página web que ese dominio se alojaba.

Esta información se puede obtener utilizando servicios como `domainvalues.com`. Estas herramientas lo que pretenden es ofrecer una valoración económica en tiempo real de los diferentes sitios web en función de sus enlaces, tráfico, posicionamiento, etc. En nuestro caso, la valoración económica no es relevante (y de hecho, no es una cifra utilizada en Internet para la compra-venta de páginas web), pero sí podemos utilizar el resumen de las variables más importantes que aparece cuando realizamos una búsqueda de un sitio web.

Con estas comprobaciones obtenemos un doble objetivo: reducimos mucho el riesgo de adquirir un dominio que haya sido utilizado por algún tipo de servicio con el que no deseemos que asocien a nuestra tienda *on-line*, como el juego o la pornografía, y nos permite comparar entre dos nombres de dominio de forma más objetiva.

Una vez registrado nuestro nombre de dominio ya podemos asociarlo a nuestra tienda. El proceso sobre cómo realizar esta asociación se explica en el capítulo 4.

Para evitar que la competencia en un futuro pueda utilizar el nombre que hemos escogido, existe la posibilidad de registrarlo como marca. Este proceso se realiza a través de la OEPM (Oficina Española de Patentes y Marcas) y se describe en este libro en el capítulo de aspectos legales.

LOGOTIPO

Un logo es un elemento gráfico que se asociará con nuestra empresa y que permitirá que nuestros clientes nos reconozcan de forma visual, lo que favorece el recuerdo de nuestra marca.

Aunque de una forma coloquial nos solemos referir a la identidad visual de una marca como logotipo, los especialistas definen varios tipos:

- **Logotipo:** Es la representación gráfica del texto de un nombre de marca. Un ejemplo típico es de la marca Coca-Cola.
- **Isotipo:** Símbolo identificativo donde la imagen de la marca se refleja sin texto.
- **Isologo:** Combinación de logotipo e isotipo. En este caso, el texto está dentro del gráfico y no se pueden separar.
- **Imagotipo:** Similar al isologo, pero en este caso el texto y la imagen gráfica se muestran separadas. Este es el caso más frecuente, donde normalmente se ve la imagen arriba y el texto de la marca en la parte inferior.

Para diseñar nuestro logotipo existen dos opciones:

- **Desarrollarlo nosotros mismos:** En Internet hay disponibles una serie de herramientas en las que siguiendo una serie de pasos muy sencillos personalizamos nuestro logotipo con el tipo de letra y colores que deseemos. Si lo deseamos también podemos incluir algún icono gráfico relacionado con la actividad de nuestra tienda *on-line*.
- **Contratar un diseñador:** El desarrollo de nuestro logo lo podemos contratar con una agencia especializada en desarrollos *on-line*, o bien utilizar alguna de los servicios de Internet como `99designs.com` en el que podemos solicitar a una comunidad de más de 80.000 diseñadores que nos ofrezcan propuestas de diseño para nuestro logo y de entre todas sus propuestas contratar aquella que más nos guste.

LA IMPORTANCIA DEL COLOR

Antes de comenzar el proceso de creación de nuestro logotipo, debemos seleccionar los colores que vamos a utilizar para desarrollar nuestra tienda. Esta decisión es importante ya que debemos diseñar un logotipo que combine estéticamente con nuestra tienda.

Trabajar con el color en el ordenador es algo diferente a cuando lo utilizamos en la pintura, ya que las imágenes se generan de forma diferente.

Fijémonos en cualquier imagen a color en la pantalla de nuestro ordenador, ésta se compone de pequeños componentes de color denominados pixeles (*picture elements* = elementos de imagen). Cuanto mayor sea el número de pixeles más detalle conseguiremos en nuestra imagen.

El color en el ordenador se consigue mediante la combinación de luces, a partir de los tres colores primarios (rojo, verde y azul). Mediante la combinación de estos tres colores se consigue la generación de todos los demás colores.

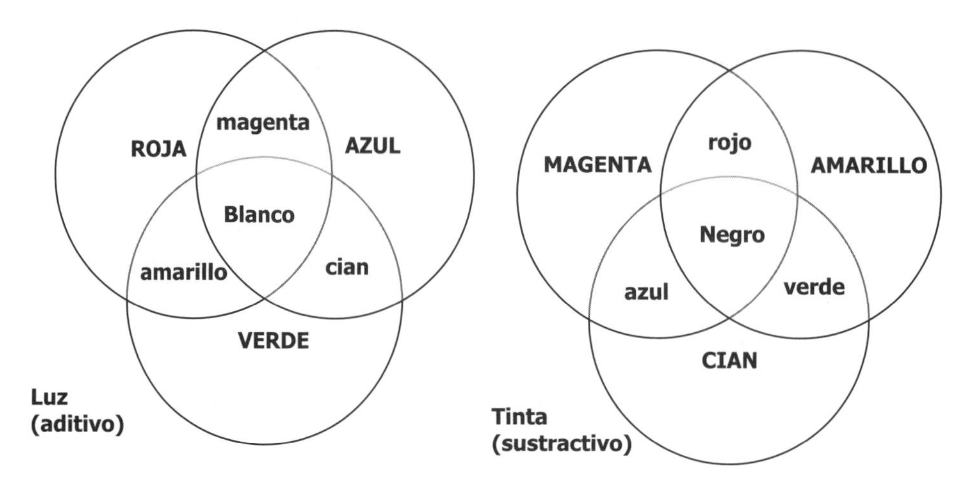

Figura 3.3. Colores primarios en sus versiones de Luz y Tinta.

Aunque seleccionar los colores de nuestra tienda podría parecer sencillo, observar la amplitud de la paleta de colores disponibles a nuestro alrededor y como afectan a nuestro estado de ánimo nos debería hacer reflexionar sobre la importancia de entender cómo se comporta la luz y se generan los diferentes colores. Los tres factores principales que afectan al color son:

- **Tono:** Corresponde con el valor básico rojo, verde o azul que se corresponde con el color.
- **Valor:** Es la claridad u oscuridad de un determinado color.
- **Intensidad:** Define la pureza del color, lo que provoca que parezca muy brillante o apagado.

Como comentábamos anteriormente, los colores están repletos de asociaciones a nuestros sentimientos, por lo que debemos seleccionar los colores de nuestra tienda en función de las sensaciones que queremos transmitir:

- **Verdes:** Asociado a la hierba y los campos, están asociados al crecimiento y la salud. Por ello se suelen utilizar en farmacias o algunos deportes como el golf.
- **Rojos:** Es un color cálido, asociado en la naturaleza al fuego, históricamente ha sido utilizado en la comunicación para transmitir peligro y amor.
- **Azules:** Nos evoca al agua y al cielo, normalmente se asocia a la calma y a la seguridad. Debido a que es un color frío hay que intentar usarlo con moderación, ya que afecta a los sentimientos que ofrecen los colores con los que lo combinamos.

- **Amarillos:** Nos remiten al sol y a la luz, representan felicidad, inteligencia y energía. El color amarillo puro y brillante se suele utilizar como reclamo de atención.
- **Rosas:** Se asemejan a los colores de las flores de los jardines y por ello suelen asociarse a la feminidad y a la sensibilidad infantil.
- **Fluorescentes:** En la actualidad se han comenzado a utilizar colores como el naranja o el verde fluorescente, ya que son fácilmente reconocibles por parte de los clientes y están asociados a movimientos modernos y revolucionarios.

Dependiendo del tipo de tienda virtual o de la temática tiene más sentido utilizar un tipo de color u otro.

No hay normas escritas y dependiendo de la temática de nuestra tienda virtual y nuestro gusto personal tendrá más sentido elegir una paleta de colores u otra. Para inspirarnos podemos utilizar una aplicación de Adobe llamada kuler (disponible en `kuler.adobe.com`), que te permite generar paletas de colores que combinen para nuestra web.

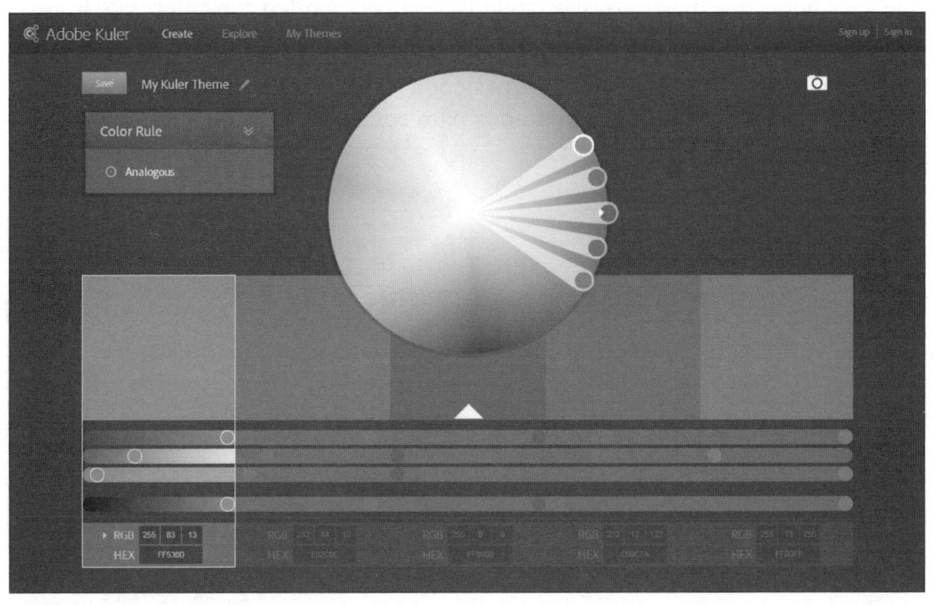

Figura 3.4. Herramienta Kuler de Adobe para la obtención de gamas de colores.

IMPRESIÓN DE DOCUMENTOS

Para promocionar nuestra tienda *on-line*, en ocasiones tendremos que imprimir nuestra marca en soportes físicos como boletines, folletos, catálogos o anuncios en revistas.

La impresión física de documentos a color se realiza utilizando un modelo basado en absorción de la luz denominado "CMYK" (acrónimo de Cian, Magenta, Amarillo y Negro por los nombres de estos colores en inglés). En ocasiones se refieren a este modelo como cuatricromía por realizarse la impresión utilizando cuatro tintas.

Es importante destacar que en las impresiones en cuatricromía no se consiguen todos los colores, por lo que pueden existir diferencias entre la versión original y la impresa.

Para evitar estos problemas la empresa Pantone Inc. creó en 1963 el *Pantone Matching System*, un sistema de identificación del color para las artes gráficas. Consiste en una guía numerada de colores que, en función de la superficie dónde se vaya a imprimir, indica los códigos CMYK que corresponden a cada uno. Esto permite que una vez seleccionado un determinado color, sea posible recrearlo de manera exacta sobre cualquier superficie.

Desde 2001, las guías Pantone incluyen conversiones de los colores al sistema RGB utilizado en el ordenador. Por ello, para evitar problemas de impresión posteriores de los elementos de nuestra imagen corporativa, debemos comprobar que los colores que hayamos seleccionado se corresponden con colores de la guía Pantone.

Una vez decidido el nombre de nuestra tienda y elegidos los colores que vamos a utilizar en ella, ya estamos preparados para comenzar a desarrollar nuestro logotipo.

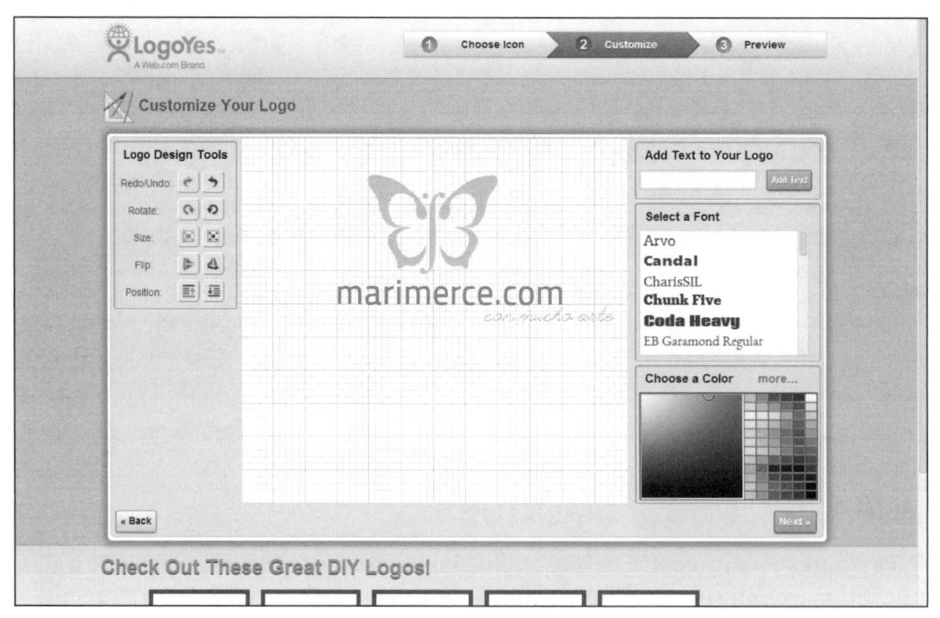

Figura 3.5. Ejemplo de creación rápida de un logotipo con Logoyes.

Como ejemplo simple utilizaremos un sistema *on-line* de creación de logotipos denominado `logoyes.com`, que nos permite crear nuestro logotipo en tres simples pasos.

1. Seleccionamos el tipo de imagen que queremos utilizar en nuestro logo, en este caso vamos a elegir una imagen relacionada con la moda y joyería entre las múltiples alternativas que nos ofrece la herramienta.
2. Una vez seleccionada la imagen, indicamos el nombre de nuestra tienda que recordemos es "`marimerce.com`" y escogemos la fuente (el tipo de letra) de texto de nuestro logotipo.
3. Modificamos el tamaño del logotipo y sus colores adaptándolos a la paleta que hayamos escogido.

La aplicación también nos ofrece la posibilidad de crear tarjetas de visita incluyendo nuestro logotipo para que podamos entregar a nuestros clientes y amigos como publicidad, aunque por el momento rechazaremos esta posibilidad, que analizaremos en profundidad en el capítulo dedicado a la promoción de nuestra web.

Siguiendo esos tres simples pasos, ¡ya tenemos logo para nuestra tienda!

Para saber más:

- Registro delegado de dominios .es en España:
  `http://www.nic.es`
- Empresa de registro de dominios (ejemplos del libro):
  `http://www.namesecure.com`
- Listado de empresas de registro de dominios:
  `http://www.dominios.es/dominios/es/agentes-registradores/todos-los-agentes-registradores`
- Búsqueda de nombres de dominio liberados recientemente:
  `http://www.justdropped.com`
- Herramienta de selección de colores corporativos:
  `http://kuler.adobe.com`
- Sistema de creación de logotipos Logoyes:
  `http://www.logoyes.com`
- Otra herramienta de creación de Logos (esta de HP):
  `http://www.logomaker.com`
- Diseños de páginas de ecommerce:
  `http://cartfrenzy.com/`

"Vivir no es sólo existir,
Si no existir y crear,
Saber gozar y sufrir
Y no dormir sin soñar.
Descansar, es empezar a morir."

Gregorio Marañón. Médico y escritor

4. ¿Dónde abro mi tienda?

En este capítulo aprenderemos:

- Dónde ubicar nuestro servidor.
- Cómo asociar este servidor al nombre que hayamos elegido para nuestra tienda.
- Herramientas para poner en funcionamiento nuestra tienda virtual.
- Métodos para adaptar su imagen a nuestra marca sin conocimientos técnicos.

Hace unos años le pregunté a un amigo mío dueño de una tienda al que le iba bastante bien, que me dijera cuál era el principal acierto que había tenido a la hora de desarrollar su negocio. Tras mirarme con cara de asombro, tal vez sorprendido porque no hubiera sido capaz de averiguar algo tan obvio por mi cuenta, me contesto: "Te daré tres motivos: Ubicación, ubicación y ubicación".

Tras muchos años reflexionando, y siguiendo mi razonamiento acerca de las grandes similitudes entre lanzar una tienda de barrio y una tienda *on-line*, la ubicación, que en Internet se corresponde con dónde sitúo mi servidor, es una de las decisiones más importantes.

UBICACIÓN DE NUESTRO SERVIDOR

Básicamente hay dos grandes posibilidades para situar nuestro servidor: o bien utilizamos un ordenador en nuestra casa que esté permanentemente conectado a Internet y que sirva los contenidos de la tienda a los usuarios, o bien contratamos nuestro servidor a una empresa especializada de alojamiento (denominadas empresas de hosting).

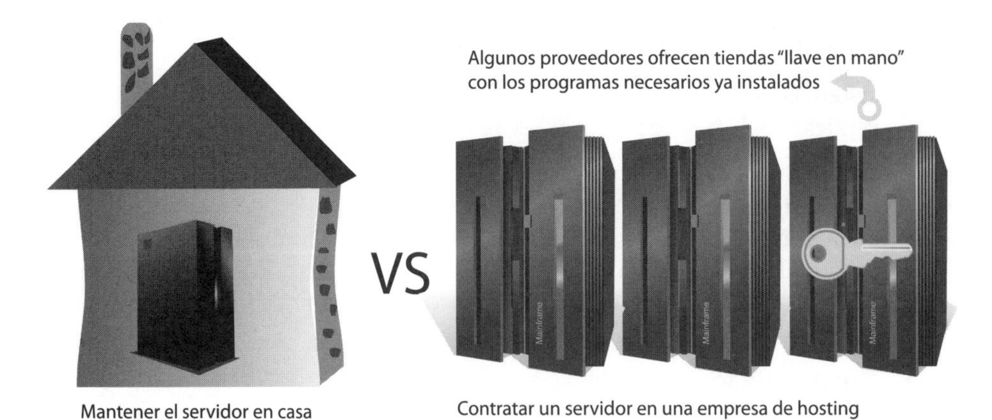

Figura 4.1. Alternativas para el alojamiento del servidor.

Cuando nos enfrentamos a esta cuestión por primera vez, lo primero que pensamos es que si ya tenemos un ordenador en nuestra casa y estamos pagando nuestra conexión a Internet ¿porqué no utilizarlo para servir nuestra tienda *on-line*? En realidad, Facebook comenzó con un ordenador en la habitación de un estudiante, ¿no?

Grave error. Llegado a este punto nos encontramos con un servidor en nuestra casa, y empieza el sufrimiento. Nada más comenzar nos damos cuenta que tener un ordenador encendido todo el día (ya que en caso contrario nuestra tienda dejaría de funcionar) no es tan sencillo como parece en un principio, siempre hay alguien que decide apretar el botón de apagado, o sufrimos una caída de luz y tenemos que volver a toda velocidad a reiniciar el ordenador. Pero ese no es el único problema:

- **Consumo eléctrico:** Mantener nuestro ordenador día y noche encendido, salvo que sea un modelo específico para actuar como servidor, tiene un consumo eléctrico elevado, por lo que suele ser mucho más rentable contratar un servidor a una empresa de hosting.
- **Velocidad de conexión:** Los anchos de banda que contratamos en nuestro domicilio son asimétricos, es decir tienen diferente velocidad de bajada de datos (mucho mayor) que de subida (normalmente muy lenta), por lo que intentar ofrecer un servidor de calidad desde nuestro domicilio nos implicaría aumentar nuestro ancho de banda de subida de datos, lo que supondría mayores costes de conexión.
- **IP estática:** En general, los números que nos asignan las operadoras de telefonía cuando nos conectamos a Internet varían en cada conexión. Esto complica la asociación de los servidores de dominio a nuestra IP. Para evitarlo, debemos contratar una IP fija con nuestro operador, lo que conlleva gastos adicionales.

- **Seguridad física:** Las empresas de alojamiento de servidores tienen locales acondicionados para su mantenimiento, con control de acceso, sistemas de extinción de incendios, etc. que serían muy complejos de replicar con un servidor en nuestro domicilio.
- **Actualización de servidores:** Periódicamente las empresas de software actualizan sus versiones con mejoras en la funcionalidad o en la seguridad de sus programas. Las empresas de hosting dedican personal especializado a la actualización de sus sistemas, tarea que en caso de gestionar nuestro propio servidor deberíamos hacer nosotros mismos.
- **Escalabilidad:** En caso de necesitar ampliar nuestros sistemas, es bastante sencillo gestionar con nuestra empresa de hosting la contratación de un servidor adicional sin tener que preocuparnos del espacio que podría ocupar en nuestro domicilio.
- **Nombres de dominio:** Las empresas de hosting ofrecen máquinas con el servicio de DNS (*Domain Name Server*, Servidor de Nombres de Dominio) ya instalado que podemos utilizar para asociar un nombre a nuestra dirección en Internet. En caso de alojar el servidor en nuestro propio domicilio deberíamos realizar dicha instalación y su posterior mantenimiento.

Ahora que ya sabemos que instalar el servidor de nuestra tienda en nuestro domicilio no parece la mejor idea, debemos optar por contratar un servidor en una empresa de hosting. Pero, ¿cómo elegimos la mejor empresa para nuestra tienda virtual?

REQUERIMIENTOS DE NUESTRO HOSTING

Básicamente las empresas de alojamiento ofrecen dos tipos de cuentas en función de su tecnología: Microsoft (ASP + SQL Server) o código abierto (PHP y MySQL).

Sin querer entrar en detalles técnicos sobre las diferencias entre una tecnología u otra, en general las herramientas gratuitas de calidad para la creación de una tienda virtual necesitan una cuenta PHP y MySQL, ya que están desarrolladas en código abierto.

En España existen multitud de empresas de hosting, todas ellas con un magnífico servicio de atención a los clientes tales como Arsys, Acens, Cyberneticos, etc.

Los costes de una versión básica para nuestro hosting pueden rondar los 300 Euros al año, que normalmente se pagan en períodos mensuales.

Nota: ¿Sabías que hay empresas en Internet que ofrecen servicios de hosting gratuito? Existen servicios como `nixiweb.com` que nos permiten dar de alta nuestro servicio de alojamiento en Internet totalmente gratis, incluso disponen de un sistema de panel de control para que la administración de nuestra página web sea muy sencilla de utilizar.

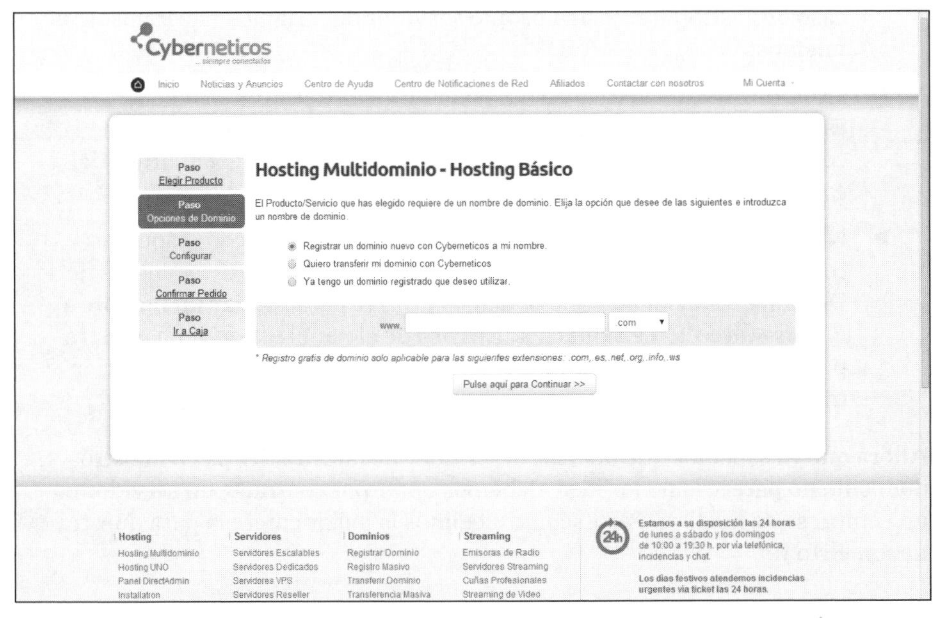

Figura 4.2. Ejemplo de contratación de una cuenta de hosting para nuestra tienda en Cyberneticos.

Los requerimientos básicos que debe tener nuestra cuenta son:

- Tecnologías de código abierto (PHP y MySQL).
- Un sistema que permita instalar de forma sencilla nuestra plataforma de tienda *on-line* (como Installatron).
- Soporte HTTPS (una versión segura de HTTP que nos servirá para tramitar pagos).
- Amplio horario de atención al cliente.

La contratación de una cuenta de este tipo es muy sencilla, tan solo debemos seleccionar el tipo de servicio que deseamos contratar en nuestra empresa de hosting y proceder a realizar el pago del primer mes con nuestra tarjeta de crédito.

Una vez aceptado, recibiremos un e-mail de bienvenida que normalmente contendrá la siguiente información acerca del servidor:

- Datos de acceso a nuestro panel de administración.
- Las IPs de los servidores de dominio (normalmente dos por redundancia) asociados a esa empresa de alojamiento.
- Los datos de acceso para transferencia de archivos FTP (*File Transfer Protocol*, Protocolo de Transferencia de Ficheros) con el servidor.

CÓMO ASOCIAMOS NUESTRO NOMBRE DE DOMINIO A NUESTRO SERVIDOR RECIÉN CREADO

Una vez hemos contratado un servidor, debemos asociarle el nombre que habíamos seleccionado para nuestra tienda.

Para ello, debemos acceder a nuestra cuenta en el servicio donde habíamos registrado nuestro nombre de dominio (en nuestro ejemplo `namesecure.com`) y seguir los siguientes pasos:

Figura 4.3. Asociación de nuestro nombre de dominio con el servidor que acabamos de contratar (ejemplo en `Namesecure.com`).

1. Elegir el dominio que queremos redirigir a nuestro servidor (por ejemplo "`marimerce.com`")
2. Seleccionar la opción Editar el DNS en el panel de configuración del dominio
3. Sustituir los nombres de servidor de dominio que aparecen por defecto, por los que nos han indicado en el e-mail de bienvenida de nuestra empresa de hosting.
4. Este proceso de asignación de nuestro nombre de dominio a una IP determinada no es inmediato y puede tardar hasta 96 horas.

INSTALACIÓN DE UN SISTEMA DE TIENDA VIRTUAL EN NUESTRO SERVIDOR

Un sistema de tienda virtual consiste en una serie de programas que, una vez instalados en el servidor, permiten a los usuarios acceder a nuestro catálogo de productos.

En la actualidad existen multitud de herramientas de creación de tiendas virtuales, siendo los más conocidos PrestaShop, Zencart, VirtueMart, Oscommerce y Magento.

	Magento	Oscommerce	ZenCart	VirtueMart
Gratuito	✓	✓	✓	✓
Soporte SSL	✓	✓	✓	✓
Carga masiva de productos	✓	✗	✗	✓
Cupones	✓	✗	✓	✗
Herramientas SEO	✓	✗	✓	✗
Multitienda	✓	✗	✗	✗

Figura 4.4. Cuadro comparativo de sistemas de tienda virtual de código abierto.

Hace unos años, instalar un sistema de tienda virtual necesitaba un cierto grado de conocimientos informáticos por lo que solamente una persona técnica podía realizar dicha instalación.

Sin embargo, actualmente la facilidad de uso de la tecnología permite que cualquier persona pueda realizar la instalación de una herramienta de creación de Tiendas Virtuales.

Para nuestro ejemplo utilizaremos un sistema que facilita la instalación de programas en el servidor denominado Installatron y al que se accede a través del panel de administración.

Seguiremos los siguientes pasos:

1. Accedemos al panel de control de nuestro servidor, introduciendo el usuario y clave que nos comunicaron en el e-mail de bienvenida.
2. Seleccionamos la opción de Instalación fácil denominada Installatron.
3. Dentro de los sistemas de tienda virtual, elegimos **Magento**.
4. Seguimos los pasos de la instalación, aceptando las opciones que por defecto nos ofrece el sistema.

Figura 4.5. Ejemplo de la pantalla inicial de Magento tras una instalación sin personalizar.

5. Guardamos los datos de acceso (usuario y contraseña) que nos servirán para acceder a la herramienta de administración de nuestra tienda Magento, donde podremos configurarla, actualizar nuestro catálogo de productos, etc.

En este momento, ya tenemos instalada una versión "virgen" de uno de los sistemas de tiendas virtuales más utilizados en la actualidad, denominado Magento.

Para comprobar que todo funciona correctamente, accedemos a nuestro nombre de dominio a través del navegador donde deberíamos ver la pantalla indicada en la figura 4.5.

Nuestra tienda posee un completo sistema de administración al que podemos acceder en la siguiente dirección web: `http://nombredelatienda/admin`, donde nombre de la tienda es el nombre de dominio que hemos asociado a nuestro servidor.

MODIFICANDO EL IDIOMA DE NUESTRA TIENDA VIRTUAL

Una de los aspectos de la instalación inicial de Magento que más llama la atención es que no se encuentra traducida al castellano.

Modificar el idioma es muy sencillo, simplemente debemos incluir una serie de ficheros en nuestro servidor, donde se encontrarán las asociaciones entre los textos en inglés y su correspondiente traducción al castellano.

¿Cómo incluimos estos archivos de idioma en nuestro servidor?

Al igual que HTTP es el protocolo para la transmisión de contenidos web, para transferir archivos se ha desarrollado otro protocolo denominado FTP (*File Transfer Protocol*, Protocolo de Tranferencia de archivos).

Existen multitud de herramientas de intercambio de ficheros, que hacen que el usuario pueda realizar dicha transferencia del mismo modo que en el disco duro de su ordenador, utilizando una estructura jerárquica de directorios. La herramienta gratuita más conocida y sencilla de utilizar de este tipo es probablemente "Filezilla".

Para que veamos lo simple que es de usar mostraremos un pequeño ejemplo en el que transferiremos los ficheros de modificación de idioma a la tienda que acabamos de crear en el servidor.

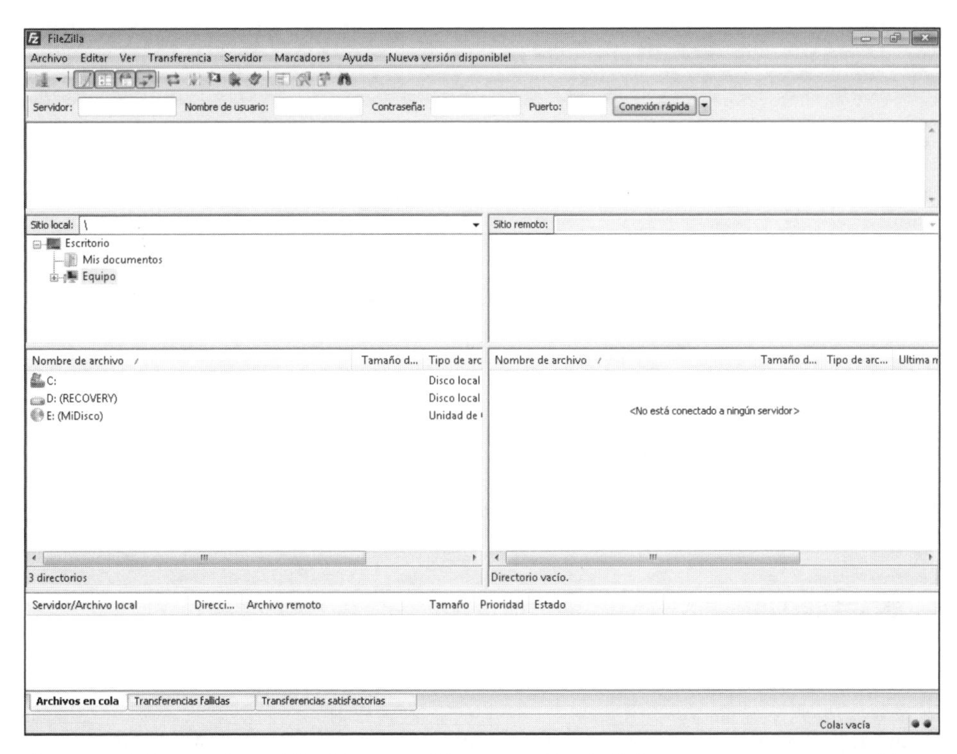

Figura 4.6. Herramienta Filezilla para el intercambio de ficheros con nuestro servidor.

Para traducir nuestra tienda, debemos seguir los siguientes pasos:

1. Descargamos los archivos del idioma castellano (o el que deseemos) de `http://www.magentocommerce.com/translations`.
2. Accedemos a la herramienta Filezilla e indicamos los datos FTP del servidor que hemos recibido en el e-mail de bienvenida de nuestra empresa de hosting.
3. Subimos los archivos de idioma que nos hemos descargado manteniendo la misma estructura de carpetas a los directorios "`app/locale`" y "`app/design/frontend/default/default/es_ES`" (por ser el idioma Español).
4. Accedemos al panel de administración de nuestra tienda Magento y seguimos la siguiente ruta: System(Sistema)>Configuration(Configuración)>General Tab(General)>Locale Options(Opciones Locales) y escogemos como idioma el Español.
5. Grabamos la configuración con la opción Save Config.

Accediendo ahora a la página principal de nuestra tienda ya podremos verla traducida correctamente al castellano.

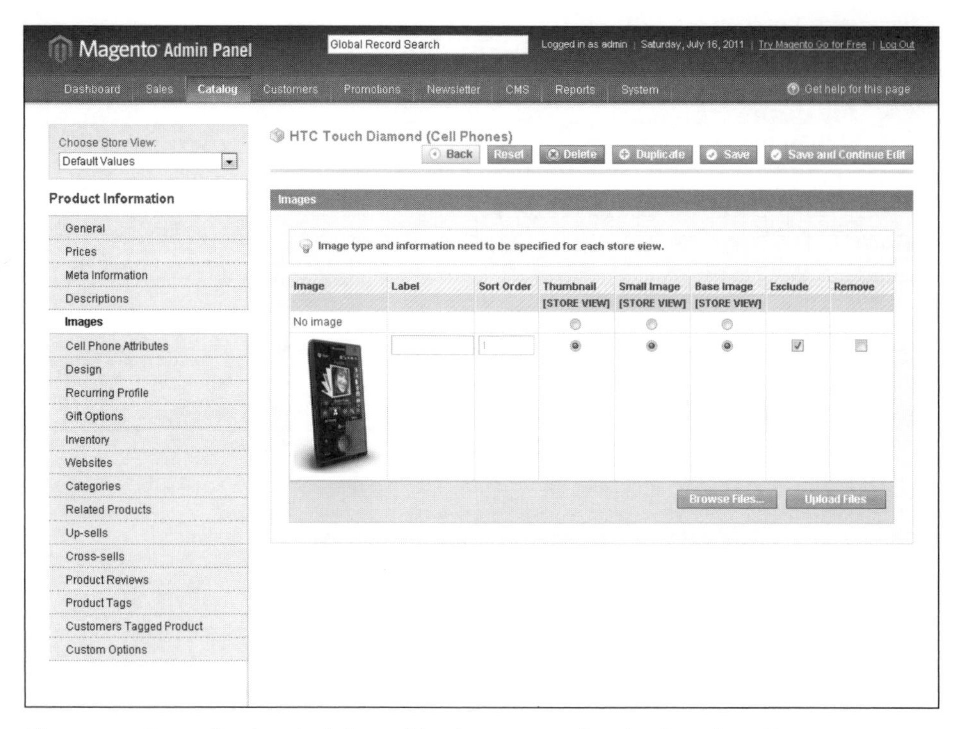

Figura 4.7. Pantalla de administración de nuestra tienda virtual en Magento.

Si la observamos en este momento, rápidamente nos daremos cuenta que la página por defecto de Magento tiene un diseño bastante pobre, y probablemente a todos nos gustaría personalizar el diseño su estética adaptándola a nuestra imagen corporativa.

CONFIGURACIÓN DEL ASPECTO DE NUESTRA TIENDA VIRTUAL

Antes de abordar el diseño específico de de nuestra tienda, es bueno conocer cuáles son las estéticas y tipos de navegación que se están utilizando en Internet para la venta *on-line*.

A nivel de usabilidad, el diseño de las tiendas en Internet suele seguir un patrón común. Para visualizarlo mejor debemos pensar en una pantalla web como un conjunto de tablas independientes cada una con su contenido:

- **Cabecera:** Normalmente contiene el logotipo, así como una serie de pestañas de navegación que nos simplifica el acceso a las grandes secciones de nuestra página web como la forma de contacto, las últimas noticas o el acceso directo de usuarios registrados.

- **Navegación:** Contiene el sistema principal de navegación de productos, con una clasificación jerárquica de categorías.
- **Pie de página:** En esta sección se suele incluir la información legal obligatoria, como las condiciones del servicio o la política de privacidad.
- **Contenido:** Esta tabla contendrá información dinámica en función de en qué pantalla o punto del proceso de compra nos encontremos.

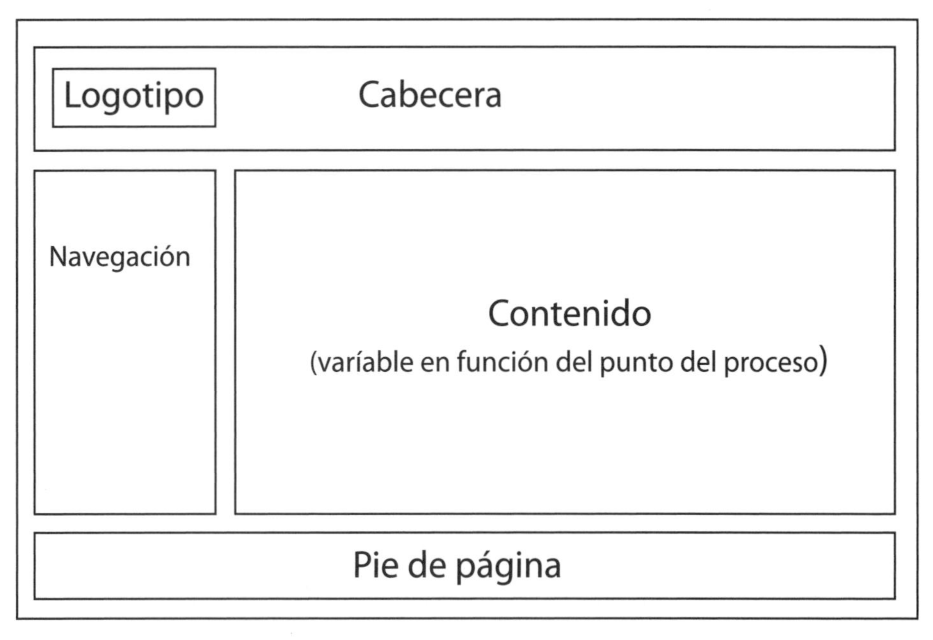

Figura 4.8. Secciones de navegación más habituales para una tienda virtual.

Con respecto a las pantallas que normalmente hay que seguir hasta completar una compra (el denominado flujo de proceso), prácticamente todas las tiendas *online* suelen tener las siguientes pantallas:

1. Pantalla principal.
2. Consulta de carrito de la compra.
3. Detalle de productos.
4. Proceso de compra.
5. Pago.
6. Confirmación del pago.
7. Seguimiento del envío.

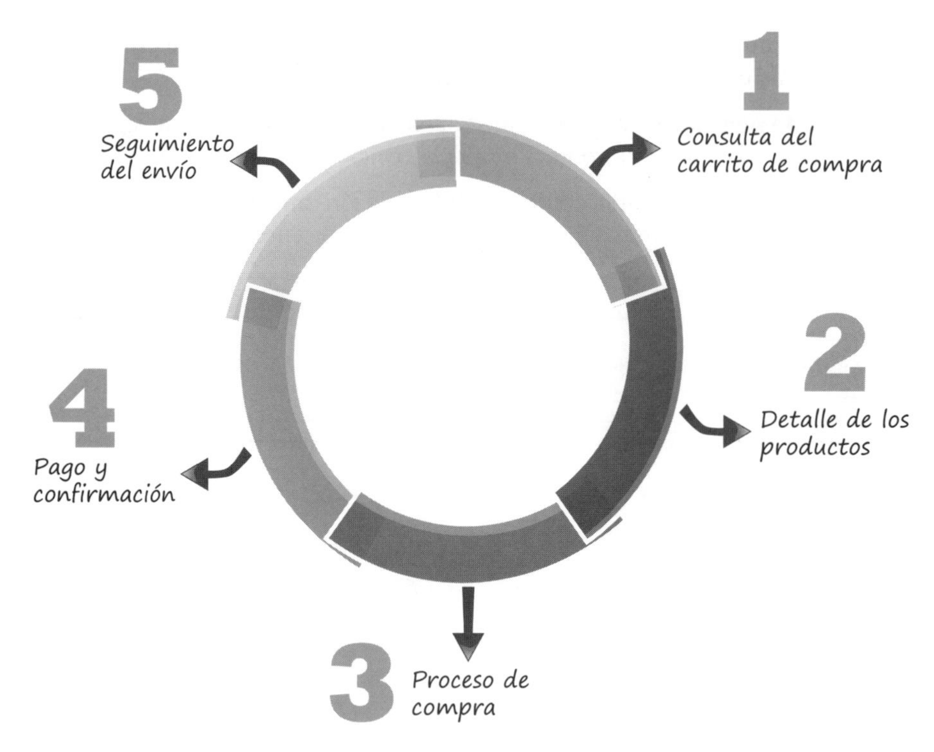

Figura 4.9. Flujo de proceso de compra en comercio electrónico.

Para elegir un diseño gráfico que se adapte a la temática de nuestra página web y a los colores corporativos que hemos seleccionamos, básicamente tenemos dos opciones:

- **Contratar una agencia:** Realizando una simple búsqueda en Internet, hoy ya es posible encontrar propuestas de diseño web personalizado desde 500 Euros. Algunas de las páginas de referencia son `99designs.com` y una versión similar en español denominada `adtriboo.com`.
- **Comprar una plantilla prediseñada:** En Internet existen multitud de páginas web donde diseñadores gráficos ponen a la venta sus diseños para tiendas virtuales. Una de las páginas más conocidas es `themeforest.com`, donde podemos encontrar plantillas para nuestra tienda Magento.

En el caso de que optemos por esta segunda opción, es posible personalizar dichas plantillas entrando en la carpeta donde se almacenan las imágenes (normalmente llamada "img") y sustituyendo las que allí aparecen por aquellas que nosotros queramos que se muestren en nuestra página web (por ejemplo incluyendo nuestro logotipo o fotos de promociones).

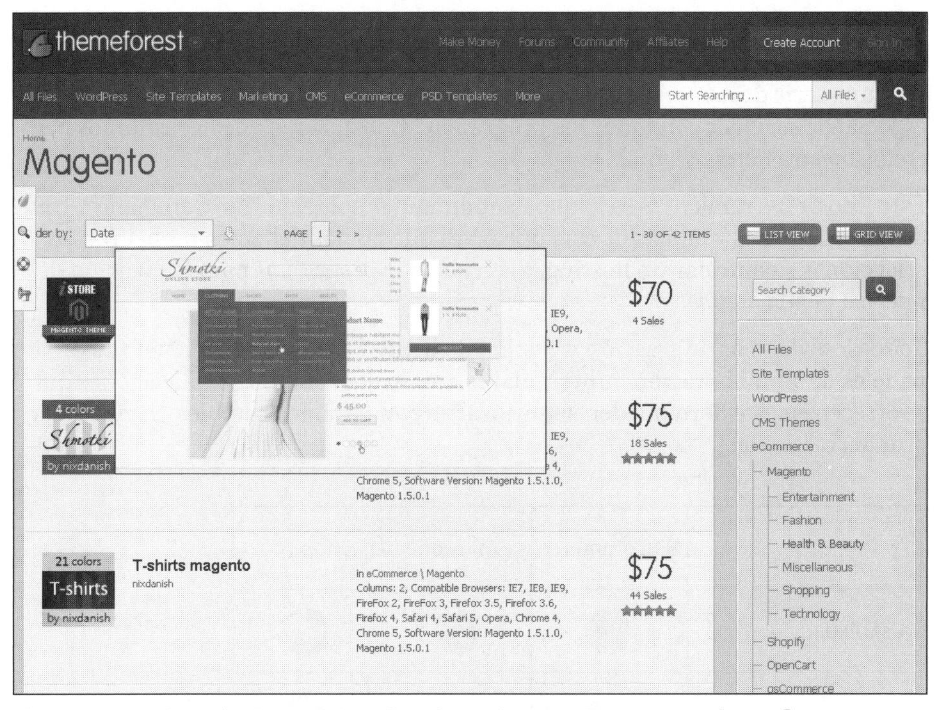

Figura 4.10. Selección de una plantilla adaptada para Magento en `themeforest.com`.

Para evitar problemas, es recomendable mantener el tamaño de las imágenes que vienen con la plantilla por defecto. En el capítulo 5 veremos algunos trucos para personalizar imágenes en nuestra tienda.

La instalación de estas plantillas es muy sencilla, simplemente tenemos que seguir los siguientes pasos:

1. Instalar los ficheros de nuestra plantilla en el servidor, tal y como hicimos con los ficheros de idioma. Normalmente los archivos ya vienen preparados para que simplemente debamos grabarlos en la carpeta raíz de nuestro servidor. En caso contrario nos lo indicarán claramente.
2. Accedemos a nuestro panel de administración de la tienda Magento que hemos instalado en nuestro servidor y en la ruta System (Sistema)>Configuration (Configuración)>General, Diario incluimos el nombre de nuestra plantilla en la casilla por defecto del apartado temas.
3. No nos olvidemos de guardar la configuración antes de salir.

En este momento ya tenemos nuestra tienda Magento en castellano, totalmente adaptada a nuestra imagen corporativa, donde ya podemos ir añadiendo productos a nuestro catálogo.

UNA OPCIÓN AÚN MÁS SIMPLE: TIENDA LLAVE EN MANO

Hay una serie de empresas que han visto una oportunidad en ofrecer un tipo especial de servidor con todos los programas ya instalados que necesitamos para crear nuestra tienda virtual.

Este tipo de herramientas es lo que denominamos solución "llave en mano". Una de las principales ventajas de esta opción es que no nos debemos preocupar en seleccionar y contratar un hosting, ni en instalar programas para la creación de nuestra tienda *on-line*.

Todos los sistemas de creación y gestión de tiendas *on-line* suelen tener unos paneles de administración muy similares, por lo que todas las explicaciones que se ofrecen en este libro pueden ser utilizadas con mínimos cambios en cualquier otra herramienta.

	Bigcommerce	Volusion	Shopify
Usabilidad	●	◕	◕
Marketing y SEO	●	◐	◐
Canales de venta	◕	◕	◐
Metodos de envío	●	◕	◐
Catálogo	●	◕	◐
Sistemas de pago	●	◐	◐

Leyenda ● Más funcionalidades Menos funcionalidades ○

Figura 4.11. Tabla comparativa de soluciones "llave en mano" para comercio electrónico.

La bondad sobre la elección de una tienda "llave en mano" o una tienda gestionada directamente por nosotros depende de cada situación, para poder ofrecer una respuesta oportuna hay que tener en cuenta los siguientes factores:

- **Diseño:** Si necesitamos un diseño muy personalizado para nuestra tienda, es mejor utilizar un sistema administrado por nosotros mismos, ya que las soluciones llave en mano normalmente no suelen ser muy flexibles en la adaptación de su diseño gráfico.
- **Atención de incidencias:** El mayor problema de un sistema de código abierto es que los problemas que pueda surgir debemos solucionarlos nosotros mismos. En una solución "llave en mano" estas empresas nos ofrecen un servicio de atención al cliente que se encarga de solucionar todos los errores que pueda tener la plataforma.
- **Actualizaciones:** Los sistemas de código abierto tienen un equipo de desarrolladores voluntarios que van añadiendo nuevas funcionalidades según su tiempo de dedicación al proyecto se lo permita. Por el contrario, los servicios "llave en mano" poseen un equipo profesional de desarrolladores que van añadiendo nuevas características a sus programas para evitar quedarse obsoletos.
- **Costes:** Las soluciones "llave en mano" suponen un coste mensual para la tienda que incluye los costes de hosting, los costes del equipo de personas dedicado al mantenimiento de servicio y el margen comercial que deseen obtener. Los costes de un sistema de código abierto pueden ser menores siempre que se tengan conocimientos técnicos suficientes.
- **Escalabilidad:** Las soluciones "llave en mano" aprovechan mejor los recursos al tener un mayor número de clientes entre los que distribuirlos. Por ello es más sencillo que este tipo de soluciones puedan asumir el crecimiento de nuestra tienda virtual sin aplicar costes adicionales.

Independientemente de la aproximación que elijamos, el funcionamiento "de negocio" de nuestra tienda *on-line* no varía en absoluto, ya que tendremos que realizar las mismas tareas de personalización a través del panel de administración, tales como incluir nuestros productos en el catálogo, escribir descripciones y añadir fotografías, etc.

Hasta aquí la primera parte del libro, llegado este momento ya tenemos un servidor con un sistema de tienda *on-line* instalado y con un diseño personalizado, aunque todavía está completamente vacía.

Y precisamente a dotar a nuestra tienda de contenido es a lo que vamos a dedicar la próxima parte de este libro, aquellos que tengáis un poco de miedo a que el libro a partir de ahora vaya adquiriendo mayor complejidad técnica podéis estar tranquilos, ya que todas las modificaciones que haya que realizar en nuestra tienda virtual las gestionaremos a través de su panel de administración, por lo que podemos decir que ya hemos superado la parte más técnica del libro para adentrarnos en aquellos aspectos que nos ayudarán a lograr nuestro objetivo final: Vender a través de Internet.

Para saber más:

- Empresa de alojamiento de hosting (ejemplos de este libro):

  http://www.cyberneticos.com

- Comparador de hostings por país:

  http://www.buscahost.com

- Explicación de la herramienta Installatron:

  http://www.installatron.com

- Página oficial de Magento (ejemplos del libro):

  http://www.magentocommerce.com/

- Listado de sistemas de tienda virtual de código abierto:

  http://www.opensourcecms.com/scripts/show.php?catid=3category=eCommerce

- Herramienta de intercambio de ficheros Filezilla:

  http://filezilla-project.org/

- Página oficial deThemeforest (ejemplos del libro):

  http://www.themeforest.net

- Plantillas Magento gratuitas de calidad:

  http://www.hellothemes.com

- Tienda "llave en mano" española:

  http://www.palbin.com

- Otra tienda alternativa a la anterior (también española):

  http://www.xopie.com

- Tienda "llave en mano" (en inglés):

  http://www.bigcommerce.com

- Otra tienda alternativa a la anterior (también en inglés):

  http://www.shopify.com

Parte II

Diseño de la operativa

"HE DESCUBIERTO LA FOTOGRAFÍA.
AHORA PUEDO MATARME.
NO TENGO NADA MÁS QUE APRENDER."

Pablo Ruiz Picasso. Pintor y Escultor

5. Un catálogo excelente: fotos y descripciones

En este capítulo aprenderemos:

- Cómo seleccionar a nuestros proveedores.
- Métodos para definir estrategias de precios.
- La forma para redactar un buen título y descripción.
- Herramientas para obtener y retocar nuestras fotografías.

LA CREACIÓN DE UN CATÁLOGO EXCELENTE

Una vez completado el apartado tecnológico de nuestra tienda *on-line*, podríamos pensar que ya hemos superado la mayor parte de los obstáculos que encontraremos en nuestro camino.

Nada más lejos de la realidad.

Una vez hemos dado de alta nuestra tienda *on-line* a nivel técnico, tenemos que comenzar a registrar productos, comunicar mensajes que enganchen a nuestros clientes, recibir sus pagos y enviarles los productos a su domicilio.

En este capítulo nos centramos en desarrollar los aspectos relacionados con aquellos productos que vamos a ofrecer en nuestra tienda, lo que, de forma simplista, podríamos denominar "catálogo de productos".

Un buen catálogo debe reunir, como mínimo, las siguientes características:

1. Disponer de proveedores de alta calidad que vendan marcas reconocidas
2. Ofrecer buenos precios.
3. Mostrar de forma atractiva las características y descripción de los productos.

PROVEEDORES

Los artículos que se venden en las tiendas son producidos por un fabricante. Aunque en ocasiones este mismo productor vende directamente a sus clientes, habitualmente lo hace a través de un especialista denominado distribuidor.

El distribuidor mayorista es un intermediario que conecta los usuarios de un producto con su fabricante a cambio de una comisión.

A continuación resumimos algunos de los servicios que proporcionan los mayoristas:

- **Infraestructura:** Ponen a disposición de las marcas una red de ventas que puede ayudar a incrementar sus volúmenes de negocio.
- **Red de distribución:** Aportan la logística necesaria para transportar los productos a sus clientes minoristas.
- **Gestión Financiera:** Ofrecen crédito a los clientes y asumen el riesgo asociado a la morosidad que pueda producirse.
- **Red de clientes:** Los distribuidores más reconocidos cuentan con una gran capilaridad de clientes, lo que puede incrementar las ventas de aquellos fabricantes con los que se asocie.

Cuando un productor alcanza un acuerdo con un distribuidor, debe vigilar que no acumule un gran porcentaje de nuestros clientes, adquiriendo un alto poder de negociación. Esto podría poner en peligro un elevado volumen de ventas de la empresa en caso de romper el acuerdo con el mayorista.

En general, las compras de los artículos que vayamos a vender en nuestra tienda las realizaremos a través de un distribuidor, aunque existen excepciones:

- **Elevada cantidad de artículos:** Cuando deseamos adquirir un elevado volumen, debemos intentar contactar directamente con el fabricante, por si fuera posible que nos aplicase precio de mayorista. Por lo general, los fabricantes no nos aplicarán dicho precio y nos redirigirán al mayorista que tengan asignado a nuestra zona.
- **Productos importados:** Algunos importadores venden también a minoristas, por lo que debemos tratar de negociar los artículos importados a través de empresas ubicadas en el país de origen, por si pudiéramos obtener un mejor precio.

Cómo encontrar distribuidores

Al comenzar la creación de nuestra tienda *on-line*, tendremos que decidir con qué proveedores (ya sean fabricantes o distribuidores) cerraremos acuerdos para poder disponer de los productos que ofreceremos a nuestros clientes.

Actualmente es sencillo obtener los datos de contacto de aquellos proveedores que nos interesen, algunos de los medios a través de los que podremos obtener esta información son:

- **Listados de distribuidores:** Internet nos ofrece múltiples fuentes de información para localizar mayoristas de cualquier mercado. La página web `Dirnam.com` ofrece un listado nacional de mayoristas, cuyos resultados se pueden filtrar por provincia y tipo actividad.
- **Asociaciones y ferias del sector:** Un buen método consiste en asistir a eventos dirigidos a profesionales. Participar en alguna de estas ferias nos permitirá contactar con multitud de distribuidores.
- **Anuarios del sector:** Algunos sectores publican unos anuarios que recogen listados de distribuidores, marcas, artículos destacados y sus precios recomendados. Este tipo de informe es habitual en el sector textil, el de ocio o alimentación y bebidas.
- **Acuerdos con tiendas del sector:** Una alternativa para personas que empiecen en el comercio electrónico consiste en llegar a un acuerdo con una tienda física que aún no tenga presencia en Internet. Gestionar dicha tienda a cambio de una comisión por ventas es un método de adquirir experiencia con poco riesgo.

Figura 5.1. Directorio de fabricantes y mayoristas nacionales, `Dirnam.com`.

¿Cómo negociamos con un proveedor?

Tras obtener el listado de distribuidores, y contactar con varios de ellos, dispondremos de información sobre las marcas, qué ofrecen y su nivel de precios.

Antes de comenzar a negociar con ellos para decidir con cuáles alcanzar un acuerdo, debemos definir algunas pautas de actuación:

- **Contar con más de un distribuidor:** De esta forma dispondremos de una mayor gama de artículos y podremos comparar los precios que nos ofrecen.
- **Explicar en detalle nuestras necesidades:** Lo que permitirá a los distribuidores ofrecernos el servicio que más se ajuste a nuestros requerimientos.
- **Disponer de precios actualizados:** Es necesario que los proveedores nos envíen su información de precios en cuanto se produzca la modificación de alguno de ellos.
- **Definir factores que nos permitan comparar ofertas:** Además de las características asociadas al servicio que nos deben ofrecer, algunos otros factores como las opciones de envío, el servicio de atención al cliente o la garantía deben tenerse en cuenta en la elección de nuestros distribuidores.
- **Analizar la reputación de nuestros proveedores:** Investigar las experiencias de otras tiendas con los distribuidores o intentar recabar datos sobre ellos a través de Internet nos proporcionará una información muy útil a la hora de seleccionar nuestro proveedor.

Una vez fijadas estas bases, debemos estudiar qué estrategia desarrollar con nuestros proveedores para alcanzar un buen acuerdo.

Un modelo de negociación nos ofrece una guía a seguir para obtener alianzas que cumplan nuestros objetivos. La universidad de Harvard definió un modelo compuesto de siete elementos que se presentan en todas las negociaciones y que explicamos de forma resumida a continuación:

- **Intereses:** Representa el objetivo final de cada una de las partes en el proceso de negociación.
- **Opciones:** Diferentes posibilidades de acuerdo que permitan alcanzar estos objetivos.
- **Alternativas:** Cuando se alcanza un conflicto es necesario analizar las posibles soluciones que existan, bien de forma conjunta, o incluso con terceras partes.

- **Legitimidad:** Consiste en la defensa de posiciones utilizando para ello argumentos objetivos (informes de agencias independientes, auditorías externas, etc.).
- **Comunicación:** En toda negociación es importante la escucha activa, así como esforzarse en intentar expresarnos de la forma más clara posible para transmitir correctamente nuestro mensaje.
- **Relación:** En toda negociación las partes tienen algún tipo de relación, que hay que potenciar tratando de ser constructivos y gestionando la negociación de una forma técnica, sin implicarse a nivel personal.
- **Compromiso:** Una vez finalizada con éxito la negociación y tras comprender todas sus implicaciones, evaluaremos las ventajas del acuerdo obtenido y nos comprometeremos a cumplirlo.

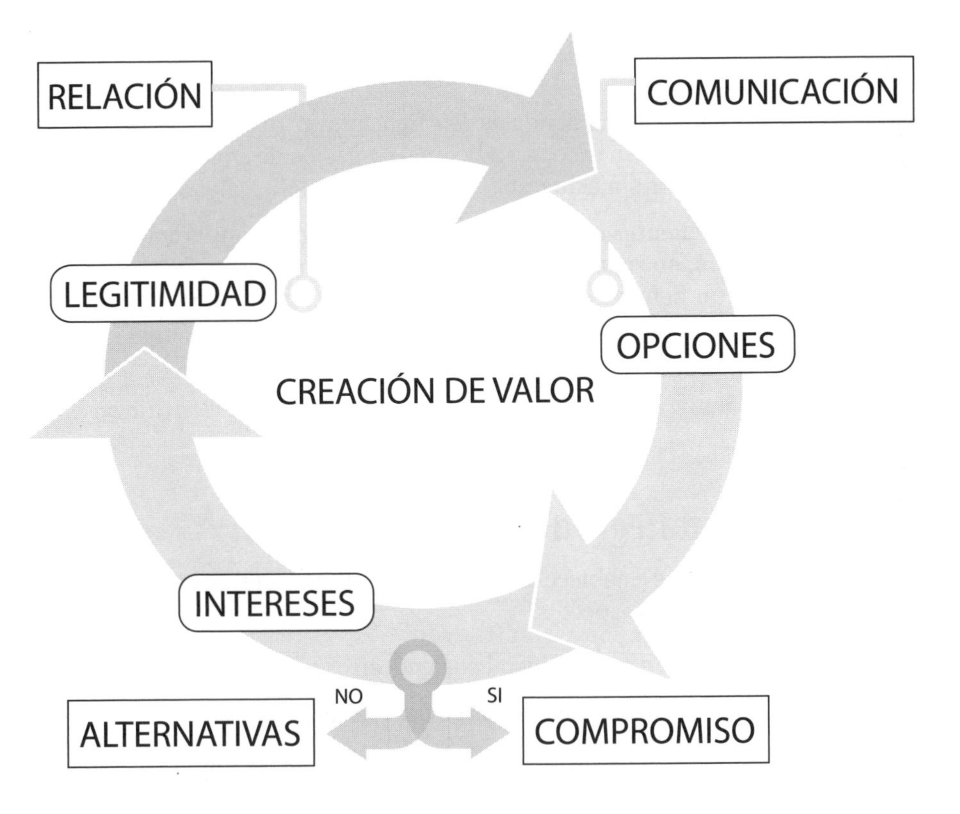

Figura 5.2. Gráfico de componentes del modelo de negociación de la Universidad de Harvard.

A lo largo del proceso de negociación debemos considerar a nuestro proveedor como un colaborador, que pretende ayudarnos a conseguir nuestros objetivos. Para que nos ofrezca su ayuda debemos proporcionarle una descripción clara del objetivo que perseguimos. Todas nuestras argumentaciones a lo largo de las negociaciones con él deberán ir apoyadas en informaciones contrastadas de forma independiente. Es recomendable contrastar con otros proveedores los datos que nos proporcione, y buscar alternativas (conjuntas o con terceras partes) en aquellos puntos en los que no sea posible alcanzar un acuerdo.

Una vez alcanzado un acuerdo, definiremos claramente las responsabilidades de cada una de las partes y nos comprometeremos a llevarlas a cabo.

Siguiendo este modelo podremos establecer relaciones a largo plazo con nuestros proveedores, sin dejar de ofrecer el mejor servicio a los clientes.

PRECIO

El precio de un artículo en una tienda *on-line* tiene una gran importancia por dos motivos: los artículos poseen un coste adicional de gastos de envío y los clientes pueden comparar precios sin esfuerzo.

Internet ofrece a los clientes una enorme facilidad para la comparación de precios entre tiendas, no solamente *on-line* sino también físicas. Desde su casa, y a un simple clic, un usuario es capaz de comprobar en qué tienda es más barato un producto, así como obtener la dirección de las más cercanas a su casa.

Por ello debemos analizar en profundidad qué estrategia de precios utilizar en nuestra tienda.

Fijar nuestra estrategia de precios

Una estrategia de precios establece los principios y directrices que debemos seguir a largo plazo en dos aspectos:

1. La definición de un precio inicial para nuestros productos.
2. La evolución de los mismos a lo largo de su ciclo de vida.

Las estrategias de precios más utilizadas en el mercado son las siguientes:

- **Descremado:** Esta estrategia cuyo nombre proviene de "desnatar la crema del mercado", consiste en asignar un precio alto en el lanzamiento que se irá reduciendo progresivamente a lo largo del ciclo de vida del producto según vayan entrando al mercado nuevos competidores.

- **Penetración:** Pretende obtener un alto volumen de ventas gracias a un precio unitario bajo con el objetivo de facilitar una rápida adopción del producto por el mercado.
- **Prestigio (o de Calidad):** Un precio alto confiere un cierto nivel de status al comprador del artículo, reducir este precio podría ser percibido como un descenso en la calidad.
- **Precios habituales:** En algunos productos, como ciertos alimentos, la modificación del precio unitario es mal tolerado por sus compradores. En estos casos el incremento de la rentabilidad se logra reduciendo el tamaño de la unidad y manteniendo su precio.
- **Enfocada a la competencia:** Se fijan los precios en función de los que ofrezca la competencia y se aumentan o reducen sobre ellos en función de nuestra estrategia de diferenciación.
- **Por líneas de productos:** Es habitual que las empresas fijen diferentes grupos de productos, asociando a cada uno de ellos un nivel de precios. Por ejemplo, podrían ofrecerse tres tipos diferentes de habitación de hotel a 60, 120 y 300 Euros la noche.
- **Por áreas geográficas:** El valor de un producto para sus compradores puede variar en función de la región en la que se esté comercializando, por lo que debemos adaptar nuestros precios a esa situación.
- **Psicológicos:** Desde un punto de vista de los clientes es mejor fijar un precio de 9,99 Euros que de 10 Euros, ya que el segundo precio se percibe como más caro que el primero.

Para fijar nuestro precio inicial, hay dos aproximaciones: A partir de su coste, asignándole al mismo un margen que nos permita obtener el nivel de rentabilidad que deseamos y a partir de su valor, que utiliza la percepción de los clientes sobre el producto para fijar el precio máximo que estarían dispuestos a pagar por él.

Lógicamente estos niveles de precios estarán afectados por los que nuestros competidores ofrezcan en productos sustitutivos.

Una fijación correcta del precio inicial es muy importante, ya que es muy complejo modificarlo posteriormente. Un aumento de precios obtendrá un lógico rechazo por parte de nuestros clientes, lo que nos obligará a realizar una campaña de comunicación que explique los motivos de dicho cambio. Por otro lado, una reducción de precios, puede afectar a la percepción de calidad de nuestros productos y, sin embargo, no obtener un crecimiento en el nivel de ventas.

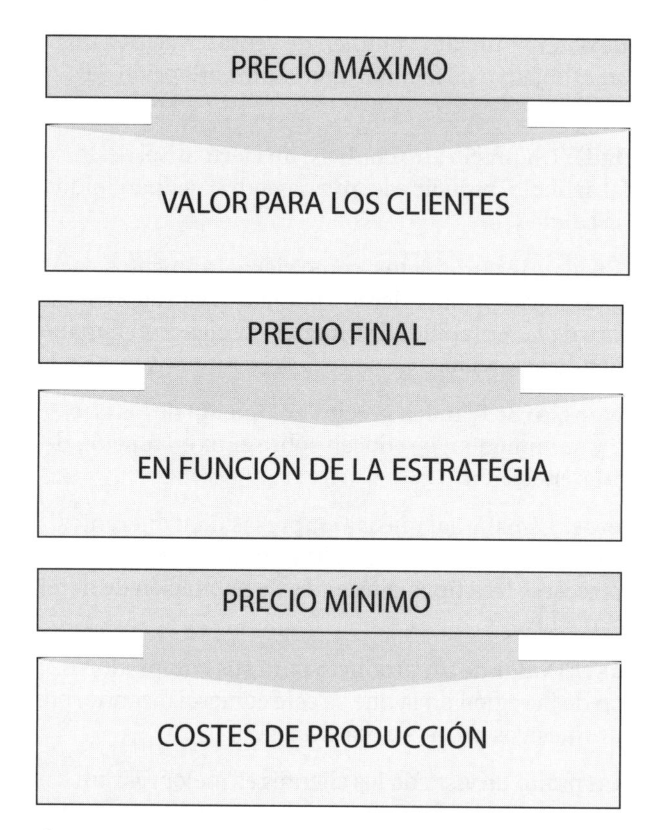

Figura 5.3. Gráfico de técnicas para la fijación de precios.

Si modificar nuestros precios es tan complejo ¿cómo conseguimos adaptarlos a los diferentes tipos de clientes que podamos tener y sus distintas situaciones económicas?

Para ello se utilizan diferentes técnicas que nos permiten ofrecer precios diferentes en función del comportamiento o tipología de los clientes sin que ello implique una modificación del precio de nuestros productos. Algunas de ellas las mostramos a continuación:

- **Descuentos:** Reducciones en el precio a aquellos clientes que actúen de una determinada manera que nos pueda interesar. Comprar una cantidad elevada de productos, comprar fuera de temporada, o utilizar un determinado medio de pago son algunos ejemplos de este tipo de comportamientos.
- **Promociones:** Se aplica un precio menor a aquellas personas que participen en determinados programas de apoyo a las ventas.

- **Segmentación de clientes:** Consiste en fijar un precio diferente para distintos tipos de clientes. Normalmente se aplican a diferenciaciones por edad (precios especiales para jóvenes y mayores). La fijación de precios diferenciados para otros segmentos no tan habituales pueden ser considerados discriminatorios.
- **Segmentación de productos:** Se aplica un precio diferenciado en función de las diferentes versiones del artículo.

Fijar incorrectamente los precios de los artículos en nuestra tienda virtual es garantía de fracaso. Por ello en la fase de lanzamiento debemos realizar un serio análisis de cada uno de los precios que vamos a asignar a nuestros productos, y posteriormente compararlos de forma constante con los de nuestra competencia para actualizarlos convenientemente en función de la estrategia que hayamos definido.

CÓMO CONSEGUIR QUE NUESTROS PRODUCTOS LLAMEN LA ATENCIÓN DE LOS CLIENTES

Cuando nuestros clientes accedan a nuestra tienda, comprobarán qué artículos y marcas tenemos disponibles, y compararán nuestros precios con los de las tiendas de la competencia, bien vía *on-line* a través de un buscador como Google, o bien en tiendas físicas de su entorno.

Este recorrido por nuestros productos es el momento en el que tenemos que mostrar nuestra faceta más comercial, captando la atención de nuestros usuarios y mostrando nuestros productos de la forma más atractiva posible. Las variables sobre las que podemos actuar en este apartado para incrementar nuestras ventas son:

1. El título.
2. La descripción.
3. Las fotografías.
4. Los contenidos multimedia.

El título

Consiste en una descripción breve del producto, es decisivo para ofrecer una buena impresión. Debemos incluir aquellas palabras que describan claramente el artículo que estamos vendiendo, así como información adicional que pueda ser de importancia para el comprador (su diseñador, la marca del artículo, etc.). En general es una mala práctica intentar llamar la atención del cliente añadiendo información sobre el artículo que no sea veraz, o que pueda inducirle a error.

La descripción

Ofrece información adicional sobre el artículo que estamos vendiendo, lo que ayuda al cliente a tomar su decisión de compra.

A continuación enumeramos algunas pautas para elaborar una buena descripción de un artículo:

- **Características básicas:** En la descripción debemos responder las preguntas más frecuentes de los clientes, como la funcionalidad del artículo, materiales que lo conforman, el estado en el que se encuentra (si es nuevo o de segunda mano, por ejemplo), así como la fecha en la cual se elaboró, si procede.
- **Componentes:** Descripción en detalle de los artículos que conforman la unidad de producto que van a adquirir nuestros clientes. Estos datos son especialmente importantes cuando el producto incluya ciertos elementos accesorios (por ejemplo en electrónica podrían ser cables, fuentes de alimentación, etc.).
- **Información adicional:** Indicar el diseñador, la marca, o premios que haya recibido el artículo permite al cliente comprobar que efectivamente es el producto que estaba buscando.
- **Público objetivo:** Explicar el segmento del mercado al que está especialmente dirigido nuestro producto nos permite clarificar al cliente la ventaja principal del artículo (botas especialmente diseñadas para senderistas, por ejemplo).
- **Dimensiones:** Los productos pueden tener embalajes o presentaciones diferentes, por lo que detallar a los clientes el tamaño de los artículos que van a recibir les puede hacer decidirse por un artículo u otro (imaginemos el caso de un cuadro, o un determinado tipo de mueble).
- **Ventajas principales:** Es muy útil que destaquemos las características en las que un producto es mejor con respecto a los de la competencia. De esta forma el cliente contará con toda la información a la hora de comprar artículos de diferentes marcas.
- **Garantías:** Tanto las garantías de calidad, como aquellas garantías extendidas que ofrezca la casa (de devolución, mantenimiento, etc.) pueden ser decisivas a la hora de que el cliente realice su compra en nuestra tienda.

En caso de que no aceptemos algún medio de pago en uno de nuestros artículos, debemos indicarlo claramente en la descripción del producto, para evitar incidencias cuando el cliente realice el pedido.

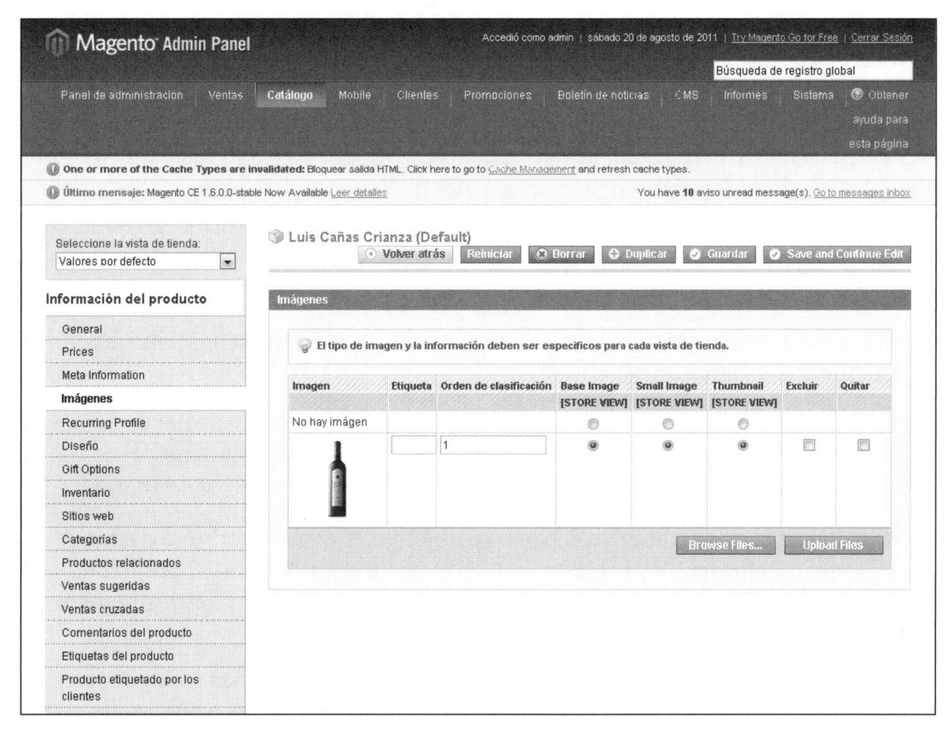

Figura 5.4. Gráfico de inclusión de una nueva descripción en Magento.

En la redacción de nuestras descripciones, debemos asegurarnos que no hayamos cometido errores ortográficos o gramaticales (es recomendable una revisión previa con un editor de texto moderno) ni incluido afirmaciones que puedan confundir a nuestros clientes.

A partir del 15 de Septiembre

si vienes a cualquiera de nuestras tiendas, sea cual sea tu

y compras un bolso, te llevas

GRATIS

otros dos bolsos, de importe igual o inferior

Figura 5.5. Gráfico de ejemplo de un caso de publicidad engañosa.

Nota: Hay que ser especialmente cuidadosos con la descripción que realizamos de nuestros artículos, así como las fotografías que incluimos como información adicional. En caso de que esta información pudiera confundir a los clientes podrían reclamarnos por "publicidad engañosa" y exigirnos el producto mostrado.

FOTOGRAFÍAS

Las fotografías suponen uno de los métodos más potentes para describir los productos que estamos ofreciendo.

A pesar de que la fotografía tiene un gran componente artístico, existen recomendaciones de carácter técnico que podemos usar como guía para incrementar la calidad de las fotografías que realicemos a nuestros artículos:

- **Elegir fondos sencillos:** Nuestro objetivo es que el producto destaque en la fotografía, por lo que debemos evitar los fondos que distraigan la atención de nuestros clientes. Habitualmente se utilizan fondos blancos.
- **Centrar el objeto:** A diferencia de las fotografías artísticas, debemos centrar nuestros artículos en las fotografías y encuadrarlas todas de forma similar. Debemos tener en cuenta que al mostrarse varios artículos de forma simultánea en nuestra tienda, si uno de ellos aparece descentrado romperá la composición de la página y llamará la atención sobre el resto.
- **Mantener fija la cámara:** Si la cámara se mueve, se pueden producir fotografías borrosas. Lo mejor es un trípode y en caso de que no sea posible, apoyar la cámara contra alguna superficie que evite que se desplace.
- **Sacar varias fotografías:** Actualmente, gracias a las fotografías digitales podemos capturar tantas imágenes como queramos hasta quedar satisfechos con el resultado.
- **Fijar una alta resolución:** Seleccionar una resolución elevada en nuestra cámara, nos permitirá cambiar el tamaño de nuestra fotografía sin percibir pérdida de calidad.
- **La luz:** Al realizar nuestras fotografías tendremos que analizar los contrastes de luz que puedan producirse y evitar sombras que arruinen nuestras fotografías.

Todos los puntos anteriores son sencillos de llevar a cabo y no exigen la compra de ningún tipo de dispositivo. Sin embargo, en el caso del control de la luminosidad, el tener una herramienta que nos ayude a controlar las sombras que puedan producirse en la escena que queremos fotografiar, puede suponer una gran ayuda.

Mejorar la iluminación de nuestra escena: cómo crear una caja de luz

Uno de los aspectos que más sorprende al intentar realizar una fotografía de nuestros artículos es la dificultad de conseguir que el producto aparezca sobre un fondo blanco. Suelen aparecer sombras sobre nuestro objeto y su fondo, empeorando el aspecto de las imágenes.

Para evitar este efecto tan desagradable sobre nuestras fotografías vamos a desarrollar una herramienta denominada "caja de luz".

Una "caja de luz" es un elemento de iluminación que proyecta luz difusa, lo que permite minimizar las sombras sobre los objetos que estamos fotografiando. Normalmente tienen forma rectangular, aunque en los últimos tiempos han comenzado a aparecer nuevas cajas con formas hexagonales.

A pesar de que una caja de luz profesional tiene un precio elevado, existen métodos muy simples para que uno mismo pueda crear una versión sencilla en su propia casa.

Vamos a explicar uno de estos métodos que nos permitirá elaborar una caja de luz por muy poco dinero. Antes de comenzar, debemos hacernos con los siguientes utensilios:

- Una caja de cartón de proporciones adecuadas a los productos que vamos a vender.
- Papel de cebolla.
- Un *cutter*.
- Cinta aislante.
- Tres flexos con bombillas de bajo consumo (uno de los flexos debe ser algo más alto).
- Trípode para la cámara fotográfica.
- La cámara es preferible que cuente con un cable disparador o en su defecto, temporizador.

Con el *cutter* cortamos tres ventanas una por cada lado de la caja correspondiente a: lado superior, lateral derecho y lateral izquierdo. Dichas ventanas las cubriremos con papel cebolla utilizando la cinta aislante.

Los lados inferior y trasero los cubriremos con una cartulina del color que deseemos como fondo de nuestras fotografías (normalmente usaremos blanco). El resultado final puede verse en la figura 5.6.

Para una buena iluminación, deberemos situar tres puntos de luz fría uno a cada lado del papel de cebolla.

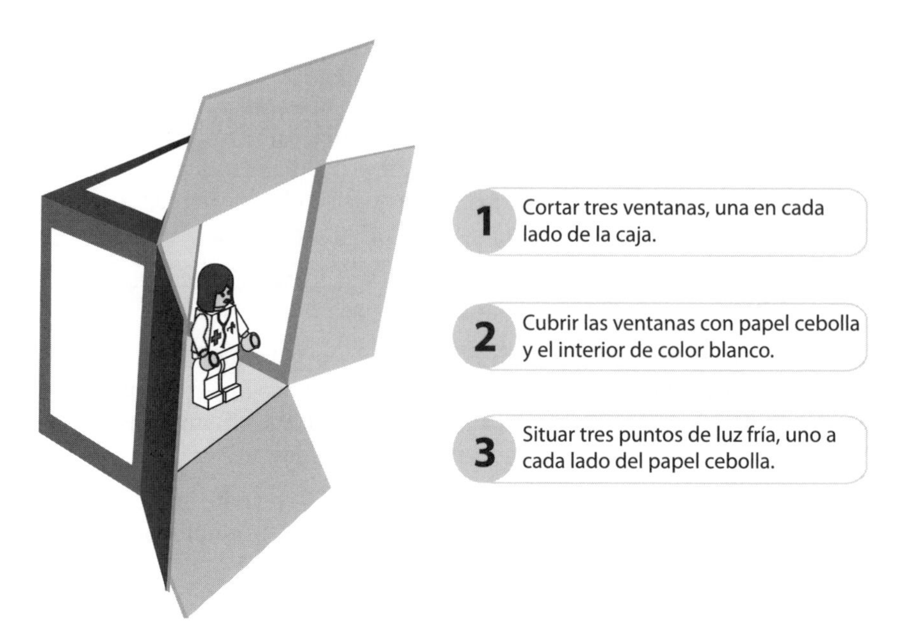

Figura 5.6. Gráfico del proceso de elaboración de una caja de luz.

Para obtener diferentes efectos, podemos modificar la rotación y emplazamiento de la caja, así como la distancia de los puntos de luz.

Aquellos que no quieran molestarse en construir su propia caja de luz "casera" pueden intentar comprar alguna versión ya elaborada a través de eBay, hay quién dice que ha podido obtener alguna por menos de 20 Euros (gastos de envío aparte). Pero en cualquier caso, ¿por qué quitarnos la diversión de construir con nuestras propias manos una caja de luz?

Retocando nuestras fotografías

En ocasiones, no nos será posible realizar las fotografías por nosotros mismos. En estos casos, tendremos que obtener las fotografías por otros medios, normalmente a través de nuestros distribuidores o de los departamentos de marketing de las marcas que vayamos a distribuir. Como dichas fotografías no se han realizado específicamente para la venta *on-line*, lo normal es que tengan algún tipo de fondo, o en el caso de no haberse realizado de forma profesional, incluso estén mal iluminadas.

Cuando esto nos suceda, debemos retocar las imágenes informáticamente con el objetivo de intentar aumentar la calidad de las mismas. Para ello, existen multitud de programas de edición de fotografías, desde el mítico Photoshop, hasta herramientas que poseen versiones gratuitas *on-line*.

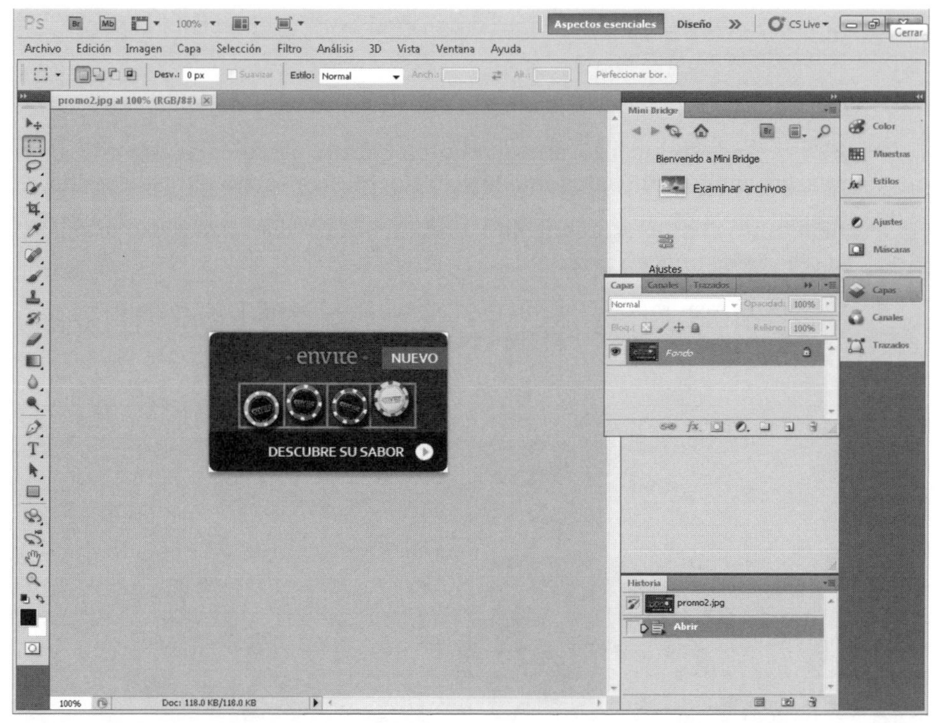

Figura 5.7. Gráfico de la herramienta de retoque fotográfico PhotoShop.

En nuestro caso, vamos a utilizar una herramienta de edición fotográfica denominada Clippingmagic, que nos ofrece la posibilidad de retocar nuestras fotografías, sin necesidad de instalarnos ningún tipo de programa.

Esta herramienta está especializada en una de las aplicaciones que más habitualmente vamos a necesitar en nuestra tienda *on-line*: eliminar el fondo de nuestras fotografías.

Eliminar el fondo

En ocasiones, necesitaremos eliminar el fondo de la fotografía de un producto, para ello lo que debemos hacer es:

- Accedemos a la herramienta Clippingmagic, en la dirección web "`http://www.clippingmagic.com`".
- Seleccionamos la imagen de la que deseamos eliminar el fondo.
- En la pestaña superior seleccionamos la herramienta Background brush, representada por un icono de color rojo.
- Marcamos los píxeles que deseamos eliminar de la imagen.

- Seleccionamos la herramienta Foreground brush, representada por un icono de color verde.
- Marcamos los píxeles de la imagen que deseamos mantener.
- El sistema posee un algoritmo que automáticamente calcula los bordes de la imagen, eliminando todos aquellos píxeles que considera parte del fondo.
- Repetimos el proceso añadiendo y eliminando píxeles hasta que se ajuste al recorte de imagen deseado.
- Cuando el resultado sea de nuestro agrado podemos descargarnos la imagen haciendo clic sobre **Download**.

Figura 5.8. Gráfico de Clippingmagic, una herramienta *on-line* de retoque de imágenes.

CONTENIDOS MULTIMEDIA: VÍDEOS DE NUESTROS PRODUCTOS

Durante muchos años, los contenidos de vídeo digital estuvieron muy restringidos en Internet, ya que consumían mucho ancho de banda, por lo que pocos usuarios, solo aquellos que disponían de una mayor velocidad de descarga de datos, podían acceder a ellos.

Sin embargo, en los últimos años, la proliferación de conexiones de alta velocidad ha hecho posible que todos podamos acceder a contenidos de video e incluso visualizarlos en tiempo real sin descargarlos en nuestro ordenador (denominado *streaming* de vídeo).

Esto ha provocado que nuestros clientes ya no se conformen con ver los productos en una simple fotografía, sino que deseen un vídeo que explique las características del artículo y así les evite tener que leer su descripción.

Realizar un vídeo de calidad es bastante más complejo y requiere más medios que una fotografía. Para aquellos que no se atrevan a realizar un vídeo por sí mismos y quieran un sistema más sencillo, vamos a describir dos mecanismos que nos permitirán realizar rápidamente vídeos de nuestros productos:

1. Adaptar vídeos de otros países.
2. Crear vídeos a partir de fotografías.

Adaptación de vídeos de otros países

Actualmente, es bastante común que los usuarios busquen contenidos multimedia dentro de las descripciones de los productos para poder obtener más información de las características del mismo.

Por ello, la mayor parte de los distribuidores ya cuentan con vídeos de las marcas que podremos utilizar en las páginas de nuestra tienda para incrementar nuestras ventas.

Figura 5.9. Youtube ofrece la posibilidad de incluir subtítulos en sus vídeos.

En estos casos, lo normal es que sean videos en inglés, por lo que tendremos que buscar alguna forma de traducir dicho vídeo. En general hay dos formas:

- Sustituir el audio.
- Mantener el audio original y añadir subtítulos en nuestro idioma.

Por supuesto antes de realizar estas modificaciones debemos comprobar con nuestro distribuidor o con la marca que no estamos infringiendo algún aspecto legal y que tenemos su permiso expreso para hacerlo.

Youtube es un servicio de Google que ofrece vídeos a través de Internet. Esta página lleva años siendo el líder, por lo que lo mejor es guardar todos nuestros vídeos de productos en este servicio, ya que cada vez que un usuario realice una búsqueda de un producto o marca podrán acceder a nuestros vídeos, donde encontrarán un enlace a nuestra página web.

Este servicio nos ofrece la posibilidad de añadir subtítulos a los vídeos que hemos alojado, de forma que personas de otros idiomas puedan entenderlos. Youtube nos exige un formato específico en el que cargar los subtítulos, por lo que deberemos seguir los siguientes pasos:

- Seleccionar el vídeo de Youtube que deseamos subtitular.
- Abrirnos una cuenta gratuita en Dotsub o descargar el programa DivXland Media Subtitler, en este ejemplo optaremos por utilizar Dotsub para no tener que instalar ningún software en nuestro ordenador.
- Transferir dicho vídeo al servicio Dotsub para iniciar el proceso de subtitulado.
- Seleccionamos el vídeo y en las opciones de traducir y transcribir escogemos la opción Caption and Translate.
- Añadimos las transcripciones del vídeo en castellano indicando los segundos durante los cuales deben mostrarse dichos subtítulos.
- Una vez hayamos finalizado, marcamos la transcripción como completa y descargamos el fichero de subtítulos en nuestro ordenador.
- Desde la página web de Youtube donde esté almacenado dicho vídeo, seleccionamos la opción de subtítulos y transferimos el fichero que acabamos de descargarnos de Dotsub.
- Seleccionamos el idioma al que corresponde y lo guardamos. A partir de este momento se habrá añadido a nuestro vídeo subtítulos en idioma castellano para que el resto de nuestros potenciales clientes de otros países puedan acceder a él.

Figura 5.10. Captura de DotSub, una herramienta para la creación de subtítulos.

Crear un vídeo a partir de fotografías

En ocasiones no dispondremos de un equipo de vídeo para realizar las grabaciones de cada uno de nuestros artículos, pero sin embargo sí que dispondremos de nuestra propia cámara fotográfica. En estos casos, podemos utilizar una serie de herramientas que permiten obtener modelos en tres dimensiones a partir de una serie de fotografías de un producto.

En concreto, Adobe dispone de un nuevo servicio gratuito denominado proyecto 123dapp.com catch, que disponiendo de unas 40 fotografías del objeto obtenidas en diferentes ángulos, genera una malla en tres dimensiones del producto que hayamos fotografiado.

Es decir, imaginemos que deseamos obtener el modelo en tres dimensiones de un jarrón, los pasos a seguir serían los siguientes:

- Asegurarnos que el objeto no tiene brillos ni transparencias (en ambos casos no funciona bien el sistema).
- Centrar las fotografías en un único objeto.
- Realizar fotografías sin flash en círculos sacando una cada 15º aproximadamente.

- Repetir la operación cambiando el ángulo a uno superior.
- Enviar las imágenes al servidor central de 123dapp.com.
- Revisar el modelo y recortar aquellas secciones escaneadas que no sean parte del modelo.
- Exportar la figura tridimensional en formato OBJ y su textura en formato .STL.
- Crear un vídeo del producto en rotación de 360º para que nuestros clientes puedan visualizar todas sus características renderizando cada fotograma con nuestra herramienta de modelado 3D favorita.
- Subir el video a nuestra cuenta de Youtube o Vimeo (de esta forma ya lo tendremos alojado para poder enlazarlo desde nuestra tienda *on-line*).

Figura 5.11. 123dapp.com ofrece la posibilidad de crear modelos 3D a partir de fotografías.

Estas dos opciones nos permitirán disponer de vídeos de los productos que estemos comercializando en nuestra tienda *on-line* de forma muy sencilla y adaptados al mercado español. Una vez, ya tenemos desarrollado este material, ¿por qué no utilizarlo como herramienta de Marketing?

Aprovechar nuestros vídeos como herramientas de Marketing

En general nuestros usuarios prefieren ver un vídeo a leer un artículo o incluso un e-mail. El incremento que se está produciendo en su uso en Internet es buena prueba de ello. Esta tendencia es comprensible, ya que un vídeo es más sencillo de comprender, puede transmitirnos su mensaje a través de la vista y el oído, e incluso en su versión web nos puede ofrecer la posibilidad de ser interactivo con el cliente a través del uso de enlaces a direcciones de Internet.

Al utilizar nuestros vídeos de productos como una herramienta de marketing, nuestro objetivo debe ser que nos sirvan como apoyo para dar a conocer nuestra tienda *on-line*, por ello no debemos olvidar:

- **Facilitar la búsqueda del producto:** Para que los usuarios puedan encontrar de forma sencilla el vídeo del producto, debemos incluir el nombre y marca del mismo en su título. De esta forma cuando introduzcan los datos del artículo en el motor de búsqueda aparecerá nuestro vídeo.
- **Nuestro logotipo:** En el vídeo debemos incluir nuestro logotipo de forma visible, para que los clientes sepan que pueden adquirir el artículo en nuestra tienda.

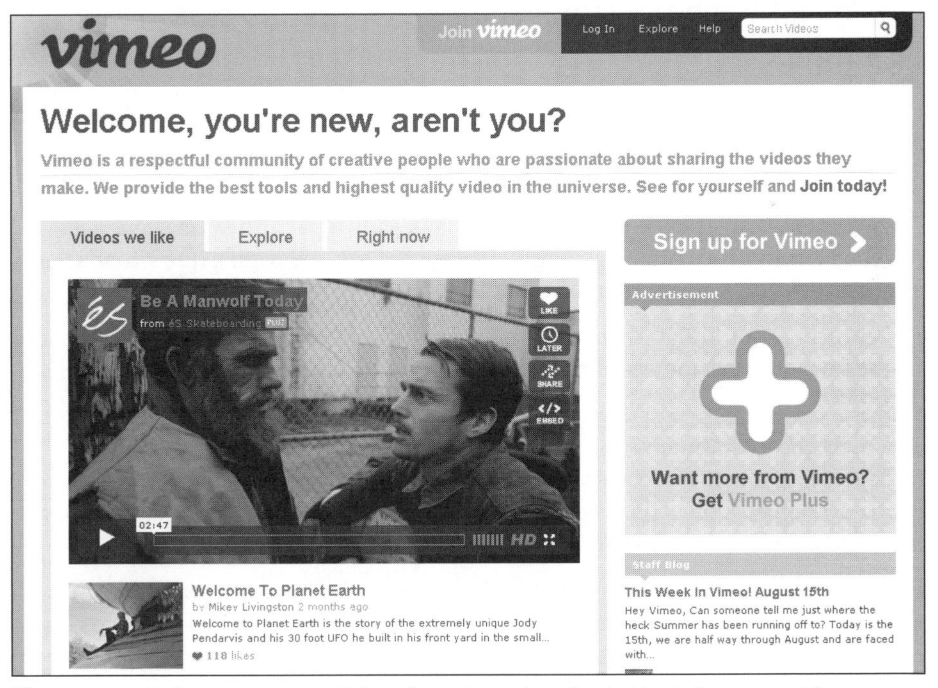

Figura 5.12. Existen otros servicios de video además de Youtube, como Vimeo.

- **Incluir un enlace directo:** Debemos indicar la dirección web de nuestra tienda *on-line*, e incluso incluir un enlace directo al producto, para que, una vez el usuario pulse sobre él, le redirija directamente a la página concreta del producto en nuestra tienda.

Aunque Youtube es, sin duda, el servicio de vídeos más conocido en Internet, no debemos dejar de lado otras opciones como Dailymotion, Vimeo, etc. para intentar que nuestros vídeos obtengan el mayor nivel posible de difusión.

OTRA HERRAMIENTA DE MARKETING: LOS ANUNCIOS DIGITALES

En Octubre de 1994 HotWired, la primera revista comercial a través de la web, decidió poner su primer anuncio en Internet. Un espacio de 468x60 píxeles (que posteriormente fue denominado banner) con la siguiente pregunta: "¿Ha clicado alguna vez con su ratón aquí?". Esa simple prueba le hizo ganar 400.000 dólares, lo que impulsó la publicidad a través de la red hasta los niveles actuales, en los que los ingresos por publicidad en Internet en los Estados Unidos superaron con un importe total de 26.000 millones de Euros a los de la prensa escrita.

Qué es un banner y cuáles son sus medidas más habituales

Como comentábamos antes, un banner no es más que una forma de publicidad en Internet. Su objetivo es atraer tráfico a nuestra web, ya que dicho anuncio contiene un enlace a nuestra página.

Normalmente este tipo de publicidad está generado a partir de una secuencia de imágenes (los formatos más habituales suelen ser .jpg o .gif), que situadas en serie una tras otra, forman una animación.

Las empresas que sitúan dichos banners en sus webs suelen recibir a cambio una pequeña compensación económica cada vez que un usuario hace clic sobre dicho anuncio.

Cada vez que un banner se muestra en el navegador de un usuario (independientemente que pulse sobre o él o no) se denomina impresión. El ratio entre impresiones (las veces que se muestra) y el número de veces que los usuarios pulsan sobre él se denomina CTR (*Click Through Ratio*).

Para estandarizar algunos aspectos de la industria del marketing digital, se creó en 1996 la IAB (*Interactive Advertising Bureau*) que entre otros servicios, ha estandarizado los tamaños de los banners en Internet, tal y como se puede ver en la figura 5.13.

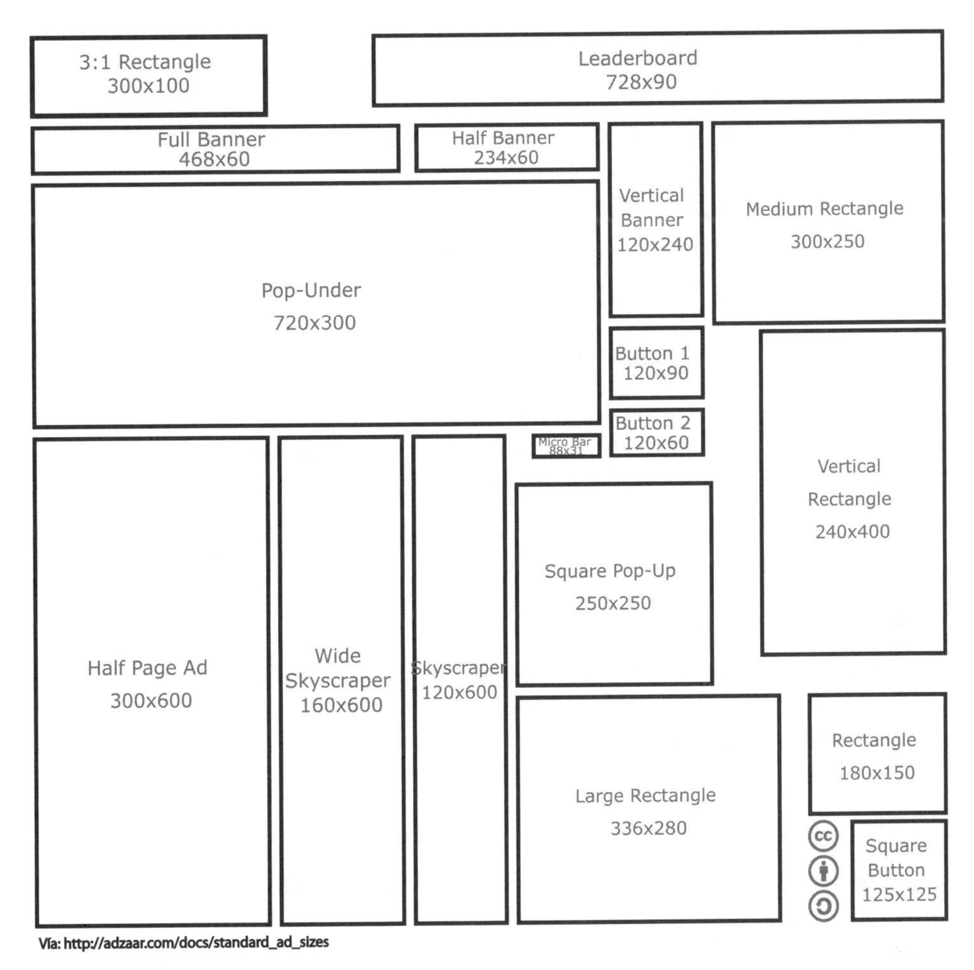

Vía: http://adzaar.com/docs/standard_ad_sizes

Figura 5.13. Diferentes tipos de medidas estándar para banners.

Cómo diseñar un buen banner

Actualmente, a diferencia de los primeros días de Internet, existe una gran competencia en relación a los anuncios web, por lo que nuestro principal objetivo al diseñar nuestro banner debe ser destacar con respecto a los anuncios de nuestra competencia.

Por ello como norma general debemos seguir las siguientes recomendaciones:

- **Utilizar banners animados:** Los anuncios en movimiento captan mejor la atención de los usuarios que los estáticos, además todos nuestros competidores ya los utilizan, por lo que debemos ponernos a su altura.

- **Enganchar a nuestro nicho:** La mayor parte de los usuarios de Internet directamente ignora los banners en las páginas que visita, salvo que el contenido del mismo le interese. Por ello debemos dejar claro en nuestro anuncio cuál es el nicho al que nos dirigimos para captar su atención.
- **Frase introductoria y de salida:** Debemos utilizar una primera frase que haga referencia a nuestra principal diferenciación con respecto a nuestros competidores. Como última frase siempre debemos indicar al cliente que debe hacer "pulse aquí", "haga clic", etc.
- **Coherencia con nuestra imagen corporativa:** Cualquier usuario que vea un banner debe ser capaz de reconocer a qué empresa pertenece gracias a la gráfica del mismo. Si nuestra empresa es desconocida no debemos descartar incluir nuestro logotipo en todas las imágenes del banner, para reforzar el reconocimiento de marca.
- **Colores:** Debemos seleccionar una gama de colores que permita resaltar nuestro mensaje, a la vez que el anuncio destaca dentro de la página. En general, los colores brillantes funcionan mejor que los oscuros (en especial el negro).
- **El tamaño del banner:** Es recomendable que no tenga un tamaño superior a los 15 KB para evitar que tarde mucho en cargarse en el navegador del usuario y pierda efectividad.

Herramientas para la creación de banners

Todos recordamos cuando éramos pequeños y nos enseñaron por primera vez los secretos de la animación. Cogíamos una serie de hojas y dibujábamos un muñeco al que en cada nueva hoja íbamos moviendo ligeramente una parte de su cuerpo. Cuando poníamos todas las hojas una encima de otra, y las pasábamos rápidamente en secuencia, el muñeco daba sensación de estar vivo y mover partes de su cuerpo. Esa misma idea, es la que vamos a utilizar para crear nuestros anuncios animados. Básicamente necesitaremos una secuencia de fotografías y texto que den sensación de movimiento.

Para ayudarnos en esta tarea existen varios productos como Photoscape (este programa deberemos descargarlo en nuestro ordenador) o gif-animator (en su versión *on-line* de pago) que nos permitirán crear anuncios animados en formato gif (más conocidos como gifs animados) que utilizaremos como banners.

Para ilustrar cómo crear nuestro primer banner, vamos a realizar una secuencia de las diferentes imágenes que vamos a mostrar en él, tal y como se muestra en la figura 5.14.

Figura 5.14. Secuencia de imágenes para el banner de ejemplo.

- En la imagen número 1 se muestra un mensaje retador al cliente de "¿Te atreves?"
- En la segunda imagen de la secuencia se muestra el siguiente texto "La revista solo para vosotros."
- En la tercera y última imagen se muestra una frase de salida que invita al cliente a la acción, que en nuestro caso es: "Pulsa aquí."

Para el texto emplearemos la fuente que normalmente estemos utilizando en nuestra imagen corporativa, o en el logotipo.

Situaremos un logotipo en la parte inferior de cada imagen del banner para potenciar nuestra marca.

Con respecto al color podemos escoger dos vías, la simple que es mantener el color blanco del fondo que tenemos en nuestras fotografías de productos y de esta forma poder desarrollar banners de forma muy rápida. O bien sustituir dicho fondo blanco, utilizando las técnicas explicadas en este capítulo y sacrificar tiempo a cambio de obtener un color que pueda hacer destacar más nuestro anuncio.

En el caso de que el color que hayamos escogido para nuestra imagen corporativa sea demasiado oscuro, utilizaremos Kuler para elegir un color más brillante y que permita que el texto destaque.

Jugaremos con las mayúsculas y el tamaño de letra para que destaque aún más el mensaje.

Los pasos para crear este banner en la herramienta Photoscape son los siguientes (asumiendo que ya la hemos descargado y ejecutado en nuestro sistema):

1. Creamos un nuevo documento del tamaño correspondiente al tipo de banner estándar que queremos crear.
2. Añadimos el texto "¿Te atreves?" en el color y formato de fuente seleccionado y agregamos una imagen a la secuencia (denominada *frame*).

3. En este nuevo *frame* incluimos la imagen del producto y el texto (algo más pequeño) de "La revista solo para vosotros"
4. Añadimos un texto con la imagen de un cursor y el mensaje: "Pincha aquí"
5. Lo salvamos en formato GIF.

Podemos abrir este archivo y automáticamente se podrá ver el banner animado con nuestro mensaje promocional.

Figura 5.15. Herramienta Photoscape de creación de banners animados.

Nota: En ocasiones, queremos incluir fotografías muy grandes de nuestros productos para que destaquen en nuestros anuncios. Esto impide que nuestra letra se vea correctamente, al quedar sobre la imagen de nuestro producto. Existe un truco que consiste en añadir un cuadro rectangular que contendrá el mensaje y dotarle de transparencia. De esta forma conseguimos que el producto se vea correctamente y que el texto destaque.

Para saber más:

- Directorio de nacional de Fabricantes y Mayoristas:

  `http://www.dirnam.com/`

- Adobe Photoshop:

  `http://www.adobe.com/es/products/photoshop.html`

- Herramienta on-line de retoque fotográfico:

  `http://www.clippingmagic.com`

- Inclusión de subtítulos en videos de Youtube:

  `http://www.youtube.com`

- Sistema de creación de subtítulos DotSub:

  `http://www.dotsub.com`

- Creación modelos 123D Catch:

  `http://www.123dapp.com/catch`

- Página de videos, Vimeo:

  `http://www.vimeo.com`

- Descarga de Photoscape, creación de banners:

  `http://www.photoscape.org`

"INTERPRETAR LA LEY ES CORROMPERLA,
LOS ABOGADOS LAS MATAN."

Napoleón I Bonaparte. Militar y gobernante

6. Parte Legal

En este capítulo aprenderemos:

- Cómo registrar nuestra sociedad.
- El método para obtener un certificado digital.
- Nuestras obligaciones en materia legal.
- El proceso para registrar nuestra marca.

Debemos tener en cuenta que es muy complejo hacerse cargo de los aspectos legales de una empresa sin tener un conocimiento profundo de los mismos. Cada decisión que tomemos puede acarrearnos grandes consecuencias y costes para el futuro de nuestra empresa.

Por ello, nuestra recomendación es que siempre solicitemos ayuda a un experto en esta materia, que nos pueda guiar a lo largo de todo este proceso de adecuación legal.

Sin embargo, como no siempre tenemos la oportunidad de poder contar con asesoramiento profesional, y éste por lo general, suele ser bastante costoso, vamos a resumir a lo largo de este capítulo los diferentes aspectos legales que debemos tener en cuenta durante el proceso de puesta en marcha de nuestra tienda virtual.

PONERSE EN MARCHA

Cuando alguien comienza una aventura empresarial, una de las cosas que más miedo produce es tener que enfrentarse a todos los requerimientos legales relacionados con la puesta en marcha de la empresa.

A pesar de que los trámites y la burocracia española están diseñados para conseguir desanimar a más de un emprendedor, debemos verlo como un obstáculo necesario dentro de una carrera que, una vez superado, supondrá una barrera de entrada para futuros competidores.

Lo primero que debemos decidir es cuál es la forma jurídica de entre las diferentes que puede adoptar una empresa para ejercer su actividad. En general hay tres grandes opciones:

- **Empresarios individuales:** El propietario posee control total sobre la actividad de la empresa, que realiza en nombre propio dicha actividad profesional. La selección de esta forma jurídica habitualmente se debe a la simplicidad de trámites de constitución y menores obligaciones burocráticas que conlleva, aunque debemos ser conscientes del riesgo que tiene al estar afectados los bienes del comerciante y su cónyuge, si lo hubiera.
- **Sociedades mercantiles:** Existen varios tipos, en función del capital aportado, del número de socios y de la forma en la que puede transmitirse las acciones o participaciones de la sociedad. Los tipos más comunes son las sociedades anónimas (S.A.) y las sociedades de responsabilidad limitada (S.L.) En este caso el riesgo se limita al capital aportado, salvo que se incurra en una mala gestión en la dirección y administración de la empresa.
- **Sociedades cooperativas:** Asociación de personas (físicas o jurídicas) que desarrollan una actividad empresarial. Son sociedades con un marcado carácter social, bien con el objetivo de ofrecer a sus socios productos o servicios al mínimo precio posible (cooperativas de consumo) o retribuirles al máximo (cooperativas de producción).

Registrar la empresa

En nuestro caso, lo más común es que elijamos una Sociedad Limitada, por los bajos costes de constitución y el acotamiento de los riesgos personales a nivel financiero.

Para constituir una sociedad limitada hay que realizar los siguientes trámites:

1. **Obtención de certificado de no coincidencia del nombre de la sociedad:** Debemos comprobar que el nombre que hemos elegido para nuestra empresa no coincida con el de ninguna otra solicitando el correspondiente certificado en el Registro Mercantil Central.

   Para realizar la constitución de nuestra sociedad ante notario, debemos entregar esta certificación negativa, siempre antes de que transcurran dos meses. En caso de que se supere ese plazo, deberemos volver a solicitar la certificación.

2. **Escritura de Estatutos y Constitución:** Se debe proceder a redactar las reglas básicas del funcionamiento de la sociedad. Normalmente este documento se redacta con la ayuda de un abogado, aunque existen modelos accesibles en Internet (por ejemplo en la página web `crear-empresas.com`) que podemos utilizar como plantilla base para nuestro modelo y adecuarlo a las características específicas de nuestra empresa.
3. **Aprobación de los estatutos y escritura pública de constitución ante notario:** Se debe solicitar una cita con el notario para proceder a la firma por parte de los socios de la escritura de constitución, en el mismo acto se procede a la aprobación de los estatutos y la validación de los aportes dinerarios de capital social mediante certificado bancario.
4. **Obtención del Número de Identificación Fiscal:** Su solicitud se tramita tras obtener la escritura pública y antes de realizar la liquidación del impuesto de Transmisiones Patrimoniales en la AEAT (Agencia Estatal de Administración Tributaria) correspondiente al domicilio social de la empresa. Inicialmente nos entregarán un número provisional que dura seis meses, antes de que finalice ese plazo debemos retirar la tarjeta definitiva.
5. **Liquidación del impuesto de Transmisiones Patrimoniales y Actos jurídicos documentados:** Una vez se ha entregado la escritura, tenemos un plazo de 30 días para liquidar este impuesto, el pago debe realizarse en la delegación de la AEAT de la provincia donde vaya a estar radicada su empresa.
6. **Inscripción en el registro mercantil:** El registro Mercantil es una institución dedicada a registrar las situaciones jurídicas mercantiles de las empresas, para que estos datos estén a disposición de todos aquellos que deseen consultarlos. Para que quede constancia de la constitución de la sociedad debemos inscribir nuestra empresa en el Registro, adquiriendo en ese momento personalidad jurídica.

Nota: En la actualidad si disponemos de un certificado digital podemos agilizar los trámites realizándolos por vía telemática a través del portal `Circe.es` (Red de Creación de Empresas). Para crear una Sociedad Limitada, debemos reservar la denominación social antes de proceder a su creación.

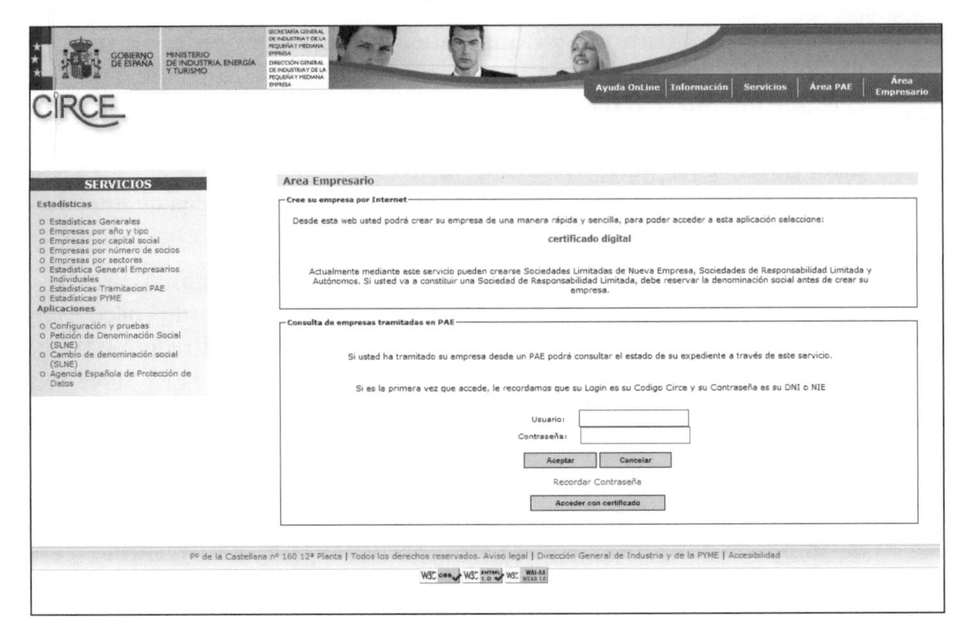

Figura 6.1. Red de Creación de Empresas, Circe.

A la hora de redactar los estatutos de la empresa, debemos incluir al menos los siguientes datos:

- **La denominación social:** Nombre que le daremos a nuestra sociedad.
- **El objeto social:** Las actividades a las que se va a dedicar nuestra sociedad. Por lo general, se suele incluir una actividad bastante genérica y amplia de dichas actividades, que puedan cubrir todos los servicios que potencialmente podamos ofrecer en el futuro.
- **La fecha de cierre del ejercicio:** Pudiendo o no coincidir esta con el año natural.
- **El domicilio social:** Lugar donde se desarrollará la actividad principal de la empresa y será el punto de contacto para notificaciones.
- **El capital social:** En el caso de una Sociedad Limitada, se indicará el número de participaciones emitidas, numeración correlativa y valor nominal de las mismas.
- **Funcionamiento:** Descripción de los mecanismos de administración de la sociedad.

Los órganos que dan vida a la sociedad son, como mínimo dos: la junta general, que es la reunión de los socios; y el órgano de administración que es a quien corresponde la gestión y representación de la sociedad.

Junta general de socios

Para tratar los asuntos que afecten a la sociedad, se tiene que realizar una junta general de socios. Para empresas pequeñas, con que se llame a los socios y todos se presenten en el lugar de reunión (ellos o sus representantes), y siempre que acepten el orden del día de la junta, ya se puede considerar junta general.

En caso de que no sea posible reunir a todos, es cuando es necesario realizar una convocatoria "formal".

La junta general tiene una serie de competencias, que se extienden a los siguientes asuntos:

1. Censura de la gestión social, aprobación de cuentas anuales y aplicación del resultado (reservas y dividendos).
2. Nombramiento y separación de los administradores, liquidadores, y, en su caso, de auditores de cuentas.
3. Modificación de los estatutos sociales.
4. Aumento o reducción del capital social. Transformación, fusión y escisión de la sociedad.
5. Disolución de la sociedad.

El órgano de administración

Desarrolla la gestión administrativa diaria de la empresa social y la representación de la entidad en sus relaciones con terceros.

Normalmente (salvo disposición contraria en los estatutos) es necesario ser socio para poder ser nombrado administrador de la sociedad, cuyo nombramiento es de competencia exclusiva de la Junta General.

Conseguir el certificado digital FNMT

A partir del 1 de enero de 2011, es obligatorio obtener un certificado digital que nos sirve para poder realizar multitud de trámites con la administración pública, firmando en nombre de nuestra empresa por vía telemática.

Los pasos que hay que realizar para obtener nuestra firma digital se resumen a continuación:

1. Acceder a la página de la Fábrica Nacional de Moneda y Timbre (FNMT) y solicitar nuestro certificado.

   Esta solicitud la debemos realizar desde el ordenador que vayamos a utilizar posteriormente para los trámites de nuestra empresa, ya que guardaremos una clave privada que se utilizará en el proceso de firma.

Al realizar esta solicitud nos entregan un código que debemos guardar, ya que lo deberemos presentar en el momento de confirmar nuestra identidad.

2. Acreditar nuestra identidad, acudiendo a cualquier oficina de la Agencia Tributaria con la siguiente documentación:
   - Clave privada que hemos guardado en el paso anterior.
   - Certificados del Registro Mercantil de inscripción de constitución y de nombramiento y vigencia del cargo (para certificar que el que solicita el certificado mantiene vigente su cargo de administrador de la empresa). Ambos certificados se solicitan de forma simultánea a través de un único formulario.
   - DNI que acredite nuestra identidad. Lógicamente este proceso debe ser presencial.
3. En la agencia tributaria nos indicarán a partir de qué fecha estará activo nuestro certificado, (normalmente unas 24 horas) día en el que podremos proceder a su descarga desde el mismo ordenador del paso 1. En ese momento nos solicitarán el DNI de la empresa y la clave privada.

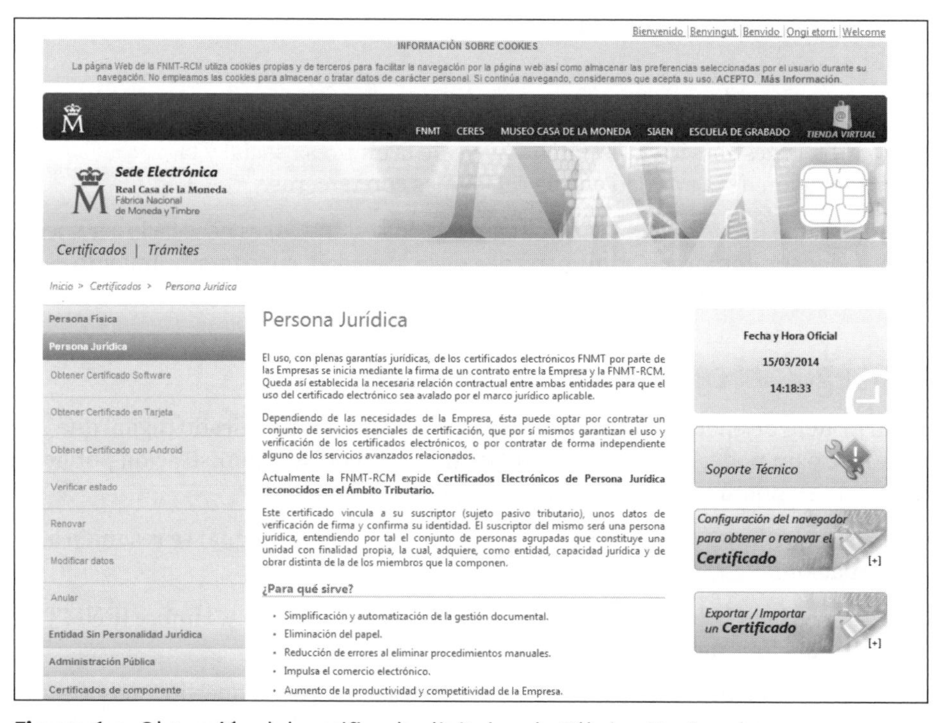

Figura 6.2. Obtención del certificado digital en la Fábrica Nacional de Moneda y Timbre.

Las obligaciones del empresario

A partir del momento de dar de alta nuestra sociedad, comenzamos a tener obligaciones:

- **Presentación de cuentas anuales:** cada año debemos presentar nuestras cuentas en el registro mercantil, para que sean accesibles a todas aquellas personas que las quieran consultar.
- **Liquidación trimestral de IVA:** Cálculo de la diferencia del IVA soportado y repercutido que hemos tenido a lo largo de un periodo para su liquidación con la agencia tributaria.
- **Impuesto de Sociedades:** Una vez al año, debemos pagar la tasa que nos corresponda sobre nuestros resultados anuales.
- **Alta en autónomos por parte del administrador:** Al administrador único de una sociedad limitada en general debe darse de alta en la seguridad social como autónomo. La obligación del pago de las cuotas de la seguridad social le corresponde al autónomo, aunque la empresa puede pagarlas en su nombre. Lo más normal es trasladarlo como retribución en especie, o bien recibirlo como salario y que sea el propio administrador el que pague los autónomos de su bolsillo. Algunos bancos obligan a tener el recibo de autónomos de la empresa domiciliado en la cuenta para ofrecer mejores condiciones (como exención de algunas comisiones).

La contabilidad

Como hemos visto, para poder cumplir con nuestras obligaciones, debemos mantener al día la contabilidad de nuestra empresa, por lo que una de nuestras tareas será obtener una herramienta de contabilidad que se pueda adaptar a nuestras necesidades.

En el mercado hay multitud de opciones para llevar nuestra contabilidad:

- **Herramientas gratuitas:** La opción más barata lógicamente es llevar uno mismo la contabilidad de su empresa. Lo cierto es que en los inicios de nuestra actividad, la contabilidad es bastante sencilla por lo que cualquier manual básico del Plan General Contable nos permitirá llevar nuestras cuentas sin mayor problema. Una herramienta 100 por 100 gratuita muy recomendable es Gestión MGD accesible a través de la web `http://ciberconta.unizar.es/leccion/gestionmgd/` que posee, además un marcado carácter formativo con multitud de casos prácticos y manuales para ayudar a realizar los primeros asientos a aquellas personas que acaben de iniciarse en el mundo de la contabilidad. Al ser una herramienta gratuita su servicio técnico está limitado, así como la responsabilidad en caso de incidencias asociadas al mismo.

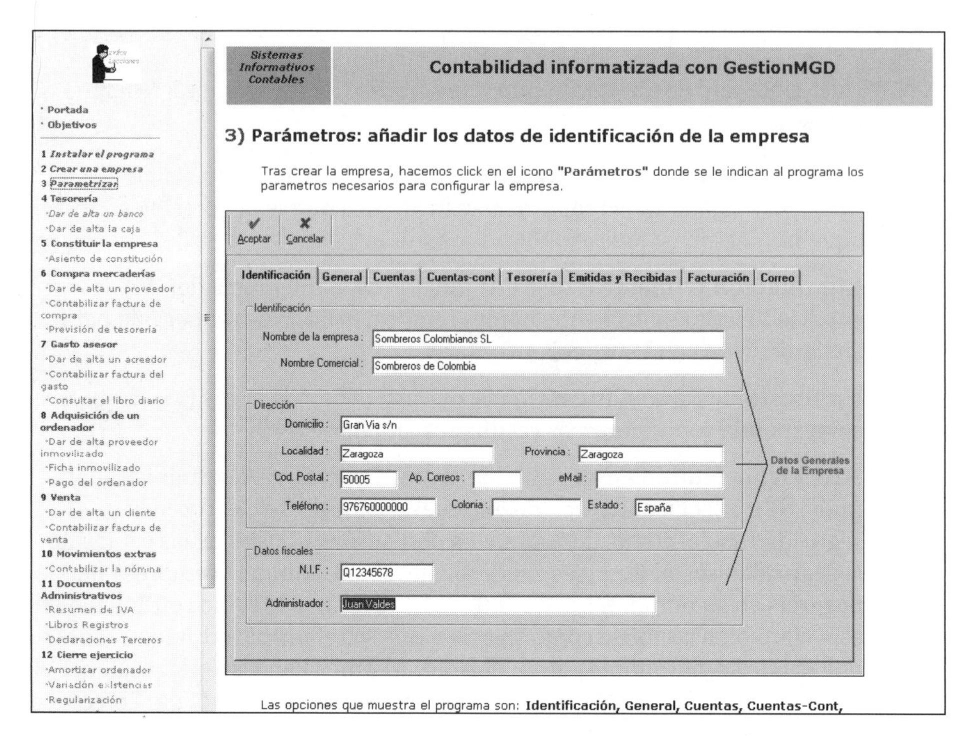

Figura 6.3. Gestión MGD es una herramienta gratuita de Contabilidad.

- **Herramientas de pago:** Esta gama engloba paquetes más profesionales como Golden .NET, ContaSol y Contaplus. Este último, de la empresa SAGE, es quizá el más conocido de todos los paquetes anteriores. Contaplus ha lanzado una nueva línea de productos dirigidos a los emprendedores en los que cobran un importe mensual sin obligación de permanencia y habilitando servicio de consultoría y asesoramiento *on-line*.

- **Externalización del servicio:** Cuando nuestra empresa comienza a adquirir cierto volumen y a realizar operaciones más complejas, o simplemente todo nuestro tiempo está ocupado realizando ventas, debemos plantearnos poner a un profesional a gestionar los aspectos contables y fiscales de la sociedad. Las ventajas son claras ya que nos permitirá estar centrados en nuestro trabajo y tener la garantía de que estamos optimizando nuestra actividad para pagar los menores impuestos posibles. No estamos hablando de ser creativos con nuestra contabilidad, sino simplemente de aprovechar el conocimiento en materia fiscal y contable de un experto para maximizar el resultado de nuestra empresa.

- **Herramientas on-line:** Una solución intermedia a externalizar nuestra contabilidad es utilizar servicios como tugesti*on-line*.com. Esta herramienta ofrece un sistema de asesoría y gestión contable y fiscal, con el que podremos disponer de un asesor personal y realizar todas las gestiones telemáticamente a un precio inferior al que nos costaría la contratación de una gestoría tradicional y de una forma más cómoda, sin desplazamientos.

REGISTRO DE MARCA

Ahora que ya hemos decidido el nombre de nuestra empresa, lo que vamos a vender y la forma de hacerlo a través de Internet. ¿Cómo podemos protegernos de que nadie nos copie nuestra idea?

En realidad, cuando registramos nuestro dominio en Internet, lo único que aseguramos es que nadie vaya a poder instalarse en esa misma dirección web, pero ¿podemos proteger aún más nuestra idea?

El derecho español no nos permite la protección de una idea, por lo que es imposible que la protejamos de copia ante un tercero.

Lo que sí permite el régimen de propiedad intelectual e industrial es que se proteja la manera en la que hacemos algo. Es decir, podríamos proteger el diseño, la usabilidad y la navegación de nuestra web, así como la forma en que se llama a las funciones internas para mostrar un determinado resultado.

A pesar de que existen métodos para registrar como propio el código que hemos desarrollado, es muy complejo que podamos demostrar que ha sido objeto de copia, salvo que esta sea flagrante.

Podríamos registrar el código del programa, levantar acta notarial de nuestro código, o bien enviárnoslo en sobre cerrado certificado para que en caso de existir problemas posteriores, podamos demostrar que nuestro código es anterior al de la competencia.

En la práctica, y especialmente en las tiendas virtuales es más útil simplemente registrar nuestra marca y conseguir diferenciarnos de nuestra competencia y mantener nuestros clientes mediante técnicas comerciales de fidelización.

La propiedad industrial cuyo organismo encargado de su gestión es la OEPM (Oficina Española de Patentes y Marcas) protege aquellas creaciones relacionadas con la industria y que, por lo general, se fabrican en serie (patentes, modelos de utilidad, signos distintivos y diseños) mientras que la propiedad intelectual gestionada por el Registro de Propiedad Intelectual, protege creaciones únicas que plasman la personalidad del autor y que no se pueden producir en serie.

Figura 6.4. Registro de nuestra marca en la Oficina Española de Patentes y Marcas.

Como comentábamos en España se pueden proteger los siguientes tipos de derechos de propiedad industrial:

- **Diseños industriales:** Sirven para proteger la apariencia externa que hayamos definido para nuestros productos.
- **Marcas:** Se entiende como marca un signo que sirve para distinguir en el mercado los productos o servicios de nuestra empresa con respecto a los de nuestra competencia.
- **Nombres comerciales:** Signo que identifica una empresa y que la distinguirá de otras que realicen actividades similares.
- **Patentes y modelos de utilidad:** Invenciones (tanto en productos como en procesos) que pueden reproducirse con fines industriales.
- **Topografías de semiconductores:** Esquemas de circuitos integrados.

En nuestro caso, en la creación de la tienda virtual aspectos que nos van a interesar son el registro de la marca y el nombre comercial que vayamos a utilizar en nuestra actividad.

Un ejemplo que nos permite ver más claramente la diferencia entre estos conceptos sería:

- Denominación social: Pepsico.
- Nombre comercial: Pepsi.
- Marcas: Pepsi, Trinaranjus, Pepsi max...

Cuando registramos nuestra marca o nombre comercial, contratamos la protección de los mismos durante un período de diez años a partir de la fecha del depósito de la solicitud, que podremos renovar indefinidamente mediante el pago de las tasas correspondientes.

El registro en la Oficina Española de Patentes y Marcas (OEPM) únicamente nos ofrece el registro en España, para ampliar el ámbito de protección debemos acudir a los organismos internacionales:

- **Oficina de Armonización del Mercado Interior (OAMI):** Ofrece protección mediante una única solicitud para todo el territorio de la Unión Europea.
- **Organización Mundial de Propiedad Industrial (OMPI):** Utilizado para la protección a nivel internacional de la marca, que automáticamente nos protegen también en España.

Para poder adquirir el derecho sobre una marca debemos registrarla en la Oficina correspondiente según se trate de una marca española, comunitaria o internacional.

Allí se realiza la comprobación de si existe alguna marca similar que se haya registrado con anterioridad y en caso de que eso no ocurra se inscribe en el Registro de la Oficina de Patentes y Marcas

Para registrar como marca un signo distintivo este debe encontrarse dentro de uno de los siguientes tipos:

- Marcas denominativas: Palabras o combinaciones de palabras-
- Marcas gráficas: Imágenes, figuras, símbolos y gráficos.
- Marcas emblemáticas: Letras, cifras y combinaciones de ellas.
- Formas tridimensionales (envoltorios, envases), formas del producto (Ej.: Frigopie), y por la presentación del producto.
- Marcas sonoras: Los signos sonoros de representación gráfica.

Con nuestro recién adquirido certificado de firma digital, ya podemos tramitar dicha solicitud directamente desde nuestra oficina, sin tener que acudir al registro ni realizar presentación de documentación física.

Para realizar dicho registro a través de Internet, los pasos a seguir serían los siguientes (asumiendo que ya tenemos correctamente instalado el certificado de firma digital en nuestro ordenador):

1. Acceder a la sede electrónica de la Oficina Española de Patentes y Marcas (OEPM) disponible en la dirección web "`https://sede.oepm.gob.es/`".
2. Seleccionar la opción de registro de marca.
3. Descargamos el formulario PDF disponible en su web.
4. Rellenar los campos siguiendo el manual disponible en esa misma web.
5. Se envía la solicitud cumplimentada y se realiza el pago seleccionando el método que más se ajuste a nuestras necesidades.

Los plazos de concesión son bastante amplios (el plazo medio de concesión de un signo distintivo es de 8 meses) y las tasas actualizadas se pueden consultar a través de la página de la Oficina Española de Patentes y Marcas. La tasa en 2011 para realizar la solicitud es de unos 120 Euros.

Aunque en principio si no registramos nuestra marca no tenemos derecho a su uso exclusivo, existen dos excepciones a esta regla:

- La existencia de una marca anterior que se esté utilizando de forma notoria. Esto permite que el titular de dicha marca pueda oponerse a su registro, o incluso solicitar la anulación de una similar ya registrada, siempre que solicite su inscripción.
- El registro de la marca se haya producido vulnerando derechos que otras personas tuvieran sobre esa marca, o si se hubiese realizado de forma contraria a obligaciones legales o contractuales.

Una vez hayamos registrado nuestra marca, ya podemos explotarla comercialmente. A partir de este momento tendremos derecho a prohibir ciertas conductas que sean contrarias a la marca o incluso transmitirla o cederla a un tercero temporalmente.

A cambio debemos utilizarla (si no lo hacemos, en cinco años caduca), así como pagar unas tasas quinquenales de mantenimiento.

En el caso del registro de un nombre comercial, el procedimiento es similar. Nos confiere el derecho a utilizar como marca dicho nombre comercial, individualizándolo como producto.

LOPD (LEY ORGÁNICA DE PROTECCIÓN DE DATOS PERSONALES)

Esta ley pretende garantizar y proteger el honor e intimidad personal y familiar de las personas físicas en lo que concierne al tratamiento de los datos personales.

Se determina el derecho de las personas a decidir qué información quieren que esté disponible en los ficheros a los que acceden las empresas, de qué forma la van a tratar y qué uso van a hacer de esos datos.

En la práctica la ley define unas obligaciones y sanciones muy elevadas para los titulares de un fichero que contenga datos personales, así como un sistema de garantías para los titulares de dichos datos.

Como "datos de carácter personal" se entiende cualquier elemento que permita determinar, ya sea de forma directa o indirecta, la identidad de una persona física. Esto abarca prácticamente cualquier dato que dispongamos de nuestros usuarios o clientes en la tienda virtual, como nombre, DNI, mail, dirección, religión, afiliaciones políticas, sexo, estado civil (casado, soltero...), informes médicos, etc.

Esta ley no es aplicable a los ficheros que utilizamos para actividades personales o domésticas ni para aquellos que tienen un nivel superior de protección (materia clasificada e investigación de terrorismo).

Figura 6.5. Es necesario dar de alta nuestros ficheros de datos personales en la AEPD.

Para poder mantener los datos de nuestros clientes de acuerdo a La Ley Orgánica de Protección de Datos Personales (LOPD) debemos cumplir una serie de obligaciones:

1. Inscripción de los ficheros en la Agencia Española de Protección de Datos (AEPD)
2. Elaborar un Documento de Seguridad

Inscripción de los ficheros en la Agencia Española de Protección de Datos (AEPD)

Los usuarios tienen la posibilidad de acceder, modificar e incluso cancelar los datos que hayamos recogido sobre ellos. Para que puedan consultarlos, debemos inscribirlos previamente en el Registro General de Protección de Datos que vela por la publicidad de la existencia de dichos ficheros.

Esta notificación se puede realizar a través del sistema de Notificaciones Telemáticas de la AEPD (sistema NOTA) accesible desde Internet utilizando nuestro certificado digital.

Para ello se debe rellenar y enviar un formulario en formato PDF con los siguientes datos:

- Identidad del Responsable del Fichero.
- Servicio ante el que pueden ejercitarse los derechos de los usuarios.
- Nombre y descripción del fichero o tratamiento de datos.
- Ubicación principal del Fichero.
- Encargado del Tratamiento.
- Sistema de Tratamiento.
- Medidas de Seguridad.
- Estructura básica del Fichero (tipos de datos que contiene el Fichero).
- Finalidad del Fichero y usos previstos.
- Procedencia de los datos, y procedimiento de recogida de los mismos.
- Cesión o Comunicaciones de Datos.
- Transferencias Internacionales de Datos.

Elaborar un Documento de Seguridad

Lógicamente no es suficiente con definir los datos que vamos a recoger y el objetivo para el que los vamos a utilizar, sino que debemos definir una serie de procesos internos para asegurarnos de que toda nuestra organización cumple de forma estricta el objetivo para el cual se han recogido dichos datos.

Por ello, en función del tipo de datos que se recogen, se define un documento (denominado Documento de Seguridad) que detalla las políticas y procedimientos de seguridad de ese fichero. El Responsable del Fichero es el encargado de establecer dichas normas que deberán ser de obligado cumplimiento para todo el personal de la Empresa.

Se han establecido tres niveles de seguridad en función del grado de confidencialidad de los datos recogidos (Nivel básico, Medio y Alto).

- **Nivel básico:** Son un conjunto de medidas que se han de adoptar para todos los ficheros que contenga datos de carácter personal.
- **Nivel medio:** Se aplican a datos que permitan obtener un perfil de la personalidad, o bien información de carácter financiero, o referentes a la comisión de infracciones administrativas o penales, así como datos relacionados con la Hacienda pública.
- **Nivel alto:** Aplicable a información relativa a ideología, creencias, raza salud u orientación sexual, así como a datos policiales.

En la página de la AEPD podemos descargar un modelo para la preparación del documento de seguridad que deberemos personalizar en función del grado de confidencialidad de los datos que estemos recogiendo de nuestros clientes.

Los clientes de los que hemos recogido datos en nuestros ficheros, posee los siguientes derechos:

- **Derecho de acceso:** Dirigirse al responsable de un fichero determinado para comprobar si sus datos están siendo objeto de tratamiento, así como la información disponible del origen de estos datos y las comunicaciones realizadas o previstas con los mismos.
- **Derecho de rectificación y cancelación:** Si los datos son inexactos, incompletos, inadecuados o excesivos el titular puede requerir que se modifiquen o cancelen.
- **Derecho de oposición:** Cuando el titular se dirige al encargado del fichero para que deje de tratar sus datos.

En caso de que no cumplamos las obligaciones recogidas en la LOPD se han definido una serie de sanciones bastante duras. A continuación recogemos algunos ejemplos de sanciones reales para que se vea el alcance potencial de las mismas:

- No realizar la inscripción de ficheros y no disponer de Documento de Seguridad, caso denunciado por una trabajadora despedida de la propia empresa: 6.600 Euros.

- Envío de *Spam*, en este caso la empresa fue denunciada por un cliente potencial que recibió un e-mail no solicitado: 30.000 Euros.
- No dar información sobre el destino de los Datos Personales solicitados en un presupuesto, denunciado por un cliente insatisfecho: 1.200 Euros.

LSSICE (LEY DE SERVICIOS DE LA SOCIEDAD DE LA INFORMACIÓN Y COMERCIO ELECTRÓNICO)

Esta ley es de aplicación a los prestadores de servicios que tengan como lugar de gestión de su actividad en España. Esto también aplica a no residentes en España que presten sus servicios desde este país.

Engloba a las siguientes actividades:

1. Contratación de bienes y servicios por vía electrónica.
2. Suministro de información por vía electrónica.
3. Actividades de intermediación que represente una actividad económica para el prestador.

Por actividades de intermediación se entienden las siguientes:

- Provisión de acceso a la red.
- Transmisión de datos por redes de telecomunicaciones.
- Alojamiento en los servidores de información, servicios o aplicaciones facilitados por otros.
- Provisión de instrumentos de búsqueda o de enlaces a otros sitios de Internet.
- Cualquier otro servicio que se preste a petición individual de los usuarios (descarga de archivos de vídeo o audio...).

Los prestadores de servicios de intermediación mencionados anteriormente, además de las obligaciones genéricas a las que están sujetos todos los prestadores de servicios y actividades comerciales por Internet, están sujetos al cumplimiento de unas obligaciones de información reforzadas, que consisten en:

- Informar a los clientes sobre los diferentes medios técnicos que aumenten los niveles de seguridad de la información.
- Herramientas existentes para el filtrado y restricción de acceso a determinados contenidos y servicios.
- Posibles responsabilidades en que los usuarios pueden incurrir por el uso de internet para fines ilícitos.

En general, este no es el caso de nuestra tienda virtual que sí que deberá acogerse a las obligaciones genéricas de información en el ámbito del Comercio Electrónico, por lo que deberemos mostrar en nuestra página web la siguiente información claramente visible:

- Datos de contacto de la tienda: Denominación Social, NIF, domicilio social, dirección de correo electrónico, teléfono o fax. La idea es que el cliente pueda ponerse en contacto con nosotros.
- Datos de inscripción registral.
- Precios de los productos: También deberemos indicar los impuestos y gastos de envío.
- Información adicional cuando al servicio se acceda por un número de teléfono de tarificación adicional.

En ocasiones solicitaremos que el cliente firme con nosotros un contrato electrónico a través de Internet, por lo que debemos añadir de forma previa al proceso de contratación la siguiente información:

- Trámites que deben seguirse para contratar *on-line*.
- Si el documento electrónico del contrato se va a archivar y si este será accesible.
- Medios técnicos para identificar y corregir errores en la introducción de datos.
- Lengua o lenguas en las que podrá formalizarse el contrato.
- Condiciones generales a las que en su caso se sujete el contrato.

Una vez el cliente haya aceptado el contrato, debemos confirmar su celebración por vía electrónica, enviándole un acuse de recibo por e-mail.

En general, los contratos en los que intervenga un consumidor se considerarán por defecto celebrados en el lugar donde tenga su residencia habitual, por lo que para evitar conflictos, lo mejor es especificar en el contrato la legislación aplicable a la resolución de controversias que se puedan derivar del mismo.

Por el contrario, cuando las partes del contrato electrónico sean empresarios o profesionales se considerará que el contrato se ha celebrado en el lugar donde esté establecido el prestador del servicio.

Al hacer publicidad por vía electrónica, como anunciantes debemos cumplir los siguientes requerimientos de la LSSICE:

- El anunciante debe identificarse claramente.
- El carácter publicitario del mensaje debe resultar inequívoco.

Además en el caso de que realicemos ofertas, concursos o juegos promocionales, adicionalmente de lo anterior, deberemos:

- Identificarlas como tales.
- Expresar de forma clara e inequívoca las condiciones de participación.

En el caso de publicidad a través de e-mail o posibles campañas que podamos realizar por SMS debemos:

- Obtener con carácter previo la solicitud o autorización expresa del destinatario.
- Identificar el mensaje publicitario con la palabra "publicidad" o la abreviatura "publi".
- Establecer procedimientos sencillos para facilitar la revocación del consentimiento del usuario.

Las sanciones por incumplir los aspectos de esta ley pueden alcanzar los 600.000 Euros, que se aplicarán en función del nivel de la infracción que se haya cometido de acuerdo a la siguiente tabla:

- Infracciones muy graves, multa de 150.001 hasta 600.000 Euros.
- Infracciones graves, multa de 30.001 hasta 150.000 Euros.
- Infracciones leves, multa de hasta 30.000 Euros.

Las infracciones muy graves se reservan para incumplimientos en la suspensión de un servicio de intermediación tras ser ordenado por un órgano administrativo competente.

Las infracciones graves corresponden con:

- Incumplimiento significativo de las obligaciones de información.
- El envío masivo de comunicaciones comerciales electrónicas (también conocido como SPAM) o el envío, en el plazo de un año, de más de tres comunicaciones comerciales a un mismo destinatario.
- El incumplimiento significativo de la obligación del prestador de servicios en relación con los procedimientos para revocar el consentimiento prestado por los destinatarios.
- No poner a disposición del destinatario del servicio las condiciones generales a que, en su caso, se sujete el contrato.
- El incumplimiento habitual de la obligación de confirmar la recepción de una aceptación

El resto de incumplimientos no recogidos en las anteriores, o cuando éstas no puedan considerarse graves, se consideraran leves.

Para saber más:

- Red de Creación de Empresas:

  http://www.circe.es/

- Fábrica Nacional de Moneda y Timbre:

  http://www.fnmt.es

- Herramienta gratuita de contabilidad:

  http://ciberconta.unizar.es/leccion/gestionmgd/

- Oficina Española de Patentes y Marcas:

  http://www.oepm.es

- Agencia Española de Protección de Datos:

  http://www.agpd.es

"LO MÁS IMPORTANTE DE LA COMUNICACIÓN ES ESCUCHAR LO QUE NO SE DICE."

Peter Drucker. Profesor, Escritor y Consultor

7. Atención al Cliente

En este capítulo aprenderemos:

- Cómo crear una plataforma multicanal de atención al cliente.
- Procesos de gestión de un elevado volumen de e-mails.
- Cómo utilizar las redes sociales para una mejor atención.
- Técnicas para atender reclamaciones de clientes.

Uno de los aspectos más importantes en una tienda, ya sea física o virtual, es la atención a los clientes. En Internet un cliente solamente nos comprará si conseguimos que confíe en nuestra forma de trabajar y en la calidad de nuestros productos.

Por ello es muy importante que seamos accesibles a nuestros clientes. En una empresa pequeña o mediana el volumen de contactos con los clientes suele ir incrementándose de forma progresiva, lo que nos permite ir adaptando nuestros procesos operativos de atención al cliente sin tener que acometer una inversión inicial elevada. Sin embargo, es frecuente que llegue un punto en el que dicho número de contactos sea tan elevado que necesitemos contratar o externalizar este servicio.

CANALES DE ATENCIÓN A LOS CLIENTES

Existen tres principales canales de contacto en una tienda *on-line*: el teléfono, el e-mail y los canales de contacto en tiempo real (como el chat y la vídeoconferencia).

Tenemos que tener en cuenta el flujo normal de una compra en Internet, el cliente realiza una búsqueda inicial en la web del producto que desea comprar, compara con varias tiendas *on-line*, analiza las ofertas y promociones, mira si el sitio web le da seguridad y procesa su compra. A lo largo de este proceso, el cliente puede querer ponerse en contacto con nosotros, ya que, o bien tiene alguna consulta en relación con las características de uno de nuestros productos, o bien quiere comprobar que hay personas reales detrás de esa tienda, o simplemente porque haya tenido algún problema técnico a lo largo del proceso de compra.

En general, en función del medio por el cual nos contacte esperará un tipo de velocidad de respuesta diferente: en el teléfono y en los medios en tiempo real, el cliente espera ser atendido de forma casi inmediata, mientras que en un e-mail puede esperar una respuesta entre 24 y 48 horas (aunque cuanto más rápido se conteste, más probabilidades de finalizar la compra).

¿Canales de atención a los clientes internos o subcontratados?

Cuando ponemos en marcha nuestra primera tienda *on-line*, siempre surge la duda de si será mejor externalizar nuestro servicio al cliente desde el principio. Esta opción permite que no se colapse nuestro trabajo diario, ya que, por un lado, nos libera de recibir directamente los contactos de nuestros clientes y, por otro, asegura que vamos a poder absorber los altos volúmenes que se produzcan en momentos "pico".

Desde mi punto de vista, es muy difícil externalizar una tarea que nosotros mismos no hayamos realizado previamente. No es lo igual escribir un argumentario a una empresa externa explicándole cuáles son las preguntas más frecuentes de nuestros clientes y la respuesta que queremos que les ofrezcan, habiendo contestado a lo largo de seis meses a nuestros clientes, que simplemente imaginando cuáles serán sus dudas.

Por otro lado, en los inicios, lo normal es que no recibamos muchas llamadas, por lo que cada euro que tengamos deberemos intentar utilizarlo para la promoción de nuestra página web, en vez de emplearlo en un servicio que probablemente no sea todavía utilizado de forma masiva por nuestros clientes.

TELÉFONO

El teléfono, tanto fijo como móvil es, sin duda, el sistema que más tranquilidad ofrece a nuestros clientes a la hora de realizar compras en una tienda virtual.

El hecho de que un cliente pueda contactar con un responsable de la tienda que solucione sus dudas y al que se pueda dirigir en caso de incidencias, hace que la confianza de los clientes aumente considerablemente y por ello sus compras.

Una forma que algunos dueños de tiendas virtuales utilizan para incrementar aún más la honorabilidad de sus tiendas es ofrecer la posibilidad de recoger los productos en una ubicación física (tienda o almacén). Normalmente los clientes no lo recogerán allí, pero el mero hecho de tener disponible un sitio donde localizar la tienda incrementa las ventas.

La forma más sencilla y barata de incluir atención telefónica es acompasarla al ciclo de vida de nuestra tienda virtual en función del número de clientes que vayan a hacer uso de ella (Fase inicial, despegue y estabilización).

Fase inicial

En esta fase, todavía muy poca gente conocerá nuestra página web y solamente recibiremos llamadas de forma esporádica. Por ello, nos interesará recibirlas nosotros mismos directamente o alguien de nuestra confianza, para poder estar seguros de que se atiende correctamente a los clientes y que todos los problemas tanto operativos como técnicos que vayan surgiendo estén siendo solucionados ágilmente.

Lo más habitual en estos casos, es que dispongamos de un número móvil personal que llevamos a todas partes con nosotros, y que será donde nos gustaría recibir las llamadas pero que por lo general no deseamos publicar en nuestra web.

1. La primera idea que se nos ocurre podría ser redirigir a nuestro móvil las llamadas que recibamos en otro número que podamos adquirir. El problema es que esto tiene unos costes bastante elevados, ya que se paga por cada minuto de llamada redirigida.
2. Otra opción es adquirir una nueva línea de teléfono con la compañía en la que estemos dados de alta y "duar" el terminal (es decir, incluir dos líneas en el mismo móvil).
3. Algunas compañías como Movistar han lanzado un servicio de segunda línea que permite asociar a tu número de móvil otro número de forma completamente gratuita. Podemos utilizarlo para nuestros mensajes SMS e incluso mostrar este número en la marcación al cliente.
4. Otra opción alternativa es adquirir un nuevo teléfono móvil donde recibiremos todas las llamadas referentes a nuestra tienda virtual.

Para no perder el seguimiento de las llamadas que vamos atendiendo, deberemos crear una hoja Excel, donde incluyamos los datos más identificativos de cada llamada:

- Hora de llamada.
- Datos del cliente.
- Descripción.

- Nº de pedido relacionado.
- Solución.
- Fecha de solución.

Para que en el caso en que este cliente vuelva a llamar, podamos revisar con él el estado de su incidencia, la información que nos proporcionó y las diferentes acciones que hemos llevado a cabo para solucionarla hasta el momento.

Figura 7.1. Algunas operadoras como Movistar ofrecen una segunda línea gratuita.

Fase de despegue: Cómo gestionar cuando ya comenzamos a tener múltiples llamadas

Hemos trabajado mucho la promoción de nuestra página y ya comienza a ser conocida, todos los días recibimos llamadas y en ocasiones, no podemos atenderlas por lo que debemos llamar más tarde al cliente pidiendo disculpas.

En este momento, nuestra tienda ya está despegando y necesitamos evolucionar en nuestros procesos de atención al cliente, ya tenemos unos ingresos recurrentes por lo que ya es posible destinar algo de dinero a nuestro servicio de atención al cliente, aunque todavía no tiene sentido externalizar el servicio de atención de llamadas, ya que el volumen aún es bajo.

Para cubrir esta necesidad algunas empresas han creado un servicio de "Oficina Virtual". Los servicios que ofrecen son variados, desde servicios de domiciliación de sociedades, hasta secretarias virtuales.

En nuestro caso, necesitaríamos un servicio de número virtual, que nos permitirá redirigir las llamadas que recibamos en ese número a un máximo de cinco teléfonos.

Estos desvíos se pueden personalizar en función de horarios y días específicos, por lo que podemos planificar con varias personas la atención del teléfono de la tienda, minimizando el impacto que tiene para nuestras ocupaciones diarias.

En caso de que aún así no se pueda contestar la llamada (por ejemplo que todas las líneas estuviesen ocupadas) se almacenarían los mensajes en un buzón de voz que nos enviarían transcritos a nuestro e-mail.

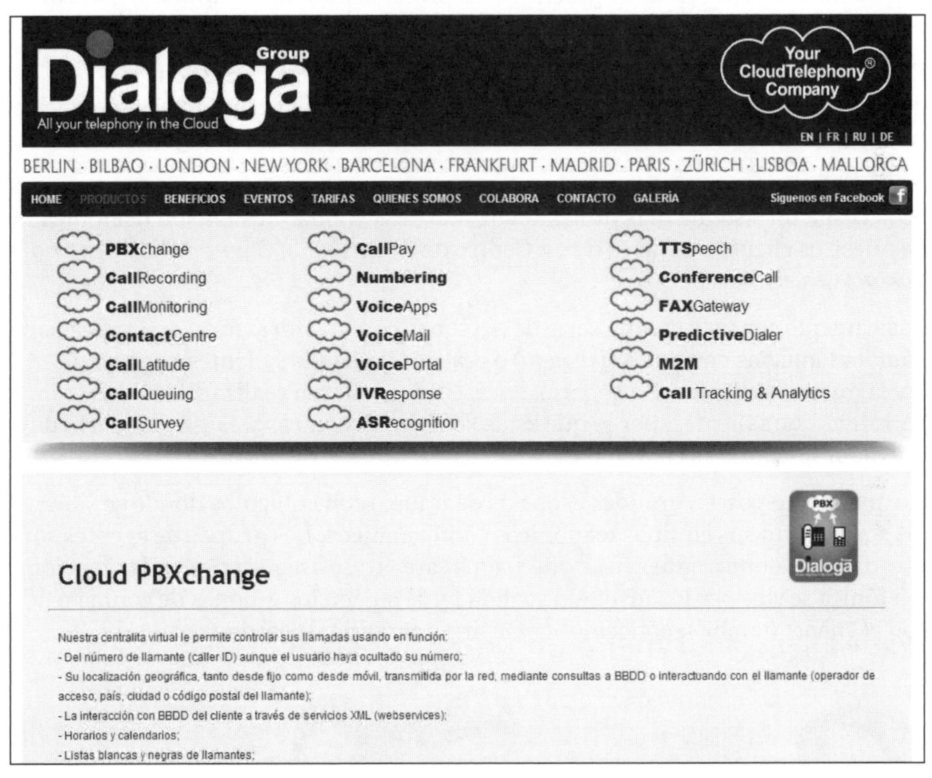

Figura 7.2. Servicio de Oficina Virtual ofrecido por el Grupo Dialoga.

Al comenzar a ser gestionadas las incidencias por diferentes personas, debemos evitar dar soluciones diferentes a una misma incidencia, por lo que debemos fijar una política de atención al cliente en función de las diferentes incidencias que vayan surgiendo y la solución que hayamos decidido ofrecer.

Para evitar perder la situación de cada cliente debemos continuar rellenando el Excel que hemos definido incluyendo la persona que ha atendido a ese cliente en cada llamada. De esta forma, si surge cualquier problema, podemos ponernos en contacto con ellos y averiguar cuál es la situación de una incidencia concreta.

Periódicamente iremos incluyendo las consultas y su correspondiente solución a un documento denominado FAQ (Frecuently Asked Questions, Preguntas Más Frecuentes) que colgaremos en un lugar visible de la página web, para intentar minimizar las consultas reiteradas de nuestros clientes.

Fase de estabilización: La profesionalización

Según vayamos atendiendo a nuestros clientes y ofreciéndoles un gran servicio con buena relación calidad y precio, se irá produciendo un crecimiento natural del ritmo de pedidos derivado del reconocimiento que obtenemos en el mercado.

En este momento, comenzamos a tener problemas para atender todas las llamadas que recibimos y el sistema de intercambio de ficheros Excel se convierte en algo muy complejo de gestionar debido a la gran cantidad de registros que contienen.

Se necesita un sistema más profesionalizado de gestionar la atención telefónica de nuestros clientes, a través de un Centro de Atención de Clientes (*Call Center* o *Contact Center*).

Básicamente consiste en una serie de personas con una formación específica para atender llamadas entrantes (*inbound*) o realizar llamadas salientes (*outbound*) hacia nuestros clientes. En general, los agentes prefieren realizar llamadas entrantes que salientes, por lo que estas son algo más caras y exigen un perfil de operador mucho más comercial.

Normalmente poseen grandes espacios de trabajo con cubículos donde se sitúan los agentes con sus equipos telefónicos e informáticos. Los grupos de agentes son coordinados por un supervisor que asigna tareas y se asegura de que la atención telefónica se rige por los niveles de calidad y se siguen los guiones de contacto con el cliente (también conocidos como argumentarios) acordados.

Figura 7.3. Gráfico de *Inbound* VS *Outbound*.

Cuando nos acerquemos a negociar un presupuesto con un Call Center debemos tener en cuenta los siguientes datos:

- El volumen de llamadas que recibimos.
- El volumen de llamadas que emitimos.
- Los horarios en los que se recogen dichos volúmenes.
- Si se desea un número específico de atención.
- La forma de atender a los clientes (contestación con el nombre de la empresa, tono y forma de hablar, etc.).
- El guión o argumentario que deben seguir los agentes.
- La finalización de la llamada (Si se les debe ofrecer algún producto en venta cruzada, etc.).
- Los sistemas técnicos y la información de seguimiento a devolvernos.

En función de esos datos, la empresa proveedora nos ofrecerá un estudio de la carga que va a suponer para el *Call Center* y su presupuesto asociado.

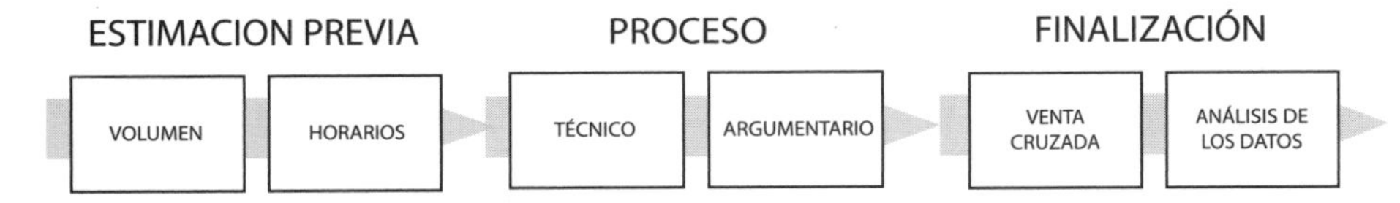

Figura 7.4. Gráfico de aspectos a negociar con el *Call Center.*

Una vez nos hayan proporcionado los datos económicos para nuestra decisión final, debemos tener en cuenta tanto la oferta más competitiva como algunos otros factores que puedan tener efecto en el futuro mantenimiento de nuestra plataforma:

- **Aspectos laborales:** Al tratarse de puesto temporales, las personas que trabajan en un *Call Center* suelen tener un alto nivel de rotación (es decir que duran poco en su puesto), lo que provoca que en lugares con baja tasa de paro sea difícil encontrar a buenos operadores con salarios ajustados. Por ello suele ser mejor seleccionar un *Call Center* en lugares con mayor población activa orientada a este tipo de empleo, como jóvenes y mujeres que deseen un trabajo a tiempo parcial.
- **Nivel educativo:** Por lo general, a mayor nivel educativo mejor nivel de servicio podemos conseguir en la atención a nuestros clientes. Por ello lo ideal es intentar contratar aquel *Call Center* que tenga un mayor nivel educativo en sus operadores (y solicitar que nos los asignen).

- **Accesibilidad a la ubicación del Call Center:** Cuanto más sencillo sea el acceso a la ubicación donde se encuentre el *Call Center*, menor será la rotación de las personas que atiendan a nuestros clientes, y mejor el nivel de servicio.
- **Aspectos técnicos:** Es importante analizar el nivel de inversión en los sistemas técnicos con los que trabaja la empresa de *Call Center*, si es posible ver en Internet la evolución en tiempo real, o escuchar cómo han sido atendidas las llamadas de un determinado cliente (a estas escuchas se le denominan "Catas").
- **Nivel de idioma:** Debemos asegurarnos que la percepción de nuestros clientes es que se les está atendiendo desde España, ya que esto les generará confianza. Por ello, es importante confirmar que las personas que van a atender a nuestros clientes poseen un nivel de idioma y acento adecuado al efecto que queremos conseguir.

Una vez contratado el *Call Center*, debemos definir una serie de KPIs (*Key Performance Indicators*, Indicadores clave de rendimiento) que nos permitan analizar el funcionamiento de este servicio, a la vez que ir afinando progresivamente los procesos para adaptarse a las necesidades de nuestros clientes.

Estos indicadores se describen en el capítulo 12 en el que tratamos los aspectos relacionados con la medición e indicadores de seguimiento de nuestra tienda.

E-MAIL

El correo electrónico es el sistema más habitual para nuestras comunicaciones a través de Internet. A sus reducidos costes de establecimiento (actualmente es muy sencillo obtener un e-mail gratuito en Internet) se une su comodidad, que nos permite enviar nuestras consultas en prácticamente cualquier momento y lugar.

A pesar de esa aparente facilidad debemos tener en cuenta que cualquier comunicación que intercambiemos vía e-mail con nuestros clientes quedará grabada, ya que es muy habitual que guarden sus e-mails, por lo que debemos ser especialmente cautelosos tanto en el contenido de la información que ofrecemos como en las formas (especialmente si no somos nosotros los que contestamos directamente).

Como configurar un e-mail en nuestro dominio

Como comentábamos antes, hoy por hoy es sencillo obtener una cuenta de e-mail gratuita. Las grandes empresas de software como Microsoft (a través de Hotmail) y Google (a través de gmail) ya están ofreciendo este servicio con un enorme nivel de almacenamiento. El problema para nuestra tienda virtual es que las direcciones que obtenemos tendrán una terminación ("@gmail.com", o "@ hotmail.com") que no tiene nada que ver con el nombre de nuestra empresa, lo que da una imagen poco profesional.

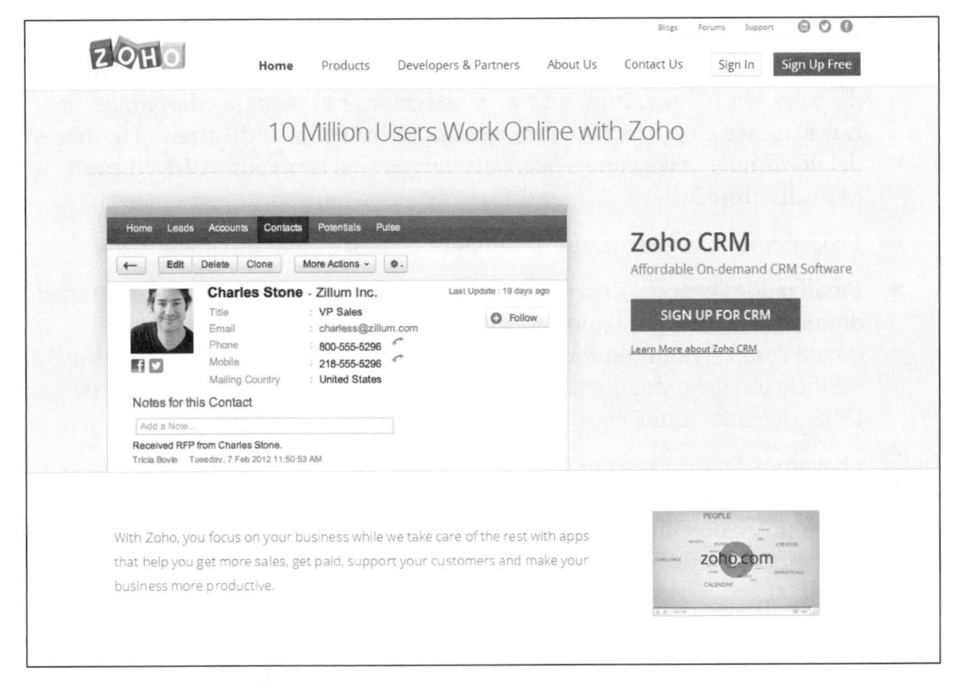

Figura 7.5. Zoho Mail ofrece un servicio gratuito de e-mail para empresas.

Por ello Zoho Mail ofrece un servicio de dominios personalizados a través de su web `http://www.zoho.com`. Google y Microsoft hace un tiempo ofrecían un servicio similar pero ambos decidieron convertirlo en un sistema de pago, por lo que actualmente Zoho Mail es una de las pocas alternativas gratuitas que quedan.

Para utilizar estos servicios necesitamos tener:

1. Un dominio contratado.
2. Un e-mail de contacto válido.
2. Que podamos realizar modificaciones en las entradas DNS de ese dominio.
3. Registrarnos en `www.zoho.com`.
4. Verificar nuestro e-mail y el dominio, para certificar que nos pertenece.

Como ejemplo imaginemos que vamos a asociar un e-mail a nuestro dominio de la tienda de arte `marimerce.com`.

- Si hemos seguido los pasos indicados en este libro, los primeros dos puntos ya los habríamos realizado al comprar nuestro nombre de dominio y asociarlo a nuestra empresa de hosting preferida.
- El tercer paso es muy sencillo, y simplemente deberemos ir a la página de Zoho Mail "`www.zoho.com`" y seleccionar el plan que deseamos, en nuestro caso elegimos la opción gratuita **Lite Plan**. Indicamos el nombre del dominio que deseamos asociar y marcamos la opción **Add domain** (**Añadir dominio**).
- Procedemos a registrar nuestra cuenta con un e-mail de contacto válido.
- Finalizado el proceso de registro, accederemos a un panel de administración donde se nos solicitará que verifiquemos que, efectivamente, tanto el e-mail como el dominio son de nuestra propiedad. Para proceder a dicha verificación debemos dar de alta una entrada CNAME en los servidores DNS asociados a nuestro dominio.

Una vez hayamos finalizado este proceso de verificación, ya podremos comenzar a trabajar con hasta 10 cuentas de correo asociadas a nuestro dominio. Si deseamos ampliar el volumen de almacenamiento o el número de cuentas de correo asociado, siempre podemos acceder a alguna de las opciones de pago que nos ofrecen.

Para evitar confusiones en los clientes, es recomendable utilizar una única cuenta de correo donde recogeremos todas las consultas y reclamaciones de los mismos, siendo nosotros los que dividamos conceptualmente las incidencias en función de su tipología y reenviándolos al e-mail interno que corresponda.

Aunque inicialmente todos los e-mails los atienda una única persona es preferible comenzar a seguir esta metodología desde el principio, ya que una vez el volumen haya crecido será bastante complicado comenzar a realizar dicho proceso.

A nivel conceptual, los dos grandes grupos en los que se dividen las consultas e incidencias de los clientes son:

- **Comerciales:** Dudas sobre los productos, promociones, intentos de negociación y mejora de precios, etc.
- **Técnicas y de proceso:** Aquí se engloban multitud de cuestiones, que normalmente están asociadas a problemas que han surgido a los clientes (en la aplicación informática, en el envío, en el pago, etc.).

Debemos asegurarnos que los e-mails que se contesten queden reflejados en el fichero Excel que definimos anteriormente para la atención telefónica. Esto nos permitirá no perder la visión global de la atención a nuestros clientes en los diferentes canales.

Asimismo, debemos asegurarnos que los operadores que contesten a los e-mails de los clientes aporten contenidos al documento de FAQ (Preguntas más Frecuentes) para minimizar así progresivamente las consultas de nuestros usuarios.

Cómo gestionar muchos e-mails

En ocasiones, se produce un lanzamiento de un producto o servicio y se comunica a un gran número de personas, o bien una campaña funciona mucho mejor de lo que habíamos esperado, por lo que comenzamos a recibir multitud de e-mails de clientes potenciales preguntado por productos, que debemos atender para intentar cerrar la venta.

Si bien es cierto, que los clientes, en general tienen un nivel de permisividad superior a la tardanza en contestar un e-mail que en cualquier otro medio de contacto, no es menos verdad que cada minuto que pasamos sin contestar a sus consultas estamos más lejos de poder cerrar una venta.

Por ello, debemos crear un mecanismo sencillo de bajo coste de implementación que nos permita contestar multitud de incidencias a gran velocidad.

Cuando llevemos un tiempo contestando incidencias nos daremos cuenta, que normalmente los usuarios suelen repetir las consultas en un porcentaje muy amplio, por lo que pronto nos encontraremos repitiendo la misma respuesta una y otra vez.

Para simplificar esto, un mecanismo sencillo y barato es crear un e-mail diferente en función del área de negocio a la que pertenecen y reenviar las consultas a cada e-mail en función de su tipología.

Las respuestas a las preguntas más frecuentes las incluimos en nuestro documento FAQ, por lo que únicamente debemos crear una respuesta tipo redirigiendo muy educadamente a nuestros clientes a ese documento.

Para clasificar aún más la tipología de los e-mails recibidos, creamos carpetas en cada e-mail en función de la clase de incidencia a la que hagan referencia (por ejemplo, demoras en el pedido, error de TPV, etc.).

Así, podemos mantener en la bandeja de entrada los e-mails recibidos hasta que se contesten, y trasladarlos a su carpeta correspondiente una vez solucionados.

Realizar este proceso permite que varias personas puedan contestar el mismo e-mail de incidencias, sin volver a contestar las mismas solicitudes de los clientes de nuevo.

Dividir internamente los e-mails ofrece varias ventajas, entre ellas que podemos detectar dónde se encuentran los problemas en los procesos y cuáles son los aspectos que más molestan a nuestros clientes, por lo que hay que dar prioridad sobre ellos a la hora de buscar mejoras en la gestión de nuestra tienda.

No olvidemos nunca que alguna de estas consultas o incidencias que vamos recibiendo pueden acabar en reclamaciones incluso oficiales por parte de los clientes, así que lo mejor es no eliminar ninguna de las consultas que hemos recibido ni la contestación que les hemos ofrecido y ordenarlas en carpetas en función de su tipología para una mejor localización posterior.

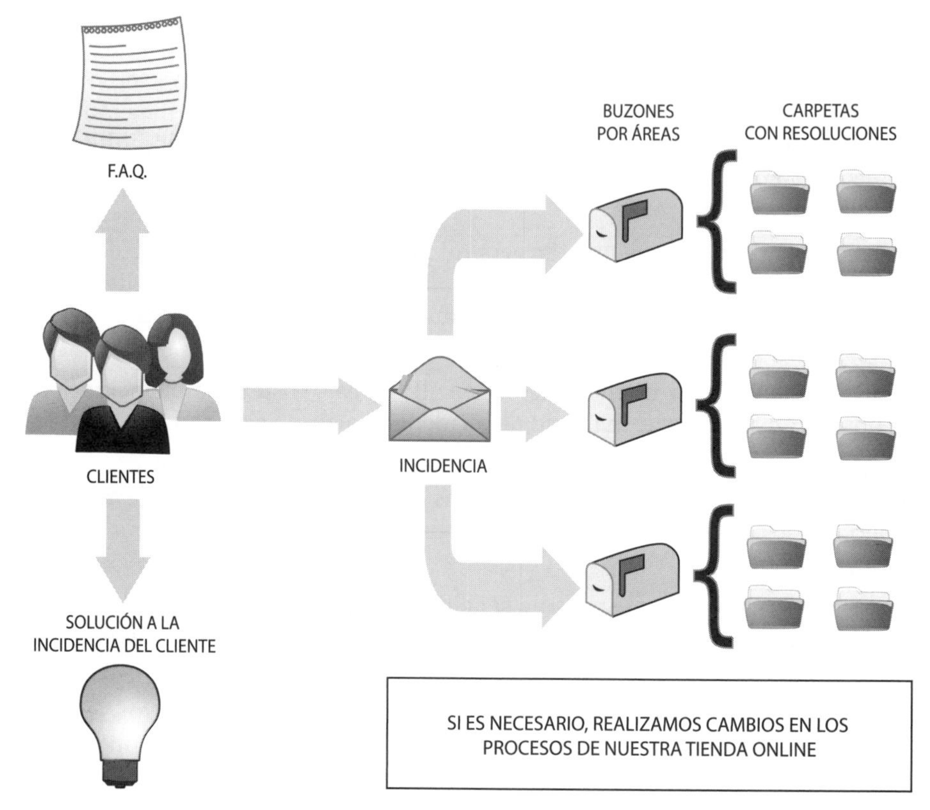

Figura 7.6. Gráfico de un modelo de gestión de un alto volumen de e-mails.

TIEMPO REAL (VIDEOCONFERENCIA, CHAT, ETC.)

En muchas ocasiones, intentamos comprar algo a través de Internet, vemos el producto y nos encanta, el precio nos parece razonable, estamos dispuestos a esperar hasta que nos llegue... pero de repente, nos surge una duda sobre ciertos aspectos del producto, o tenemos un problema técnico en la página web que no sabemos resolver. Intentamos llamar, pero estamos en el trabajo y no podemos llamar por teléfono, por lo que solamente nos queda la opción de mandar un e-mail y esperar contestación.

Cuando recibimos el e-mail de contestación, ya hemos perdido interés en el producto, o hemos adquirido otro sustitutivo en la competencia.

Por ello, es importante poder estar accesibles para nuestros clientes a lo largo de su navegación en nuestra web, actualmente existen herramientas que permiten que con un único clic, el usuario se pueda poner en contacto con nuestro servicio de atención al cliente y trasladarnos en tiempo real sus inquietudes.

Algunos de los servicios más conocidos son LiveZilla (bastante completo, pero es necesario instalación en nuestro servidor), Zopim (con una versión limitada gratuita para un solo operador) e Iadvize (con versión en español completamente configurable, pero de pago).

Figura 7.7. Zopim ofrece un servicio de atención clientes en tiempo real.

Para nuestro ejemplo, crearemos una cuenta gratuita en el servicio de `Zopim.com`, siguiendo los siguientes pasos:

- Accedemos a la página web `Zopim.com` y hacemos clic sobre la opción de **Regístrate hoy mismo**.
- Rellenamos el formulario con nuestros datos personales
- Una vez validado nos envían un e-mail con los datos de acceso al panel de administración del servicio, así como el usuario y una clave de acceso.

- Desde el panel de control seleccionamos la opción Widget> Embed the New Chat Widget (Añadir nuevo complemento a mi sitio web), y seleccionamos el código que debemos incluir en las páginas de nuestra web donde queramos añadir el servicio de chat *on-line*.

Un vez añadido dicho código veremos que aparece una pequeña pestaña en las páginas web donde hayamos incluido dicha sección de código, indicando que si el cliente tiene alguna duda ya puede acceder a la atención *on-line*.

Nosotros gestionaremos todas las conversaciones desde el panel de administración, donde podremos observar la evolución que han seguido los visitantes en la web y si nuestra respuesta ha sido o no de utilidad para la finalización de su compra.

REDES SOCIALES (TWITTER, FACEBOOK, TUENTI...)

Cuando acudimos a un establecimiento y no nos gusta la forma de tratarnos que tiene la persona que nos atiende, o si después de comprar un producto descubrimos que es de mala calidad, lo primero que hacemos es contárselo a las personas de nuestro entorno más cercano. Solamente si tenemos tiempo y ganas nos ponemos en contacto con la tienda donde adquirimos el producto para trasladarle nuestra queja.

Antiguamente eso suponía un gran problema, ya que no éramos capaces de detectar cuál era el origen de los problemas de nuestros clientes.

Sin embargo, con la aparición de Internet, ya es posible acceder a mucha de esta información y actuar de forma proactiva, incluso sin que nuestro cliente nos lo haya pedido para intentar solucionar su problema.

Algunas de las fuentes de información a las que debemos acudir para ver qué opinión se han formado nuestros clientes son las siguientes:

- **Foros del sector:** los usuarios de Internet suelen incluir bastantes consultas acerca de productos y tiendas *on-line*, por lo que si detectamos alguna queja entre las respuestas, debemos intentar adquirir más información y solucionar el problema del cliente, siempre que su queja sea justificada.
- **Blogs:** Utilizados como diarios públicos en formato digital por muchos usuarios de la red, es posible encontrar comentarios sobre alguna compra realizada en nuestra tienda, incluso con fotografías de la mercancía recibida.

- **Grupos en redes sociales:** Siendo en España Facebook y Tuenti (para los más jóvenes) las redes sociales más conocidas, apuntarse a los grupos relacionados con la actividad de nuestra tienda, nos permitirá estar en contacto con las quejas y opiniones de nuestros potenciales clientes.
- **Twitter:** Menos conocido en España que los anteriores, permite mandar mensajes al estilo de SMS con un número limitado de caracteres y está teniendo una gran acogida por parte del público. Desde un punto de vista de atención al cliente, los mensajes que se mandan son públicos, así que hacer una búsqueda por nuestra marca nos permitirá ver las quejas de nuestros clientes.

Figura 7.8. Las empresas pueden crear páginas de comunicación en Facebook.

Por supuesto, periódicamente debemos comprobar los resultados de nuestra empresa en buscadores como Google o Bing, para ver qué opiniones ofrecen los usuarios de nuestra tienda virtual y qué tipo de páginas web nos están enlazando.

Ser considerados hacia las quejas que recibimos en Internet, no quiere decir que siempre debamos dar la razón a aquellos clientes que nos critiquen *on-line*, pero sí que debemos revisar todos aquellos casos que aparecen y analizar si se ha actuado acorde a los criterios que hayamos definido. Ganarse una buena reputación es muy complejo pero todo un gran trabajo puede perderse con unas cuantas malas críticas *on-line*, por lo que es mucho mejor enfrentarse a ellas y analizar si el cliente tiene o no razón en el caso que ha expuesto.

Figura 7.9. Los resultados de los buscadores nos ofrecen información de la opinión de nuestros usuarios.

CÓMO TRATAR A UN CLIENTE QUE TIENE UNA RECLAMACIÓN

A pesar de todos nuestros intentos por satisfacer al cliente definiendo unos procesos excelentes, y tratando de cubrir sus expectativas, siempre hay ocasiones en los que bien por errores propios o de los proveedores implicados en el servicio de nuestra tienda virtual, algunos clientes se quejan y enfadados nos reclaman.

Ante estos casos debemos seguir siempre el siguiente procedimiento:

- **Escuchar al cliente:** Cuando el cliente nos llama por una incidencia suele estar bastante enfadado, por lo que interrumpirle puede incrementar su enfado, ya que transmitimos la impresión de no estar escuchando su problema con atención. Por ello, mientras el cliente expone su problema debemos mantenernos en silencio, reafirmando periódicamente su mensaje para que sepa que le estamos comprendiendo ("Sí", "Claro", "Le entiendo", etc.).

- **Solucionar su problema:** Una vez tengamos claro cuál es su problema, debemos analizar los motivos del mismo y si somos capaces de resolverlo nosotros directamente o debemos gestionarlo con un tercero. En caso de que no sea posible resolver el problema en la misma llamada telefónica, debemos indicarle cuándo nos pondremos en contacto con él para trasladarle una solución a su problema. Siempre que nos comprometamos con un cliente a llamarle, debemos hacerlo, incluso para pedirle disculpas cuando no tengamos aún una solución a su problema.
- **Aprovechar el contacto:** Una vez tengamos solucionado su problema y si le hemos ofrecido una solución satisfactoria con agilidad, debemos aprovechar ese contacto telefónico para intentar ofrecerle nuevos productos relacionados con la compra que ha realizado. En el caso de que la solución se haya demorado, debemos tener algún detalle con este cliente para evitar su pérdida, como cupones descuento para próximas compras o algún producto promocional que le podamos entregar a bajo coste.

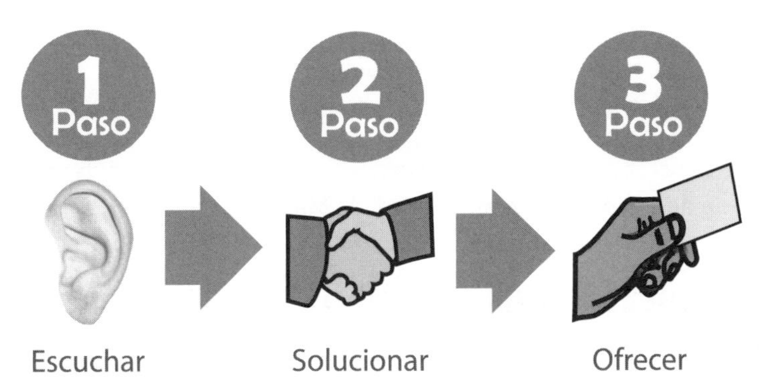

Figura 7.10. Gráfico del proceso de atención de una reclamación.

En algunos casos extremos, el cliente puede que presente una reclamación oficial, o incluso una denuncia. En este último caso, lo mejor es estar adherido a algún sistema arbitral de consumo para que, en caso de conflicto, una parte imparcial decida quién tiene razón en su reclamación. Tanto la empresa como el cliente deben acatar el laudo que resulte de ese proceso.

Estar adheridos nos permite además, poder mostrar un distintivo de calidad en nuestra web, lo que desde el punto de vista de los clientes supone una señal de honorabilidad adicional.

Darse de alta en un sistema arbitral de consumo es muy sencillo, tal solo hace falta rellenar unos formularios y enviarlos firmados, bien por vía impresa o a través de la web. Por ejemplo, en el caso de Madrid es posible tramitar el alta de forma gratuita a través del portal del consumidor disponible en la página web "`madrid.org`".

Figura 7.11. Solicitud de adhesión al sistema arbitral de Madrid.

UTILIZAR LOS CANALES PARA INCREMENTAR VENTAS (TMK, VENTA CRUZADA)

Cada contacto con un cliente es una oportunidad para generar una venta. Por ello, debemos aprovechar cada e-mail y llamada que recibamos para informar a nuestros clientes de nuevos productos y servicios.

Una forma muy sencilla de hacerlo es incluir un pie en todos los e-mails que enviemos. La idea consiste en añadir un mensaje publicitario de los productos que tengamos en oferta en ese momento o que deseemos promocionar.

Como lógicamente no es práctico escribir este mensaje cada vez que enviemos un e-mail, podemos incluirlo dentro de la firma de la cuenta gmail que hemos creado.

Para ello debemos seguir los siguientes pasos:

- Accedemos a nuestra página de gmail.
- Hacemos clic sobre la opción de **Configuración** situada en la parte superior de cualquier página de nuestro servicio de correo electrónico.

- Al final de la página aparece un cuadro con la etiqueta "**Firma**", cuyo contenido debemos modificar incluyendo la nueva firma, que contendrá nuestros datos y el mensaje publicitario que queremos comunicar.
- Guardamos los cambios que acabamos de realizar

A partir de este momento se añadirá de forma automática este mensaje al final de cada e-mail, en caso de que no deseemos que se muestre en algún mensaje, siempre podemos eliminarlo manualmente antes de pulsar sobre la opción de enviar.

Figura 7.12. Configuración de la firma de e-mail en Gmail.

A través del teléfono podemos incluso afinar mucho más nuestro mensaje, ya que tenemos información concreta de qué producto ha comprado y si es un momento correcto para trasladarle un mensaje comercial adicional o no.

Una buena técnica consiste en ofrecer un descuento por paquete, en el que si incluye en su compra un producto adicional podemos ofrecerle un código de descuento, recordándole que al estar pagando ya gastos de envío, añadir un producto adicional no suele suponer un nivel mayor de coste en este apartado (lo que sí ocurriría si lo compra posteriormente).

Para decidir que producto ofrecerle, podemos analizar la oferta de venta cruzada que le corresponda al producto que vaya a adquirir.

ATENCIÓN EN MÚLTIPLES IDIOMAS

Una vez tenemos funcionando nuestra tienda a toda velocidad en España, debemos comenzar a pensar en extender nuestro servicio a otros países.

Uno de los problemas que surgen en la internacionalización es cómo conseguir números de teléfono locales en cada uno de los países donde pretendamos vender para que los clientes sientan que nuestra tienda está adaptada a su país.

Skype posee un servicio que nos permite crear un número local en cada país para redirigirlo a la cuenta de telefonía Skype que tengamos asociada.

Asumiendo que ya poseemos una cuenta de creada con anterioridad, los pasos a seguir serían los siguientes:

- Acceder a Skype con nuestro nombre de cuenta y clave de acceso.
- Seleccionar el país en el que queremos generar nuestro número de Internet.
- Dentro de cada país seleccionar el prefijo de la zona que deseemos.
- Confirmar el número de teléfono.

Figura 7.13. Skype nos ofrece la oportunidad de dar de alta un número local en otro país.

A partir de este momento, ya tendremos un número local al que nuestros clientes podrán llamar y que nosotros contestaremos vía nuestra cuenta Skype.

Esto nos facilitará un rápido crecimiento a países en los que se hable nuestro mismo idioma, pero cuando expandimos nuestro servicio a países con un idioma diferente, debemos tener en cuenta que es conveniente ofrecer una atención al cliente en su propio idioma.

Una empresa que ofrece la contratación de operadores para este tipo de servicio a un coste razonable es "`connaxis.com`", que permite la contratación de operadores multilingües (inglés, portugués, francés, alemán, neerlandés y castellano), tanto para atención telefónica como para chat en tiempo real a través de la web.

De esta forma podemos ofrecer un servicio de atención a nuestros clientes con la misma calidad que si estuvieran comprando desde España.

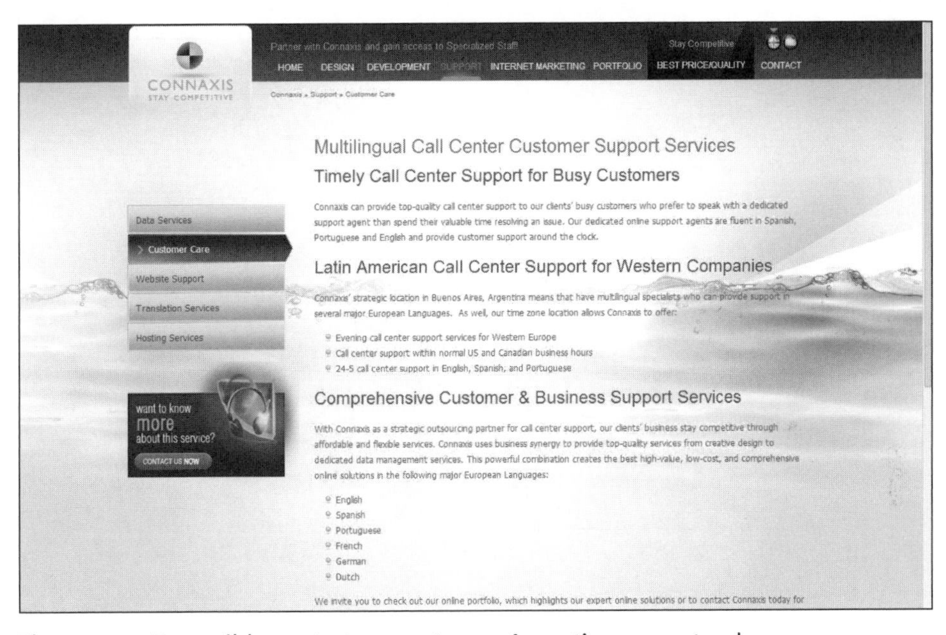

Figura 7.14. Es posible contratar agentes en Argentina para atender a nuestros clientes.

Para saber más:

- Domains.live.com, un servicio de e-mail de Outlook para empresas:

  `http://domains.live.com`
- Portal del Consumidor de la Comunidad de Madrid:

  `http://www.madrid.org/consumo`
- Página web de Connaxis:

  `http://www.connaxis.com`
- Alta de números locales en otros países:

  `http://www.skype.com/es`

"El éxito es aprender a ir de fracaso en fracaso sin desesperarse."

Winston Churchill. Político y Estadista

8. La entrega, el mejor momento para fidelizar

En este capítulo aprenderemos:

- Cómo definir nuestro nivel de stock adecuado.
- Seleccionar nuestras empresas de paquetería.
- Adaptar los estados de nuestros pedidos.
- Alternativas para embalar nuestros envíos.

A lo largo de todo el proceso de compra en nuestra tienda virtual, el único momento en el que el cliente tiene contacto físico con nuestra empresa es en el momento de la entrega.

El aspecto de la persona que haga la entrega, la forma en la que hayamos conseguido transmitir nuestra imagen en el artículo que estamos entregando, así como el cuidado con el que haya sido envuelto el paquete para su transporte y el mensaje que hayamos incluido con el producto son aspectos que tendrán en cuenta nuestros clientes y supondrán una prueba de fuego para que decida o no volver a comprar en nuestra tienda.

EL NIVEL DE STOCK ADECUADO

Cuando uno comienza a vender por Internet, y si no posee experiencia previa en la venta del tipo de artículos que está comercializando, le embarga una horrorosa sensación de incertidumbre, ya que no sabe cuánto ni de qué productos va a poder vender.

En esta primera fase, siempre lo más recomendable desde el punto de vista del riesgo es conseguir acuerdos con distribuidores que nos permitan trabajar bajo pedido.

Trabajar bajo pedido simplemente consiste en que nosotros recibimos en nuestra página web el pedido del cliente, recogemos el pago y posteriormente contactamos con nuestro distribuidor para el envío del producto.

En función del tipo de producto y tipología del distribuidor, podemos llegar a un acuerdo para que realice él mismo los envíos al cliente desde su almacén (ahorrándonos así los gastos de envío entre el distribuidor y nuestra empresa), o bien que nos los entregue para que realicemos el empaquetado y presentación del producto y se lo enviemos al cliente a través de una empresa de mensajería.

Normalmente, trabajando bajo pedido el distribuidor suele tardar entre 24 y 48 horas en servirnos los productos, encargándonos nosotros de los gastos de ese envío.

En cuanto recibimos el producto, ya podemos ponerlo en casa del cliente en unas 24 horas, por lo que normalmente se puede realizar las entregas en 72 horas. Para evitar problemas, lo mejor es comunicar un plazo más alto para productos que no estén en stock (aproximadamente entre 5 y 15 días que son cifras psicológicamente aceptables para los clientes).

Una vez que tengamos más experiencia y conocimiento acerca de nuestras ventas y hayamos identificado aquellos productos con más rotación (mayor nivel de ventas) podemos crear un pequeño stock que nos permita ir atendiendo a nuestros clientes de una forma más ágil y comprometiéndonos a plazos de entrega cada vez más bajos.

Para decidir qué nivel de stock debemos tener, debemos seguir el siguiente proceso:

- **Planificar nuestra demanda:** Debemos estimar cuánto van a comprar nuestros clientes de cada artículo mes a mes durante el próximo año. Para ello, nos serviremos de los datos históricos de ventas como base, y del efecto que estimamos que tendrán sobre ellas nuestras acciones comerciales, promociones, etc.
- **Tiempo que tardan en suministrarnos:** Debemos conocer el plazo de entrega del distribuidor para cada uno de nuestros artículos. Con esta información es posible calcular cuántos días tardaremos en entregar el pedido al cliente.
- **Número de semanas de stock de seguridad:** En la mayoría de los productos, trabajar con dos semanas de stock de seguridad es suficiente. Cuanto más bajo consigamos hacer este plazo, mayor nuestra rentabilidad, por lo que intentaremos mantener el nivel más bajo de stock posible sin impactar en los plazos de entrega a nuestros clientes.

➤ **Rappels:** En ocasiones nuestros distribuidores nos harán descuentos por volumen de compra, lo que puede hacer que nos interese aumentar nuestro nivel de stock de un determinado artículo.

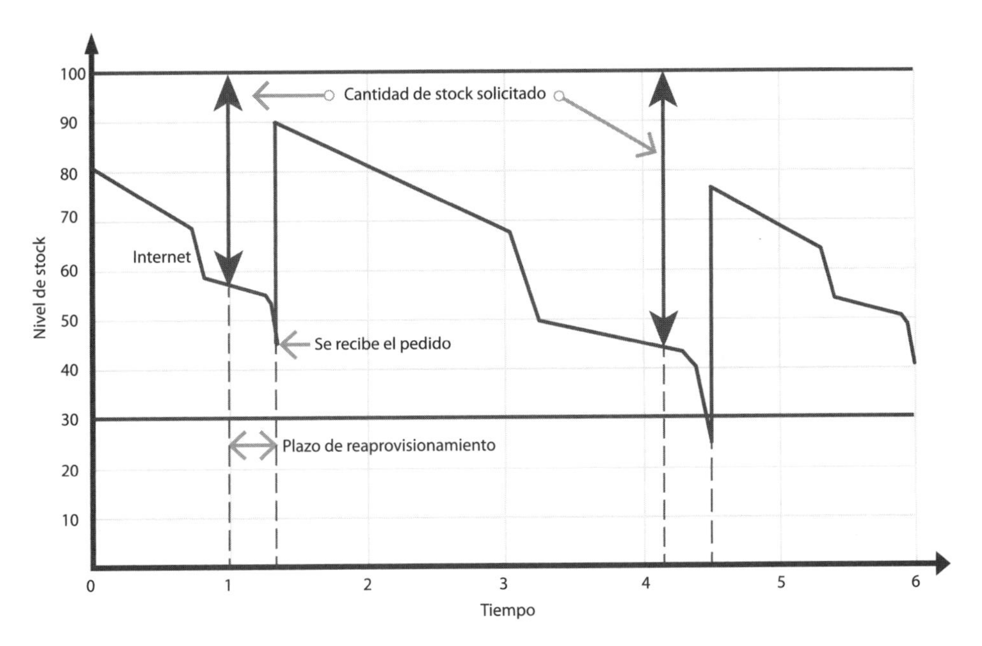

Figura 8.1. Gráfico de un modelo para establecer nuestro nivel de stock.

De todos los puntos anteriores, el más difícil de estimar es la demanda que vamos a tener a lo largo del tiempo, por ello, en ocasiones nos equivocaremos y tendremos a fin de año productos que no habremos vendido. Si estos son de temporada, ¿cómo me deshago de ellos? Una propuesta para convertir un problema en una oportunidad para captar más clientes es hacer un evento anual en el que se puedan vender todos los productos remanentes del almacén a precio de saldo. De esta forma, conseguimos un acontecimiento para comunicarnos con nuestros clientes, y lo convertimos en un acto que nos permite promocionar nuestra empresa.

Otra alternativa, dependiendo del tipo de productos, consiste en donarlos lo que nos permite aprovechar esta iniciativa a nivel de comunicación como Responsabilidad Social Corporativa y además obtener ventajas fiscales.

EMPRESAS DE PAQUETERÍA

En España existen multitud de empresas de paquetería, siendo las más conocidas MRW, Halcourier, SEUR, Envialia, Fedex, UPS y por supuesto Correos.

Antiguamente, cuando las empresas comenzaban su actividad a través de Internet era bastante complejo encontrar servicios de paquetería específicos para el comercio electrónico.

Figura 8.2. Servicio de mensajería de Correos.

Sin embargo actualmente, algunas empresas poseen incluso servicios especialmente diseñados para este tipo de tiendas. Algunas de las características que hay que solicitar a la hora de contratar el servicio son:

- **Buena tarifa:** Al trasladarle al cliente los costes, si son elevados puede hacer que nuestros productos dejen de ser competitivos, por lo que deberemos buscar siempre las tarifas más ajustadas.
- **Atención telefónica:** En caso de que ocurra algún tipo de incidencia debemos tener a nuestra disposición un número de teléfono de la persona responsable de solucionar nuestro problema.
- **Importación de pedidos:** En ocasiones tendremos un alto volumen de pedidos, por lo que necesitaremos alguna herramienta que nos los pueda importar desde un fichero, en vez de escribirlos a mano uno a uno.
- **Recogida en nuestra oficina:** La empresa debe recoger los paquetes en nuestra oficina, para enviárselos a nuestros clientes y así evitarnos desplazamientos y pérdidas innecesarias de tiempo.

- **Emisión de etiquetas de transporte:** Cuando el número de pedidos es elevado, agradeceremos una herramienta que nos permita imprimir las etiquetas de forma automática, facilitando nuestro trabajo.
- **Seguimiento de envíos:** La empresa de mensajería nos debe proporcionar un localizador (también conocido como número de tracking) que facilitaremos a nuestros clientes. De esta forma, ellos mismos podrán hacer seguimiento de la situación de su pedido.
- **Integración de los albaranes:** Debemos poder consultar los albaranes de entrega a los clientes, para confirmar que, efectivamente, se le ha cobrado lo que estaba pactado y que el cliente ha firmado la entrega.
- **Número de reintentos:** En ocasiones, no podrán localizar al cliente en su domicilio y necesitaremos un segundo intento de entrega. Es por ello que debemos cerrar con la empresa de paquetería un número de intentos de entrega y que no se nos cobrará un recargo por dicha gestión.
- **Seguro:** En caso de que surja cualquier problema con la mercancía (especialmente cuando esta es cara) debemos confirmar que estamos cubiertos con el seguro que contratemos.

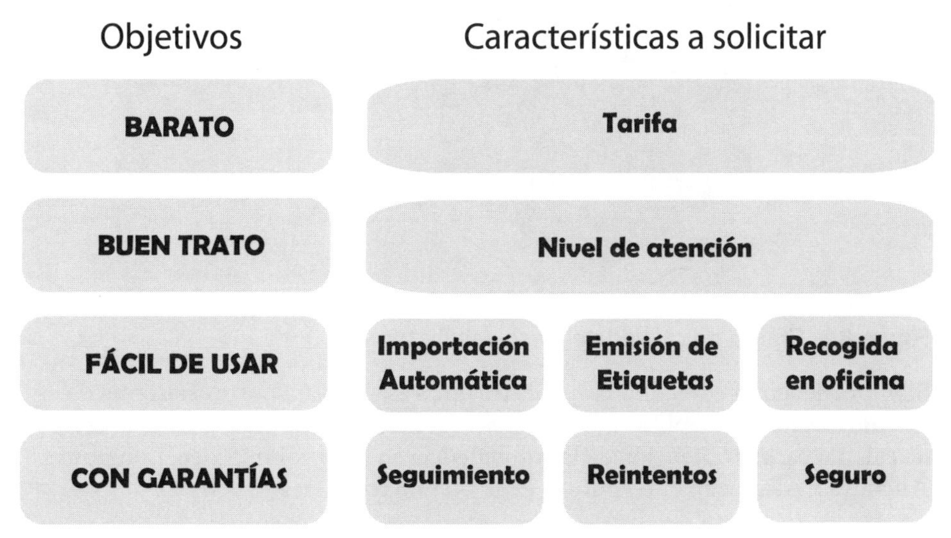

Figura 8.3. Gráfico de características del servicio de paquetería.

En general, para los envíos nacionales que no poseen una presión en el plazo de entrega, las tiendas *on-line* suelen utilizar el servicio de correos debido a su bajo coste, aunque para altos volúmenes o entregas personalizadas el resto de compañías ofrecen un gran servicio y precios muy competitivos.

Normalmente, las tarifas se aplican en función de la ruta que deba seguir la mercancía y su peso. El motivo es que cuanto mayor sea el número de kilómetros que tenga que recorrer, mayor será el tiempo y el combustible empleado lo que genera más costes a las empresas de transporte. Como los vehículos poseen un número límite de kilos que pueden cargar, es por ello que se cobra más en función del peso, ya que afecta al nivel de artículos que pueden transportar. A este cargo por Kilo transportado se le denomina Euro/Kilo.

En ocasiones, sin embargo, se transportan paquetes que pesando poco, abultan mucho (imaginemos una caja de 2 metros cuadrados llena de plumas). Este tipo de artículos ocupan mucho espacio en los vehículos, por lo que, aunque pesen poco, impiden optimizar la carga y por lo tanto en vez de aplicar la tarifa Euro/Kilo al peso real del paquete, se aplica una conversión asociada a su volumen denominada peso volumétrico.

(Longitud x Altura x Anchura) : 6.000 = Peso Volumétrico

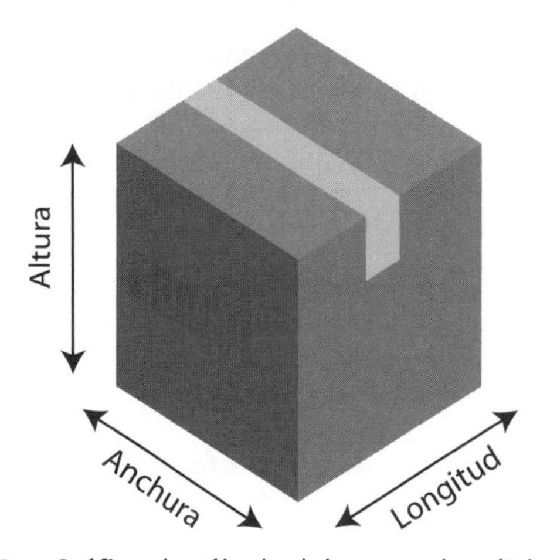

Figura 8.4. Gráfico de cálculo del peso volumétrico.

Siempre debemos consultar con nuestra empresa de transporte el sistema de cálculo que nos va a aplicar aunque, por lo general se emplea la siguiente regla de cálculo para la obtención de la equivalencia en peso volumétrico: Longitud x Anchura x Altura (en cm) / 6000 = Peso Volumétrico (en kg.)

Nota: Aunque las empresas de transporte miden y pesan nuestros productos antes de aplicarnos la tarifa, en ocasiones se producen errores, por lo que siempre debemos pesar y medir nosotros previamente la mercancía que vayamos a enviar y comprobar en los albaranes que nos entreguen que nos aplicado correctamente la tarifa.

Para envíos internacionales, aparte de algunas de las empresas de mensajería comentadas anteriormente como FedEx y UPS podemos valorar otras empresas como Chronoexpress y GLS. El mayor problema en el transporte internacional, es que tenemos que hacer frente a toda la burocracia referente a las aduanas en los diferentes países, además de los costes adicionales que eso puede suponer.

Figura 8.5. Servicio de mensajería internacional de UPS.

Además, como los precios se publicitarán en cada país en moneda local, tenemos un riesgo adicional asociado a la evolución del tipo de cambio durante todo el proceso comercial, lo que podría afectar negativamente a la rentabilidad de la operación.

Si el volumen de negocio que tenemos en moneda extranjera es elevado, podemos intentar reducir este riesgo mediante la contratación de un producto financiero denominado seguro de tipo de cambio. Básicamente lo que hacemos es asegurarnos un tipo de cambio determinado a lo largo de un plazo de tiempo independientemente de la evolución a mercado de esa divisa.

Actualmente ya existen multitud de empresas enfocadas al exterior en España por lo que casi todos los bancos y cajas ponen a disposición de sus empresas este tipo de producto.

Figura 8.6. Las Entidades financieras ofrecen seguros de tipo de cambio.

LOS ESTADOS DE UN PEDIDO

Las fases de un pedido hay que adaptarlas a nuestra cadena de valor. De forma general los posibles estados de un pedido son:

- **Pedido iniciado:** El cliente ha comenzado a rellenar el formulario de compra, pero aún no lo ha finalizado por completo. Este tipo de estado nos permitirá, transcurrido un plazo de tiempo prudencial, ponernos en contacto con el usuario para tratar de recuperar la venta.
- **Pedido en validación de pago:** El cliente ha tramitado su solicitud, pero ha elegido un medio de pago cuya confirmación de cobro tiene un plazo específico para confirmarse (por ejemplo, una transferencia).
- **Pedido con pago rechazado:** El proceso de compra ha finalizado con un error en el pago. Si los datos de solicitud parecen correctos, lo mejor sería tratar de ponerse en contacto posteriormente con el cliente, para confirmar que no haya sido un error de proceso o algún problema temporal en los sistemas de medios de pago.
- **Pedido aceptado:** Una vez confirmado el pago, se acepta el pedido y se comienza el proceso de preparación del mismo para su entrega.

- **Pedido en espera de stock:** Trabajando bajo pedido, o en picos de demanda de un determinado artículo, es posible que no tengamos stock en nuestro almacén para atender un pedido inmediatamente. Por ello deberemos enviar una solicitud a nuestro distribuidor para recibir los productos y comenzar la confección del pedido.
- **Pedido en preparación:** Este estado se produce cuando ya tenemos todos los elementos que componen un pedido y se están embalando para entregárselo al cliente.
- **Pedido enviado:** La empresa de transporte ya ha recogido el paquete y tenemos un número de tracking que podemos ofrecer a nuestro cliente para que realice el seguimiento de su envío.
- **Pedido entregado:** Una vez se ha producido la recepción por parte del cliente, firma un albarán de entrega en la recogida que debemos solicitar a nuestra empresa de transporte, para cotejarlo en caso de incidencias.

Figura 8.7. Gráfico de los estados de un pedido.

GASTOS DE ENVÍO

Uno de los factores que los clientes siempre solicitan para comprar más en Internet es que se incluyan los gastos de envío en el precio, por lo que ¿por qué motivo no añadirlos?

- **Los clientes comparan:** Nuestros clientes en Internet suelen comparar los precios de nuestros productos antes de iniciar la compra, por lo que lo primero que debemos comprobar es si nuestros competidores incluyen o no los gastos de envío en el precio que comunican.
- **El efecto acumulación:** Si decidimos incluir los gastos de envío en el precio que cobramos en cada artículo, penalizaríamos a aquellos clientes que hagan compras de múltiples productos, ya que estarían acumulando

los gastos de envío imputados a cada producto. De tal forma que conseguiríamos el efecto inverso al que queremos obtener, fomentando las compras individuales.

- **Cada cliente decide:** Hay clientes que estarán tan ansiosos por obtener el producto que desearán recibirlo por mensajería urgente independientemente del precio, sin embargo otros clientes preferirán esperar si así consiguen obtener mejor precio, por lo tanto, ¿cuál sería el tipo de transporte que deberíamos imputar en el precio?. Si tomamos esta decisión por nuestros clientes estaríamos limitando su libertad en la tienda, lo que debemos evitar a toda costa.

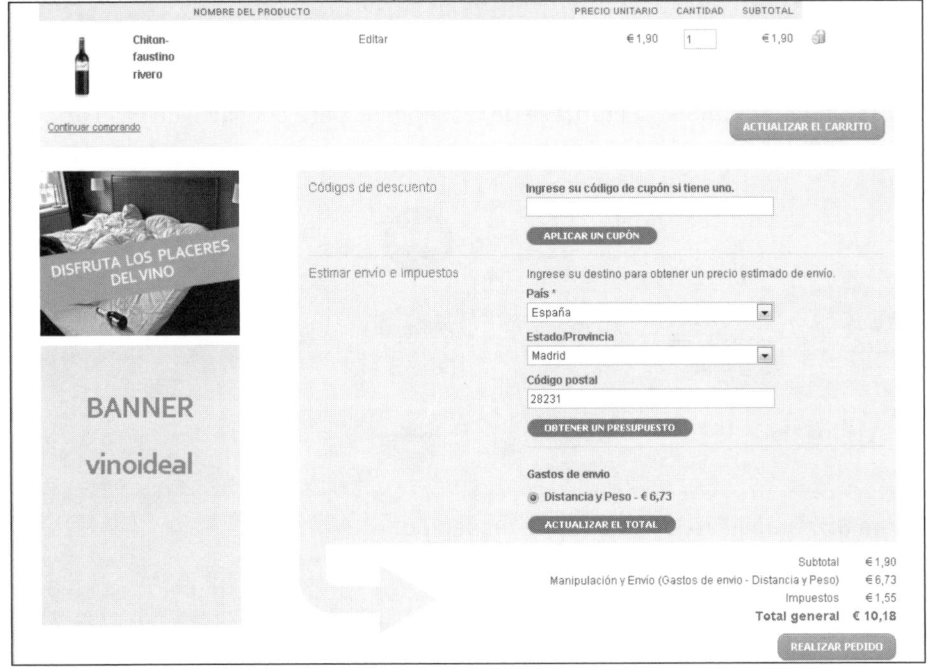

Figura 8.8. Los clientes pueden incluir los gastos de envío de su pedido.

Una alternativa es regalar los gastos de envío cuando el pedido que realice el cliente supere un determinado importe, lo que en realidad supone realizar un porcentaje de descuento sobre la compra.

Veamos un ejemplo: Imaginemos que somos una parafarmacia que tenemos acordado con nuestra empresa logística una tarifa en península de 6 Euros por envío de hasta 5 kilogramos. Si de media cada producto tiene un peso de 0,5 Kg y un P.V.P. de 10 Euros, el cliente podría añadir hasta 10 artículos a la cesta de su compra (o lo que es lo mismo realizar una compra de 100 Euros) sin que sus costes de envío varíen.

Por lo tanto, ¿por qué no regalarle 6 Euros (los gastos de envío) si realiza una compra de importe superior a 60 Euros? En realidad, le estamos aplicando como máximo un 10 por 100 de descuento, pero a nosotros nos ha costado mucho menos trabajo operativo (es un solo envío) y en términos absolutos incentivamos a los clientes a hacernos ganar muchos más Euros en cada envío (que al fin y al cabo es lo que nos interesa).

En ocasiones, podemos tener unos gastos adicionales denominados gastos de manipulación, en ese caso en función de lo que esté haciendo la competencia debemos decidir si incluir este tipo de gastos adicionales dentro del precio del producto o detallarlos por separado para evitar así incrementar en exceso el precio del artículo.

LOS PLAZOS DE ENTREGA

Para calcular el plazo de entrega que debemos comunicar a nuestros clientes, es necesario analizar todo el proceso de entrega para cada producto y estimar en qué plazo podríamos entregarlos.

Normalmente, en los casos en los que no disponemos de stock un distribuidor no tarda más de 48 horas en ponerlo a nuestra disposición, pero hay ocasiones en las que el producto no se encuentra disponible en su almacén (efecto también conocido como rotura de stock) y los plazos se alargan enormemente.

Si en estos casos le comunicamos al cliente el mismo plazo para todos los productos de su pedido, tendríamos que irnos a fechas bastante amplias, por lo que nuestros potenciales clientes preferirían comprar en la competencia o directamente en una tienda física.

Para evitar este efecto, podemos utilizar varias técnicas:

- **Separar envíos:** Dar la posibilidad al cliente de enviarle primero aquellos productos que tenemos disponibles en stock y posteriormente el resto, para evitar que los clientes estén esperando por todo su pedido solamente porque pueda demorarse la entrega de uno de los productos.
- **Ofrecer producto alternativo:** En caso de que tengamos un producto similar de igual relación calidad y precio, podemos ofrecer al cliente que compre este producto alternativo para evitar la demora, realizando el abono correspondiente si el precio varía.
- **Otras compensaciones:** Otra alternativa sería ofrecer al cliente enviar por correo urgente su pedido, cobrándoselo como normal para evitar demoras.

OPCIÓN 1
VARIOS ENVÍOS

OPCIÓN 2
PRODUCTO ALTERNATIVO

OPCIÓN 3
COMPENSAR AL CLIENTE

Envío 1
Productos en stock

Envío 2
Resto productos

Cuando no tenemos un artículo en stock, podemos ofrecer otro similar

En ocasiones, nos compensará ofrecer gastos de envío urgente a precio de normal

Figura 8.9. Gráfico de alternativas para reducir el plazo de entrega.

En cualquier caso es importante la transparencia con el cliente, y comunicarle siempre las eventualidades que puedan surgir con el estado de su pedido, lo peor que podría ocurrir es que el propio cliente descubriese a través de otras fuentes que existen problemas con un determinado envío, o que se va a demorar.

LA FACTURA

Independientemente de que se comunique a nuestros clientes vía e-mail el desglose de los artículos que le vamos a facturar y que, si existe conformidad por parte del cliente sería suficiente con una versión *on-line* de la factura, es mejor enviársela por vía física con los productos que le entregamos. De esta forma también puede comprobar que los gastos de envío coinciden con los que le hemos trasladado en la página web, lo que aumenta su nivel de confianza en nuestra tienda.

Una factura es más un documento, del que debemos guardar una copia (indicada claramente como tal), y que incluye los siguientes datos:

- Número y serie: Las facturas deberán ser correlativas. Se pueden establecer series diferentes si se realizan operaciones de distinta naturaleza.
- Fecha de expedición de la factura.
- Datos identificativos de la tienda: Razón social, NIF y domicilio.
- Datos identificativos del cliente: Nombre y Apellidos, NIF y domicilio.
- Los impuestos que corresponda repercutir al cliente: Normalmente el IVA.
- Descripción de los productos a entregar.
- Fecha en la que se realizaron las operaciones (si no coincide con la de expedición).

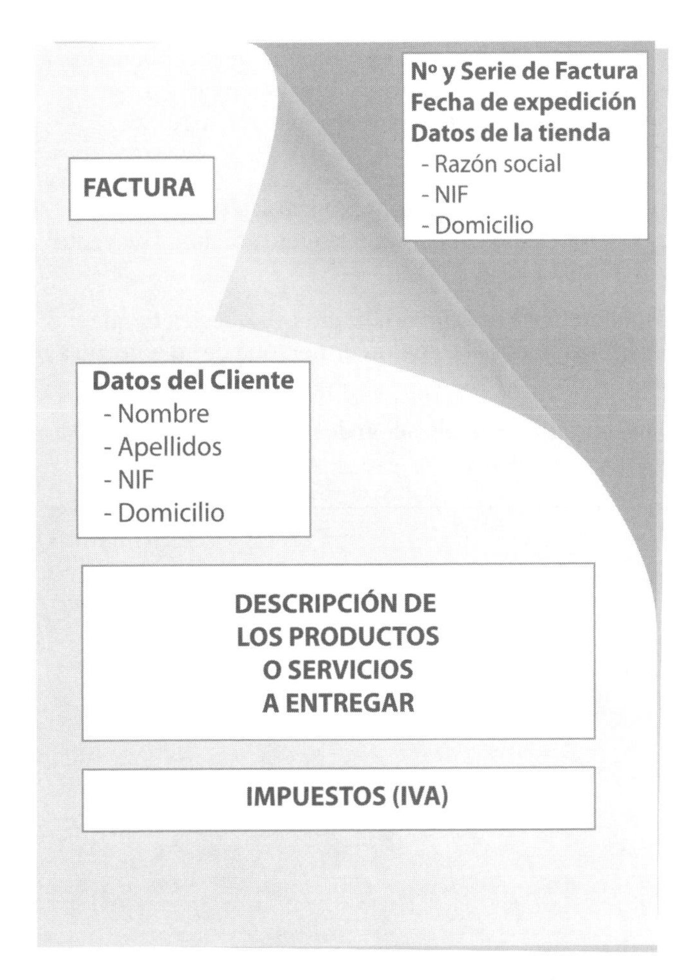

Figura 8.10. Gráfico de datos necesarios en la factura.

VENTA CRUZADA

La recepción del artículo por parte del cliente es un gran momento: el cliente ha esperado algunos días a recibir ese pedido que tanta ilusión le hacía y por fin ya lo tiene en sus manos.

Ha desenvuelto el embalaje y es perfecto, precioso, casi le da pena tocar el producto, le gustaría llamar para dar las gracias por la recepción tan correcta del producto, pero es demasiado perezoso para hacerlo. El cliente está contento, está radiante, está entusiasmado, y en ese momento... ¡Nada! La mayor parte de las veces el cliente no recibe ningún impacto adicional, en ese momento que es claramente propicio para ello.

Muchos pensarán que el cliente está absorto en el producto que ha solicitado y lo último que quiere es que le ofrezcamos otra cosa que pueda desviar su atención. Es cierto, tenemos que conseguir que parezca natural, algunas opciones podrían ser:

- Incluir información adicional del producto y explicar las ventajas que tiene utilizándolo en combinación con algún producto adicional de venta cruzada.
- Ofrecer un bono descuento para próximas compras en nuestra tienda. Este bono podría ser utilizado por él o cualquier persona de su entorno a quién se lo entregue.
- Presentar las ventajas del Club de fidelización de nuestra tienda virtual e invitarle a darse de alta en el mismo.

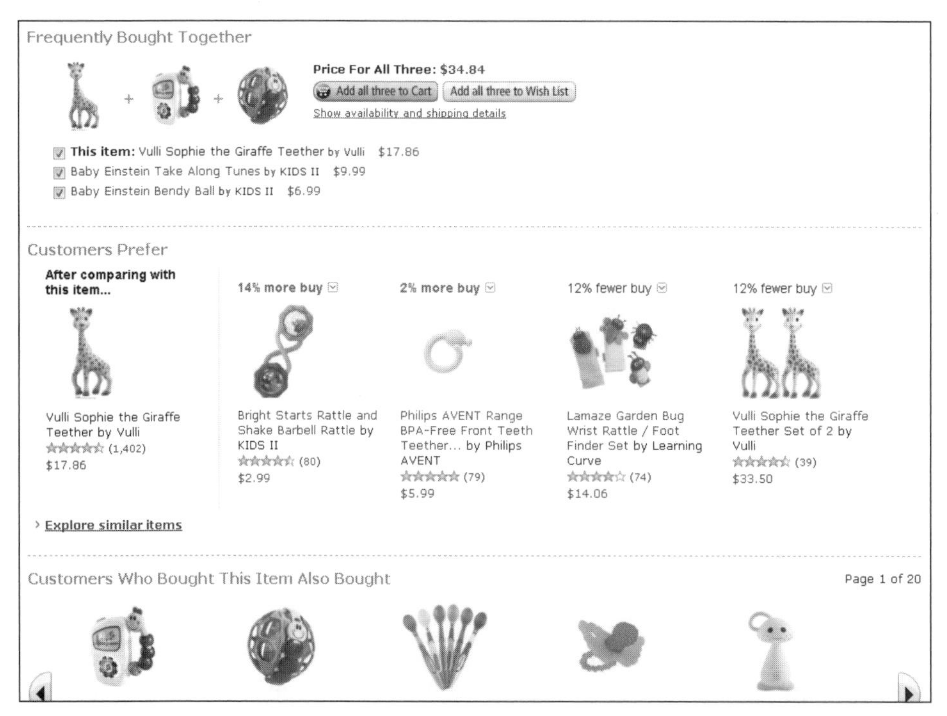

Figura 8.11. Ejemplo de venta cruzada en la web de Amazon.

De esta forma tan sencilla, mantenemos nuestro diálogo con el cliente hasta el final del proceso de compra, poniéndonos a su disposición por si tiene cualquier problema con su producto recién adquirido.

Esto fortalece la relación de confianza con nuestros clientes e incrementa las posibilidades de que estos nos recomienden a su entorno cercano.

LOS EMBALAJES

La finalidad del embalaje es cubrir, proteger y agrupar nuestros productos mientras están almacenados o transportándose al cliente. En nuestro caso, especialmente si trabajamos bajo pedido, el embalaje que traen los productos ya cumplirá en general estas funciones, por lo que nosotros nos debemos centrar en las ventajas adicionales que ofrecen los embalajes (también conocidos como "*packaging*") como soporte a la comunicación para nuestra marca.

Los tipos de *packaging* según su función, son los siguientes:

- **Packaging primario:** es el *packaging* que envuelve directamente al producto y tiene contacto con él. Suele ser es el más pequeño de todos, siendo la primera envoltura del producto.
- **Packaging secundario:** Envuelve al anterior, con el objetivo de agrupar varias unidades para su venta o distribución.
- **Packaging terciario:** Agrupa varias cajas secundarias para facilitar su almacenamiento y transporte de forma masiva. El ejemplo más común es la paletización.

Figura 8.12. Selfpackaging.es ofrece múltiples embalajes para nuestros productos.

Una buena herramienta para recoger ideas sobre el tipo de embalaje que nos podría servir para nuestros artículos es selfpackaging.es, una página web que nos permitirá:

- Seleccionar un determinado tipo de embalaje de su catálogo en función de las medidas de nuestros artículos.
- Personalizar el color y la cantidad a comprar.
- Seleccionar el formato de las etiquetas, posteriormente podremos imprimirlas con el diseño y texto que deseemos (incluyendo nuestro logotipo, etc.).

Una alternativa a esta página web, aunque quizá menos visual, es rajapack.es que posee más variedad de embalajes, incluso para productos de gran tamaño.

Para la personalización de cajas de gran tamaño, podemos gestionar nuestras etiquetas a través de la herramienta de generación de adhesivos personalizados de la empresa VistaPrint. El proceso es bastante simple, simplemente debemos:

- Seleccionar la opción Etiquetas para envíos.
- Cargar nuestro propio diseño gráfico o logotipo.
- Personalizar el texto que queremos que aparezca con los datos del cliente.
- Elegir la cantidad.
- Indicar nuestros datos y el lugar donde queremos que nos lo envíen.
- Procesar el pago.

Estas etiquetas son adhesivas por lo que podremos pegarlas sobre nuestro embalaje con facilidad.

Como en muchas ocasiones las cajas en las que recibiremos los productos cumplirán toda su función de protección del producto, probablemente no queramos cambiarlas y tener que asumir un nuevo coste por este concepto. En estos casos, tendrá más sentido personalizar el papel con el que envolvemos dichas cajas.

Para poder realizar dicha personalización existe una herramienta *on-line* denominada giftskins.com que permite crear nuestro propio rollo de papel de regalo personalizado. La propia empresa ofrece multitud de diseños ya creados a partir de plantillas, por desgracia muchos de los cuales no nos servirán, ya que están en inglés, pero existe la opción de crear nuestro propio rollo de papel de regalo con el diseño que deseemos simplemente cargando la imagen que queramos repetir a lo largo del rollo de papel.

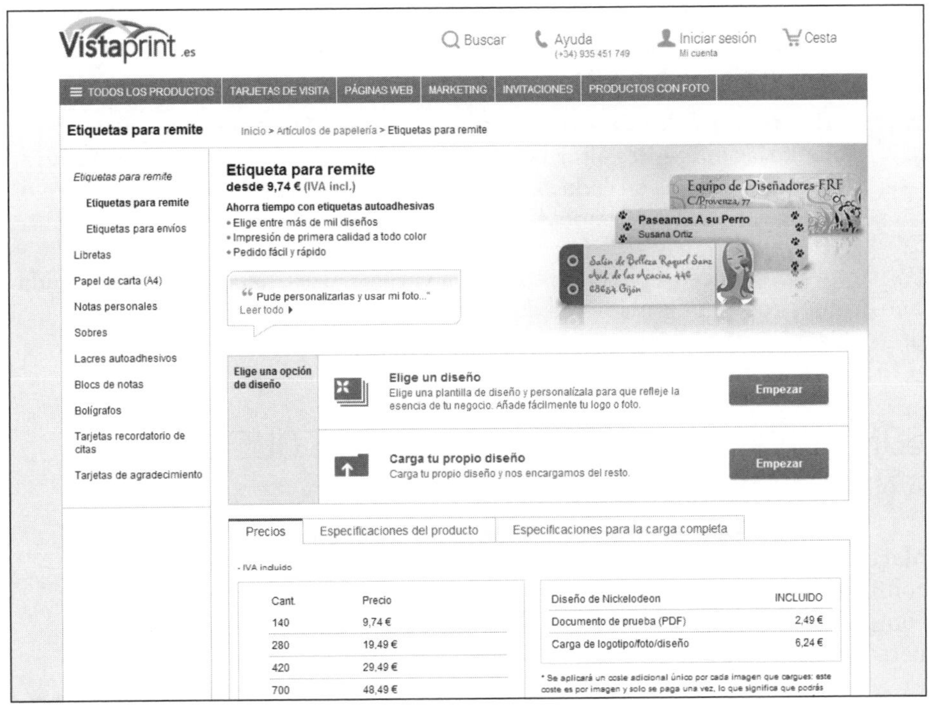

Figura 8.13. VistaPrint ofrece un servicio de personalización de adhesivos.

LOS E-MAILS DE CONFIRMACIÓN

A lo largo de todo el ciclo de vida de nuestro pedido hasta la entrega, debemos informar a nuestros clientes de su situación, enviándoles e-mails en cada cambio relevante de estado.

Algunos ejemplos de mensajes que deberíamos enviar serían los siguientes:

- **Al aceptar el pedido:** En el mensaje debemos comunicar que se ha procedido a la confirmación del pago y el detalle de los diferentes artículos que ha solicitado para su comprobación, así como los datos de contacto de la tienda por si detecta algún error o desea realizar alguna modificación.
- **Al rechazar el pedido:** Indicando los motivos del rechazo, así como un número de teléfono para contactar con la tienda. En cualquier caso, debemos ponernos en contacto con el cliente para intentar recuperar la compra.
- **Al enviar el pedido:** Debemos comunicar al cliente que se ha procedido al envío de su pedido y a través de qué empresa se ha gestionado. Simultáneamente debemos entregar el número de tracking que nos hayan

ofrecido para que el cliente pueda realizar seguimiento *on-line* del pedido, así como un número de contacto de la compañía de transporte por si desea realizar alguna consulta.

- **Al detectar falta de stock en algún pedido:** Debemos comunicar al cliente las diferentes alternativas que podemos ofrecerle, y una fecha de entrega estimada en cada caso, así como un teléfono de contacto en el que pueda consultar el estado de su envío a lo largo del proceso.

Por supuesto, si nuestra página web sirve a varios países, debemos traducir cada uno de nuestros e-mails al idioma de los países en los cuales vayamos a tener presencia.

CONFIGURAR EN MAGENTO LOS E-MAILS QUE ENVIAREMOS A NUESTROS CLIENTES

Magento ofrece la posibilidad de configurar el contenido de los e-mails de confirmación que deseamos enviar a nuestros clientes. La herramienta de configuración nos permite incluir nuestro logotipo, adaptar la imagen y personalizar el texto del e-mail.

Cada uno de estos e-mails (denominados transaccionales) se configura a través de una plantilla adaptada al mensaje que deseemos enviar.

Para dar de alta uno de estos mensajes, debemos seguir los siguientes pasos:

1. Acceder al Panel de Administrador de nuestra tienda Magento.
2. Seleccionar la opción Sistema>Correos electrónicos transaccionales.
3. Podemos añadir una nueva plantilla o si no queremos escribirla partiendo de cero personalizar las plantillas de ejemplo que nos muestra Magento.
4. Debemos personalizar el **nombre**, **asunto**, **contenido** y **estilo de nuestra plantilla** con los datos de nuestra empresa.
5. Realizamos una vista previa para ver que el resultado es el deseado y guardamos nuestra plantilla.

Deberemos repetir este proceso para cada uno de los e-mails que deseemos enviar. Una vez generados, debemos asociar cada uno de estos modelos al momento de nuestro proceso en el que deseemos que se envíen.

Para ello acceder a Sistema>Configuración>Correos electrónicos de Ventas y activar todos aquellos que deseemos enviar. Este mismo proceso configurado en su sección correspondiente, nos sirve para personalizar los e-mails que se enviarán a los clientes en nuestros boletines de noticas o en la sección de contactos.

A partir de este momento, se comenzarán a enviar correos electrónicos adaptados a nuestra imagen corporativa a nuestros clientes en todos aquellos momentos de nuestro proceso en el que nos haya parecido oportuno.

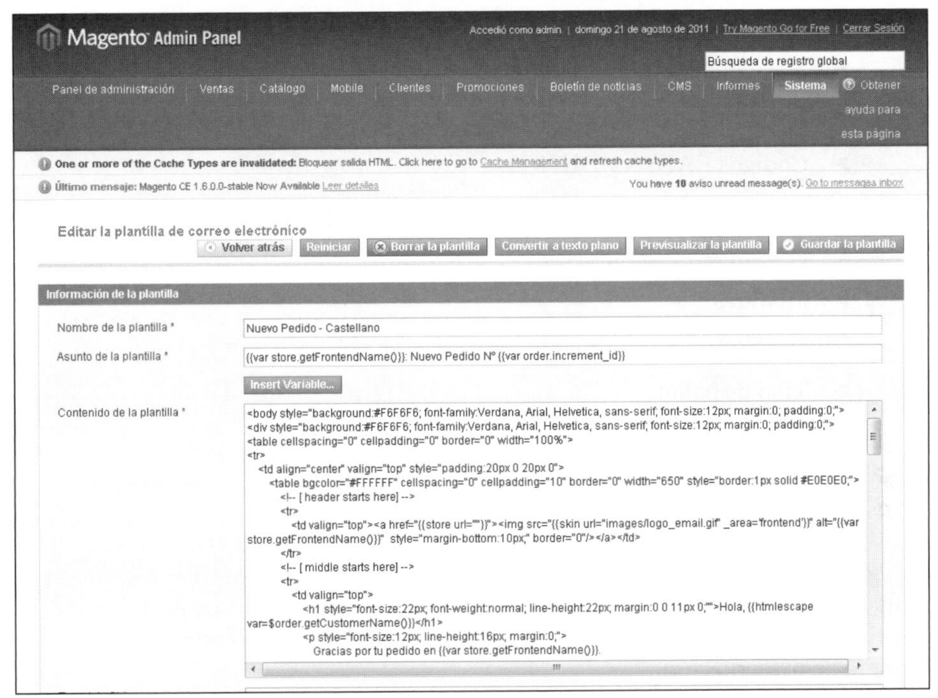

Figura 8.14. Configuración de envío de e-mails en Magento.

LA FICHA LOGÍSTICA

Imaginemos que tenemos una tienda de venta de cavas, y que tenemos en nuestro catálogo para un mismo tipo de cava tres formatos, empaquetado en estuche de tres botellas, un única botella y un formato de mini-botella. Nuestro cliente ha incluido en su pedido uno de estos tres formatos, pero ¿cómo le indico al distribuidor exactamente a qué producto nos hace referencia?

La ficha logística nace para identificar de forma única cada producto a través de un código, así como el formato en que viene embalado y todos sus datos logísticos.

Una ficha logística es un documento, donde para cada uno de nuestros productos (también llamados referencias) se detallan las características más importantes que influirán en su almacenamiento y transporte, entre los datos más importantes que se recogen se encuentran:

- Identificación del producto:
  - Referencia interna.
  - Denominación del Producto.
- Formato:
  - Agrupaciones.
  - Formatos.
  - Códigos EAN-13 y DUN-14.
- Pesos y medidas por agrupaciones (unidad, caja y pallet):
  - Peso bruto y neto.
  - Medidas.
- Paletización:
  - Tipo de pallet.
  - Número de cajas.
- Vida del producto y Fecha de caducidad (solo aplicable en el caso de productos perecederos).

El sistema EAN tiene presencia en más de 70 países en los 5 continentes, sus códigos de barras ofrecen un lenguaje común entre empresas, que permite identificar de forma única los productos y artículos independientemente de su formato de presentación.

Algunos de los beneficios que aporta este sistema son la rápida captura de datos y reducción de errores en la identificación del producto, ya que el reconocimiento se realiza a través de un lector de código de barras que evita la intervención manual en la identificación del producto.

Por otro lado, utilizar un único sistema de códigos para identificar a cada producto ayuda al funcionamiento de los sistemas de todos los agentes involucrados en el proceso (fabricante, distribuidor y nuestra tienda), lo que facilita nuestro funcionamiento interno.

El código más común es el EAN-13, constituido por 13 dígitos y que posee una estructura dividida en cuatro partes:

- **Código del país:** Los tres primeros dígitos corresponden a la ubicación de la empresa (país que otorgó el código).
- **Código de empresa:** Los siguientes 4 ó 5 dígitos identifican al propietario de la marca.
- **Código de producto:** Son el resto de dígitos hasta completar los primeros 12 del código.

- **Dígito de control:** Se añade un último dígito de control que permite comprobar que efectivamente se ha realizado correctamente la lectura del código de barras.

Para codificar las cajas se utiliza un código denominado DUN-14 (Unidades de Despacho). Se utiliza la sigla ITF-14 (*Interleaved Two of Five*) que consta de 14 dígitos:

- El primer dígito corresponde a la denominada "variable logística", cifra que indica la cantidad de unidades que contiene la unidad de despacho.
- Los siguientes 12 dígitos son el código EAN que identifica el producto individual, al que se le ha eliminado el dígito de control.
- La última posición corresponde a un dígito de control que se genera a través de un algoritmo utilizando los 13 dígitos precedentes.

El resto de datos recogidos en la ficha logística de producto, nos permiten identificar cómo van a ser transportados los productos, qué dimensiones poseen y en qué formatos los podemos adquirir.

EAN-13 A partir del gráfico de Vagla
http://es.wikipedia.org/wiki/Archivo:EAN13.svg

Figura 8.15. Detalle del código EAN-13.

Con esta información, ya seremos capaces de identificar todos nuestros productos, y solicitar a nuestros distribuidores los productos que necesitemos.

Al dar de alta en el catálogo de la tienda virtual nuestros productos, debemos introducir aquellos datos correspondientes a la unidad individual que el cliente vaya a comprar, ya que serán los que utilice el sistema para realizar el cálculo automático de los gastos de envío. A partir de estos datos, en los que se recoge información tanto del peso, como de las dimensiones de los productos, es muy sencillo calcular los gastos de envío, ya que simplemente debemos aplicar la tarifa que hayamos acordado entre origen y destino de la mercancía a la suma de los pesos de los productos que hayan adquirido nuestros clientes.

En el caso de que a alguno de los artículos le corresponda la aplicación de una tarifa de peso volumétrico, únicamente deberemos realizar la correspondiente conversión aplicando la fórmula que comentábamos anteriormente.

CONFIGURAR EL CÁLCULO DE GASTOS DE ENVÍO EN MAGENTO

Nuestra tienda virtual Magento ofrece la posibilidad de configurar los Gastos de envío según los tipos más habituales del mercado:

- **Gastos de envío fijos:** Cobraremos el mismo importe por cada pedido independientemente de su peso o de la distancia que haya que recorrer para enviárselo al cliente. Generalmente solo tiene sentido aplicarlo si todos nuestros pedidos son aproximadamente similares en distancia a destino y peso total.
- **Gastos de envío gratuitos:** Permite configurar un importe límite a partir del cual regalaremos el envío al cliente.
- **Gastos de envío variables:** En función del peso, volumen o distancia al destino del pedido podemos fijar diferentes gastos de envío. Suelen ser el tipo de Gastos de Envío más común a través de Internet, ya que permite ajustarlos a las necesidades del cliente.

La configuración en Magento de uno de los dos primeros tipos de Gastos de Envío es trivial, simplemente debemos acceder a través del Panel de Administración a la opción Sistema>Configuración>Métodos de Envío y habilitar el método seleccionado.

Los Gastos de Envío variables, sin embargo, poseen una configuración algo más compleja, cuyos pasos resumimos a continuación:

1. Definir las reglas a aplicar en función del tipo de pedido. Habitualmente estas reglas son un ajuste sobre las tarifas que nos indica la empresa de mensajería. Es posible configurar estas reglas (también denominadas *Table Rates*) en función de: precio y destino, peso y destino o número de artículos y destino.
2. Accedemos a Sistema>Configuración>Métodos de Envío y seleccionamos la pestaña Table Rates.
3. Habilitamos el método de envío y seleccionamos el tipo de regla que vamos a utilizar.

4. Estas reglas las debemos importar utilizando un fichero Excel en formato .csv (es decir, texto separado por comas). Para asegurarnos de no cometer errores en el formato, personalizaremos el fichero modelo que nos ofrece la herramienta. Podemos descargarnos este fichero haciendo clic sobre el botón **Exportar**.

5. Una vez adaptado el fichero acorde a las reglas que hemos definido previamente, lo importaremos y seleccionaremos los países a los que debe aplicar este método de envío.

6. Guardamos la configuración.

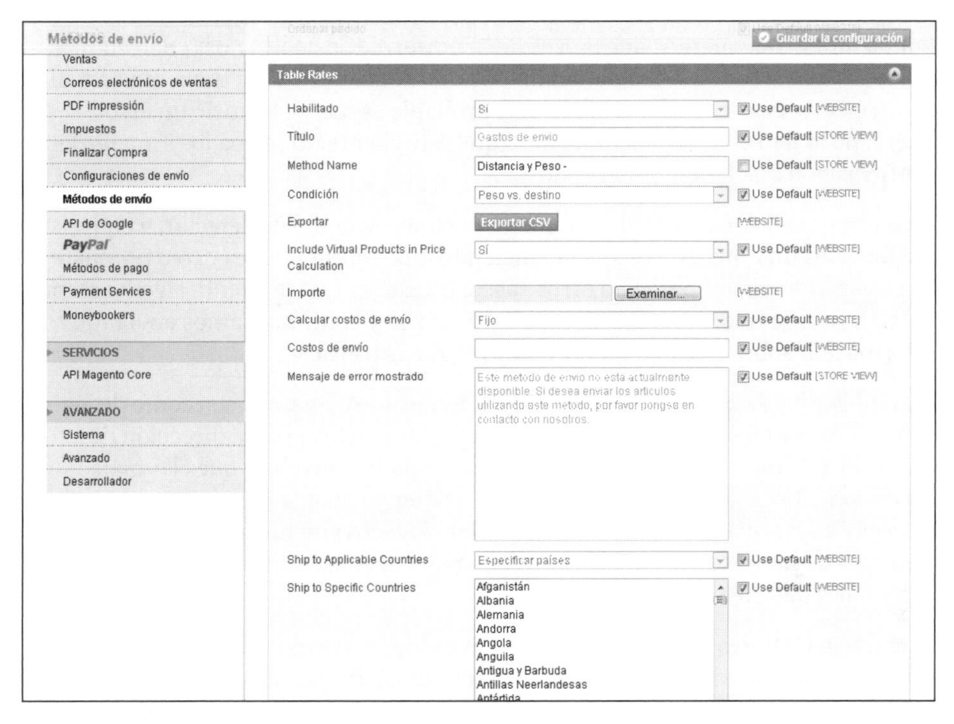

Figura 8.16. Configuración de los gastos de envío en Magento.

Nota: En caso de que no aparezca las opciones de importar/exportar el fichero de reglas de envío, debemos comprobar el **Alcance de nuestra configuración Actual** opción disponible en el menú izquierdo de configuración del sistema.

Una vez configurados nuestros Gastos de Envío, estos se añadirán de forma automática al importe del pedido, previo al proceso de pago del cliente.

REFINAR NUESTRA BASE DE DATOS

Para evitar problemas en la entrega del pedido, así como en la comunicación de su estado y seguimiento, debemos interesarnos por los datos personales que nuestros clientes han incluido en la base de datos.

Una revisión bastante sencilla consiste en verificar las direcciones de e-mail, si detectamos que la dirección de e-mail puede contener algún error debemos llamar al cliente para confirmarla con él y asegurarnos que no arrastremos un error que pueda impactar negativamente en su experiencia de usuario a lo largo de su relación comercial con nosotros.

Por ejemplo, imaginemos que en vez de "`tucuenta@gmail.com`", detectamos como posible error un e-mail añadido por un cliente del estilo "tucuenta@fmail.com", en este caso está claro que lo más probable es que se trate de un error que, si no lo detectamos a tiempo, hará que este cliente no reciba los e-mails de confirmación que tenemos definidos.

En algunos casos, este tipo de error será bastante sencillo de detectar, ya que recibiremos un e-mail de respuesta diciendo que esa cuenta de correo no existe en el servidor. Sin embargo en otros casos, puede ser que la cuenta efectivamente sí exista, por lo que no recibiríamos ningún error y continuaríamos enviando información sobre nuestro cliente a una cuenta errónea.

Para poder hacer un seguimiento de los e-mails que enviamos, así como de los que nos responden, suele ser buena idea añadir nuestra propia dirección de correo electrónico como copia oculta, para así poder certificar que el e-mail efectivamente ha sido enviado. En el caso de que un cliente llame diciendo que no ha recibido el e-mail es muy sencillo validar si efectivamente se ha enviado o no, y en caso de haberse producido este envío realizar una comprobación de los datos personales del cliente.

Esta misma labor la deberíamos hacer con todos los datos personales del cliente (nombres que parece que tienen letras alternadas, direcciones inexistentes, etc.) lo que nos permitirá aumentar la calidad de nuestra base de datos y reducir el número de incidencias en posibles acciones comerciales que planteemos en el futuro (envío de *newsletters*, *mailings* al domicilio, etc.)

Este tipo de análisis nos sirve además como ayuda en el perfilado de nuestros clientes, ya que si analizamos el servidor asociado a la cuenta de e-mail, podemos analizar la zona geográfica desde donde se realiza la compra, la empresa en la que trabaja, etc. lo que nos permitirá ajustar mejor nuestra oferta a los gustos de nuestros clientes e incluso poder desarrollar ofertas especiales para los empleados de las empresas en las que trabajan.

Para saber más:

- Empresas de paquetería, Correos:

  `http://www.correos.es/`

- Empresas de paquetería, UPS:

  `http://www.ups.es`

- Oferta de embalajes, SelfPackaging:

  `http://www.selfpackaging.es`

- Generación de adhesivos personalizados:

  `http://www.vistaprint.es`

- Ejemplo de venta cruzada, Amazon:

  `http://www.amazon.com`

"Nunca temas pedir demasiado cuando vendas,
ni ofrecer muy poco cuando compres."

Warren Buffett. Inversor

9. Y llegó el momento: ¡Cobrar!

En este capítulo aprenderemos:

- Las ventajas e inconvenientes de diferentes métodos de pago.
- Herramientas para aceptar pagos con tarjeta.
- Los filtros recomendables para evitar el fraude.
- Opciones para ofrecer financiación a nuestros clientes.

Por fin ha llegado el momento por el que tanto hemos trabajado: el momento del pago. Los puntos de la liga en la que juega cualquier tienda *on-line* no dejan de ser el número de ventas que realiza, por lo que este es el momento de la verdad. Si todos los pasos anteriores los hacemos perfectamente, pero no finalizamos este proceso obteniendo múltiples ventas, todo nuestro esfuerzo habrá sido en vano.

Una vez un jefe me dio la siguiente recomendación cuando le pedí consejo sobre cómo realizar el cobro de un servicio de suscripción que quería desarrollar: "las malas noticias una sola vez al año (se refería al pago) y cuanto más fácil se lo pongas al cliente, mejor". Este consejo que me ofreció, creo que es la base que debemos seguir siempre cuando montemos un pago a través de la web.

En resumen, lo que tenemos que intentar es que el momento del pago, que siempre es una sensación negativa, pase lo más rápidamente posible y le pongamos todas las facilidades al cliente para que no tenga excusas a la hora de realizar el pago.

FORMAS DE PAGO

En los últimos años, el mercado ha venido experimentando un crecimiento paulatino del número de operaciones de compra a través de Internet, debido principalmente a las grandes ventajas que la compra *on-line* ofrece a los clientes, entre ellas:

- **Mayor comodidad:** Desde su propia casa, o desde la oficina un cliente puede acceder a multitud de tiendas, ver los productos que desea y solicitarlos, tardando muchísimo menos en realizar la compra y sin necesidad de desplazarse.
- **Bajo precio:** La enorme competencia, así como la posibilidad de los clientes de poder comparar precios, provoca que los clientes puedan acceder a una mejor oferta relación calidad precio de la que podrían obtener en las tiendas físicas.
- **Amplitud de gama:** Los clientes pueden acceder a toda una gama de productos, algunos de los cuales serían complicados de encontrar en una tienda. La compra *on-line* ofrece, incluso, la opción de personalizar los productos a sus necesidades.
- **Acceso agregado a la información:** En un único punto los clientes pueden consultar todas las características técnicas de los productos, analizar fotografías, ver vídeos de uso, etc. Y así poder analizar el producto que mejor se ajusta a sus necesidades.
- **Compras internacionales:** Internet ofrece la posibilidad de acceder a cualquier tienda del mundo para adquirir productos que de otra forma no se podrían comprar en nuestro país. Un ejemplo claro es la compra de libros técnicos a través de la tienda *on-line* de Amazon, productos que de otra forma serían complicadísimos de adquirir en tiendas españolas.

Figura 9.1. Gráfico de ventajas de las compras *on-line*.

Como podemos observar, la compra a través de Internet es una tendencia de crecimiento imparable. Por lo que tenemos que analizar cómo poder aprovechar esta tendencia positiva para fomentar las ventas en nuestra tienda *on-line*. Tal y como comentábamos antes, nuestro objetivo a la hora de vender por Internet es ponérselo fácil a nuestros clientes en el momento del pago, lo que podemos conseguir ofreciéndoles el mayor número de sistemas de pago que sea posible.

La principal característica que debe tener cualquier medio de pago a través de Internet, es ofrecer a los clientes un alto nivel de seguridad.

De forma resumida, los requisitos de seguridad de un sistema de pago electrónico son los siguientes:

- **Autentificación:** Consiste en la identificación de las dos partes que comparten información en una comunicación electrónica. En este caso tanto el comprador como nuestra tienda, deberán ser verificados como auténticos.
- **Integridad del mensaje:** La información que se intercambie entre el cliente y nuestra tienda no puede ser alterada ni manipulada mientras se produzca la transacción electrónica. De esta forma podemos evitar, por ejemplo, el caso de que un *hacker* modifique durante la transacción de pago el precio total por uno inferior, lo que podría ocasionar innumerables pérdidas para el vendedor.
- **Confidencialidad:** Todos los datos que compartamos con nuestros clientes deben permanecer invisibles ante ojos indiscretos, por lo que utilizaremos sistemas de codificación de los datos que impidan que aunque terceras partes intercepten los mensajes los puedan comprender.
- **Fiabilidad:** Garantiza que no se va a producir una caída en el sistema que provoque errores en el servicio de pago. Esto implica que debemos tener unas herramientas que permitan absorber los posibles incrementos en el número de transacciones que se puedan producir a lo largo de ciertas épocas del año, como Navidad o Reyes.

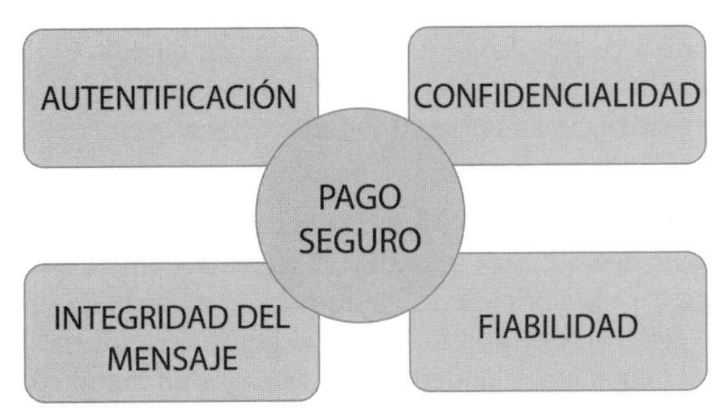

Figura 9.2. Los sistemas de pago a través de Internet deben cumplir una serie de requisitos para considerarse seguros.

Existe un amplio abanico de opciones para aceptar pagos en nuestra tienda virtual, que de forma resumida se agrupan en dos grandes conceptos: en función de que se realice el pago en el mismo instante de la compra (denominados pagos *on-line*) o de que dicho pago se realice de forma diferida (pagos *off-line*).

Dentro de los métodos de pago diferidos u *Off-Line* podemos destacar los siguientes:

- Contra reembolso.
- Transferencia bancaria.
- Talón bancario.

Mientras que algunos de los métodos *on-line* serían los siguientes:

- Pago a través del móvil.
- Paypal (`www.paypal.es`).
- Tarjeta (bien de crédito o de débito).

Cada uno de estos medios de pago, conlleva una operativa y unas comisiones diferentes. Históricamente esos costes los asumía el comerciante, no pudiendo trasladárselos a los clientes. Afortunadamente, a partir de la nueva Ley de Servicios de Pago, que entró en vigor el 4 de diciembre de 2009, está permitido que los comerciantes podamos cobrar suplementos o realizar descuentos según el tipo de medio de pago que decida utilizar nuestro cliente para sus compras.

A continuación realizaremos una breve descripción de cada uno de ellos, para que desde un análisis del público objetivo al que se dirija cada tienda seleccionemos aquellos medios de pago que mejor se adapten a las necesidades de nuestros clientes, sin perder de vista el riesgo potencial que podrían acarrearnos.

Contra-reembolso

A lo largo de los años, el pago contra-reembolso se ha venido utilizando de forma habitual para las ventas por catálogo. Ampliándose posteriormente a las ventas realizadas por Internet y a través del teléfono (las denominadas ventas a distancia).

El sistema es muy sencillo y consiste en que el cliente realice el abono del importe del pedido en el momento de su entrega. El pago se realizará bien directamente al mensajero que realice la entrega, o en la oficina de la empresa de mensajería donde se recoja el pedido. Por lo general, este abono se realiza por lo general en dinero en efectivo lo que obliga al mensajero a poder gestionar pagos en metálico e implica cierto riesgo tanto operativo (el mensajero se puede equivocar al dar las vueltas) como de posibles hurtos en el trayecto de dicho transportista.

Desde el punto de vista del cliente, el pago contra-reembolso tiene un alto nivel de seguridad ya que no se realiza pago alguno hasta que el producto está en su poder. Sin embargo, desde nuestro punto de vista como comercio, en el caso de que una vez realizada la entrega el cliente se niegue a pagar, nosotros tendremos una serie de costes asociados a la entrega y recuperación del producto que deberemos abonar a la empresa de transportes.

Por ello, es una buena recomendación cobrar una comisión al cliente por este tipo de medio de pago, que compense estos costes, así como no habilitarlo para entregas internacionales, donde exista riesgo de que el transporte pueda dañar el producto o sea difícil de recuperar.

En España, Correos es la empresa que las tiendas *on-line* utilizan habitualmente en sus envíos contra-reembolso, aunque actualmente se pueden encontrar muchas otras empresas logísticas que ofrecen servicios similares.

Transferencia bancaria

La transferencia bancaria permite mover fondos entre cuentas bancarias sin sacar físicamente el dinero.

Se denomina traspaso cuando tanto la cuenta origen y destino son del mismo titular y se encuentran en el mismo banco. En este caso, como no supone salida de fondos para la Entidad Financiera no se suele cobrar comisión.

Figura 9.3. Es muy sencillo realizar transferencias a través de la banca *on-line*.

En caso de que la cuenta destino pertenezca a otra Entidad Financiera (Banco o Caja) o a otro titular se denomina transferencia y se suele cobrar comisión al emisor de los fondos.

Con la nueva Ley de Servicios de Pago es legalmente posible cobrar una comisión al receptor de las transferencias, aunque por el momento, parece que no se está aplicando esta comisión.

Ya que al cliente le supone un coste, y a nosotros nos reduce el riesgo y la operativa en comparación con otros medios de pago, podemos promover el pago mediante transferencia ofreciéndole un descuento al cliente que decida utilizarlo. El único inconveniente que ofrece este método de pago, es que el procesamiento del cobro puede demorarse dos o tres días, en función de la entidad bancaria.

Talón bancario

Consiste en un documento que las Entidades Financieras entregan los titulares de una cuenta corriente que así lo soliciten, normalmente agrupados en forma de cuadernillo denominado talonario.

Permiten disponer del dinero que previamente se haya ingresado en la cuenta, ya sea para uso del propio titular, o para un tercero cuyos datos se indiquen en el documento.

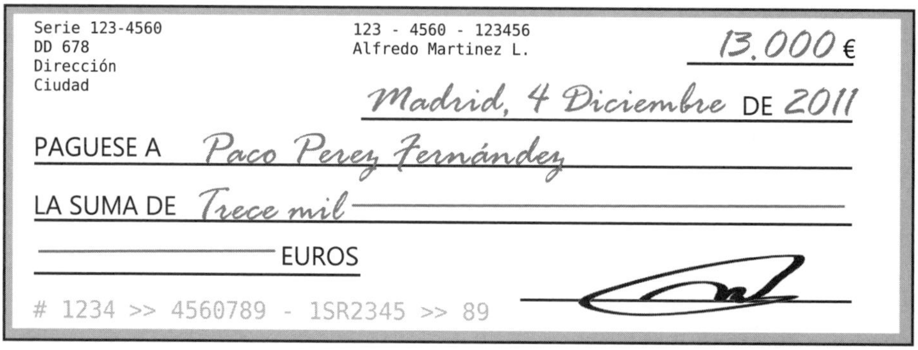

Serie 123-4560
DD 678
Dirección
Ciudad

123 - 4560 - 123456
Alfredo Martinez L.

13.000 €

Madrid, 4 Diciembre DE 2011

PAGUESE A Paco Perez Fernández

LA SUMA DE Trece mil

EUROS

1234 >> 4560789 - 1SR2345 >> 89

Figura 9.4. Ejemplo del uso de un talón como medio de pago.

En caso de aceptarlos en nuestra tienda *on-line*, debemos hacer la pertinente comprobación de que existan fondos, realizando el ingreso previamente en nuestra cuenta y comprobando que dichos fondos se han recibido correctamente antes de realizar el envío del producto.

Lógicamente dicha operativa nos conlleva unos costes que debemos trasladar al cliente, quien debe asumir la demora que este tipo de medio de pago pueda suponer.

A este tipo de clientes, lo mejor es ofrecerles como alternativa la transferencia bancaria, destacando el descuento adicional que podrían obtener por utilizar ese medio de pago.

Pago a través del móvil

En el año 2000, con el boom de las empresas de Internet, las grandes entidades Financieras y las Operadoras de Telefonía se unieron para posicionarse en el mercado de los pagos a través del móvil.

De esa unión surgieron dos iniciativas: Movilpago (promovida por BBVA y Telefónica) y Pagomovil (promovida en su momento por BSCH, Airtel y AUNA).

El Tribunal de Defensa de la Competencia instó a ambas iniciativas a abrirse a la competencia, lo que en definitiva provocó que las dos se fusionaran en una única empresa denominada Mobipay.

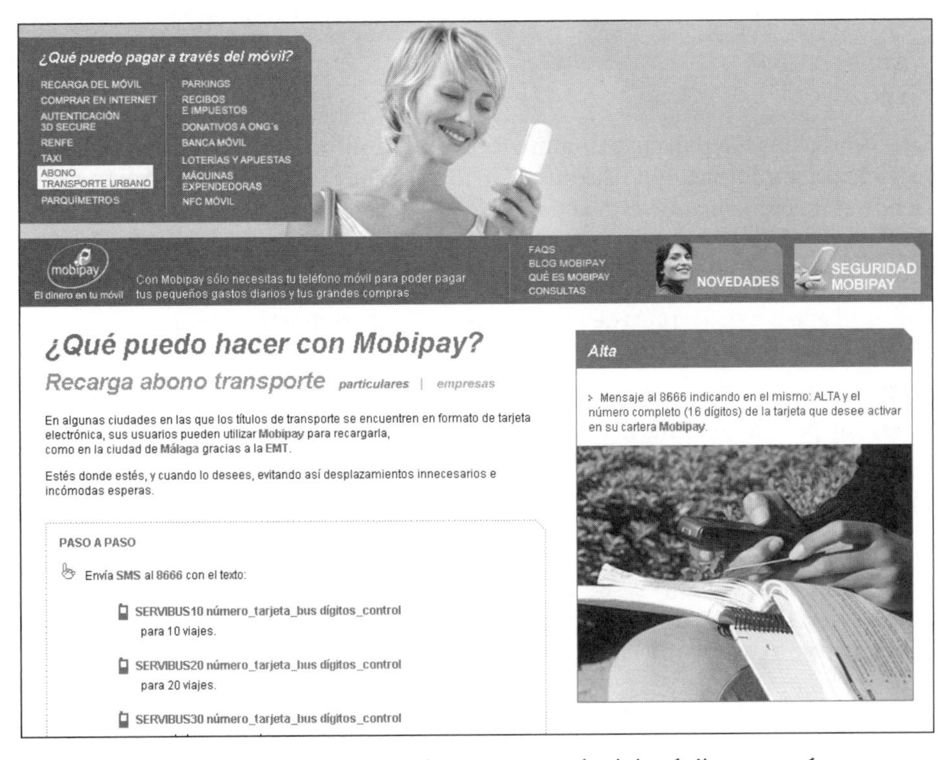

Figura 9.5. Mobipay fue un sistema de pago a través del móvil que cerró sus puertas en 2009.

El servicio Mobipay permitía asociar a los clientes su tarjeta financiera (VISA o MasterCard) a su teléfono móvil. Esto permitía que no fuera necesario enviar los datos de las tarjetas de crédito de los clientes a la hora de realizar el pago, que se validaba con un PIN, por lo que era más seguro que el pago que en esos momentos se podía realizar directamente en Internet.

Básicamente su funcionamiento era el siguiente:

1. Al realizar un pago, el cliente recibe un mensaje en su móvil que le informa del importe y comercio en el que está realizando la operación.
2. El cliente autoriza la operación con un número secreto que solamente él conoce.
3. Una vez validado el código se autoriza la compra.

Un teléfono móvil servía de cartera y un mismo número de móvil podía tener asociadas varias tarjetas.

A pesar de que la idea era muy potente, la falta de atracción de una masa suficiente de usuarios provocó que el servicio cerrara en el año 2009.

Paypal

En sus orígenes Paypal (cuyo nombre inicial era Confinity) se creó como un servicio para el intercambio de dinero de forma segura utilizando PDAs. Pero viendo el crecimiento que estaba teniendo Internet, esta empresa lanzó una agresiva campaña de Marketing para la captación de usuarios, consiguiendo crecer desde Enero hasta Marzo del año 2000 de 10.000 a 1 millón de cuentas.

Fue en el año 2002, después de fusionarse con `X.com` cuando la empresa adquirió el nombre de PayPal.

A lo largo de este tiempo, PayPal había conseguido convertirse en un medio de pago muy popular en Internet, especialmente utilizado entre los usuarios de eBay donde ya era utilizado por más del 50 por 100 de sus clientes.

Visto el éxito que tenía entre sus usuarios, eBay decidió comprar PayPal en octubre de 2002.

En la actualidad, PayPal es, sin duda, el medio de pago *on-line* más conocido, a pesar de la multitud de competidores a los que les gustaría entrar en este mercado como Google Checkout o Amazon Payments.

Cómo funciona Paypal

Cuando nos planteamos trabajar con PayPal debemos tener claro que esta no es una Entidad Bancaria, por lo que, desde un punto de vista legal estamos (nosotros y nuestros compradores) menos protegidos que si fuera un banco.

Esto en la práctica supone que PayPal no garantiza económicamente ninguna operación, siendo los clientes de Paypal los responsables de solucionar las posibles incidencias que puedan surgir en el pago.

Esto no quiere decir que PayPal no realice filtros de riesgo, lavado de dinero y transacciones no autorizadas, requisito necesario para cumplir con las normas de prevención de blanqueo de capitales.

Figura 9.6. Paypal es uno de los sistemas de pago más utilizado en Internet.

PayPal nos cobrará como tienda *on-line* las siguientes comisiones:

- **Transacción de venta:** Una comisión variable de entre el 1,9 por 100 y el 3,4 por 100 más un fijo de 0,35 Euros por operación realizada.
- **Retirada de fondos:** Cuando queremos transferir fondos a una cuenta real debemos pagar una comisión adicional.
- **Conversión de divisas:** Cuando se realizan ventas en otra moneda, nos aplican una comisión de aproximadamente el 2,5 por 100 adicional al tipo de cambio al por mayor que utiliza PayPal para divisas extranjeras.

Configurar nuestra cuenta PayPal en Magento

Lo primero que debemos hacer es crear una cuenta de empresa en PayPal (denominada business) y seleccionar la opción de pago Express, que por ser la más sencilla es la que vamos a instalar.

En esta integración PayPal no tendrá acceso al pedido que ha realizado el cliente, sino que únicamente le enviaremos el código identificador del pedido y su importe para que, una vez procesado el pago, nos envíe la autorización o denegación del mismo según corresponda.

1. Desde nuestra cuenta de PayPal, debemos acceder a la ruta Mi cuenta>Perfil>Acceso API y damos de alta una nueva API, donde solicitamos nuestras credenciales.
2. Ya desde el Panel de administración de nuestra tienda Magento, debemos acceder a Sistema>Configuración>PayPal.
3. Activamos la opción de **Express Checkout**.
4. En la pestaña API/Integration Settings copiamos todos los datos que hemos dado de alta en nuestra cuenta de PayPal.

De esa forma tan sencilla ya tendríamos dado de alta en nuestra tienda la opción de pago *express* a través de PayPal.

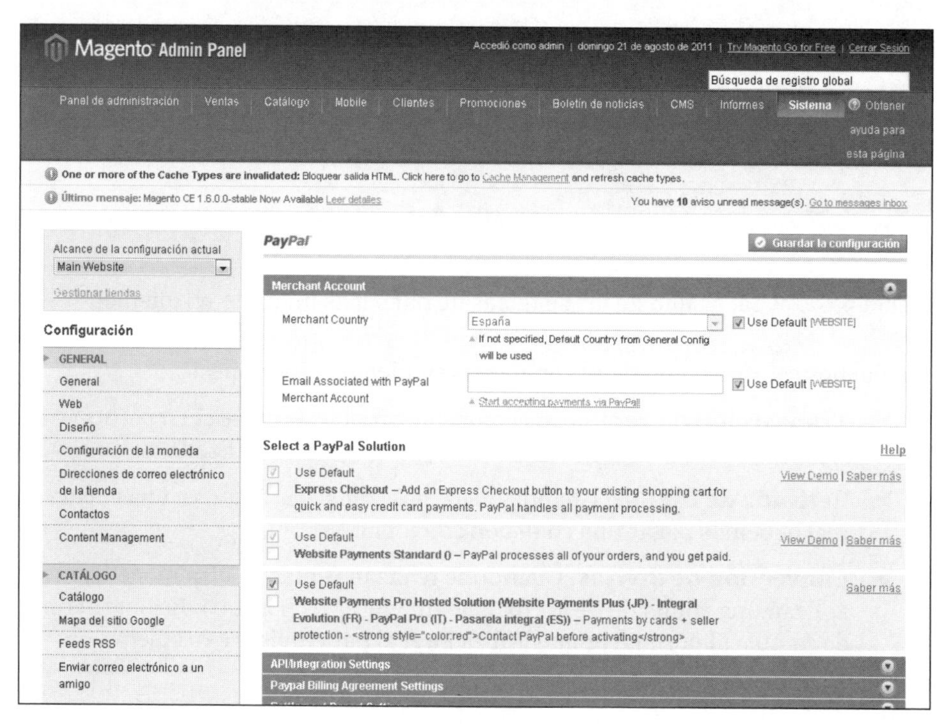

Figura 9.7. Configuración de Paypal en Magento.

Pagar con Tarjeta contratando un TPV Virtual

Las empresas procesadoras de pagos (SERMEPA, 4B, EURO6000) son entidades que tienen como función principal la administración tecnológica de las redes, procesos, y productos relacionados con los medios de pago electrónicos. En la práctica esto supone que cuando realizamos una operación de pago electrónico como sacar dinero de un cajero automático o realizar una compra con tarjeta, son estas empresas las que gestionan y autorizan dicha transacción, poniéndose en contacto si fuera necesario con el resto de redes.

En España históricamente han existido tres sociedades procesadoras de medios de pago:

- **Sermepa:** La más antigua y con mayor número de entidades adheridas, se constituyó en 1981 como filial de VISA España.
- **Redes y Procesos:** Se creó en 2008 como filial del sistema 4B. Éste sistema fue creado en 1974 por el Banco Santader, Banesto, Central e Hispano Americano para la emisión y gestión de sus tarjetas de pago.
- **Euro6000:** Es la plataforma utilizada por la Confederación Española de Cajas de Ahorros (CECA) para la gestión de sus medios de pago electrónicos.

Este tipo de negocio, necesita de grandes infraestructuras tecnológicas. Lógicamente, para conseguir optimizar el coste por transacción lo que necesitan es gestionar el mayor número de operaciones posibles. Por ello, y coincidiendo con el lanzamiento del nuevo escenario europeo que para los medios de pago supondrá la SEPA, Sermepa y Redes y Procesos se fusionaron en una nueva entidad denominada Redsys en mayo de 2010.

Para hacernos una idea del volumen de negocio conjunto que esto supone, esta sociedad gestiona más de 3.000 millones de transacciones anuales, unos 60 millones de tarjetas y 1 millón de Terminales Punto de Venta (TPV).

Dentro de los servicios que ofrecen las procesadoras de medios de pago para los bancos (y que estos luego nos ofrecen a nosotros) se encuentran las pasarelas virtuales de medios de pago electrónico (más conocidas como TPV Virtual) que nos permiten aceptar pagos con tarjeta en nuestra tienda *on-line*.

Cuando nos acercamos a una oficina de una Entidad Financiera para solicitar un TPV Virtual, no debemos sorprendernos si la persona que nos atiende posee un conocimiento tecnológico limitado. Al fin y al cabo, no debemos esperar encontrarnos con expertos en *e-commerce* sino con personas que nos ayuden a contratar el servicio que necesitamos para aceptar pagos a través de Internet.

Figura 9.8. Redsys ofrece servicios de TPV Virtual a sus clientes.

La mayoría de las cajas y bancos españoles poseen departamentos especializados en *e-commerce* donde sí disponen de personas con esos conocimientos. Son ellos los que definen las políticas comerciales que posteriormente siguen los gestores que nos atenderán en la oficina.

Actualmente, se está potenciando las pasarelas de pago de comercio electrónico seguro (*Verified by VISA* y *MasterCard SecureCode*) que se han desarrollado para reducir el fraude con tarjetas de crédito. Para ello, se le solicita al cliente un código secreto que se utiliza como firma de la operación, y de esta forma certificamos que la tarjeta efectivamente le pertenece, por lo que el cliente no podrá posteriormente rechazar el cargo (es lo que se conoce como operación no repudiable).

El gran inconveniente de activar el comercio electrónico seguro es que complicamos el proceso de pago, por lo que un porcentaje de los clientes se nos caerán de la operación (algunos estudios estiman que más de un 40 por 100).

En general, para una tienda que está comenzando en Internet, una combinación de PayPal y TPV con comercio electrónico seguro puede ser suficiente. Sin embargo, para aquellos que no pueden permitirse perder ninguna operación de venta, y que están dispuestos a asumir los riesgos de fraude que ello pueda suponer, existen otra serie de alternativas que, una vez superado el filtro de la oficina, y siempre que se cumplan con los requisitos que exigen los departamentos especializados, nos podrán ofrecer (como por ejemplo eliminar la opción de comercio electrónico seguro).

Aunque cuando estamos empezando a realizar ventas por Internet el fraude en los pagos no parece muy importante, cuando adquirimos un cierto volumen y especialmente si nuestros márgenes son bajos, hay que prestar especial atención a la reducción del fraude en nuestra tienda *on-line*.

Los TPVs Virtuales que han desarrollado las procesadoras de pago, ya poseen ciertos sistemas básicos de prevención del fraude, algunos bancos incluso han personalizado dichos TPVs para incluir nuevos niveles de control (a cambio, esto complica la integración posterior con nuestra tienda *on-line*).

Cómo funciona un TPV Virtual

Los pasos del proceso de pago en una tienda *on-line* utilizando un TPV Virtual son los siguientes:

1. El comercio envía los datos identificativos del pedido del cliente (entre ellos el identificador de la transacción, el importe y el nombre del comercio) a los sistemas del procesador de pago (que a partir de ahora llamaremos TPV Virtual).
2. El TPV Virtual se pone en contacto con el cliente y le solicita su número de tarjeta y la fecha de caducidad de la misma. Este intercambio de mensajes es entre el TPV Virtual y el cliente, la tienda no recibe en ningún momento los datos de la tarjeta del usuario.
3. El TPV Virtual se pone en contacto con la entidad financiera emisora de la tarjeta.
4. En caso de comercio electrónico seguro, al cliente se le solicita un código secreto para validar su identidad. En otras ocasiones se puede realizar esta verificación por otros métodos como una llamada telefónica.
5. Una vez el TPV Virtual recibe la autorización por parte de la entidad emisora del medio de pago, comunica a nuestra tienda el resultado de la operación (aceptada o denegada).

La contratación de un TPV Virtual conlleva la asunción de una serie de costes por nuestra parte, especialmente:

- **Comisión por transacción:** Por cada operación de venta que realicemos la Entidad Financiera se quedará con un porcentaje, cuyo importe dependerá del tipo de sector en el que estemos operando, nuestro volumen y capacidad negociadora, etc. Algunas entidades han comenzado a lanzar un servicio de tarifa plana, que siempre que alcancemos un volumen mínimo de venta, puede ser interesante.

- **Integración técnica:** En general, la integración de un TPV Virtual, nos va a exigir cierto grado de intervención tecnológica, para lo que necesitaremos contratar algún tipo de servicio técnico que nos configure la pasarela de pagos.

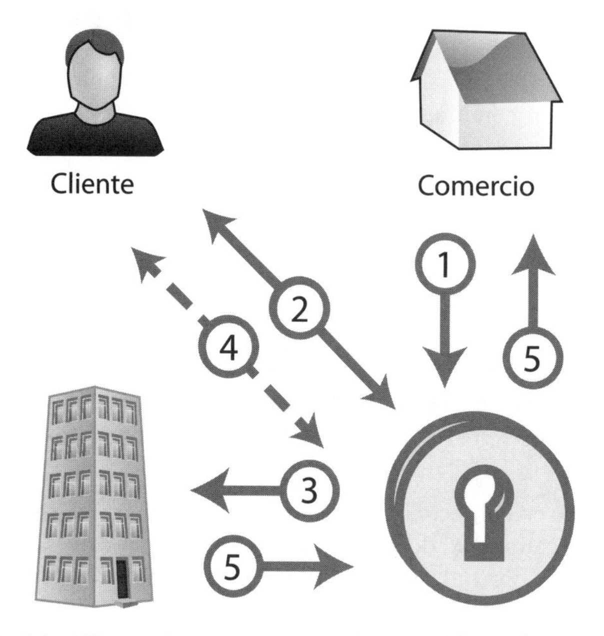

Figura 9.9. Gráfico de funcionamiento de un TPV Virtual.

Cómo integrar un TPV Virtual en Magento

Magento pone a disposición de sus usuarios un mercado de módulos informáticos (denominado Magento Connect), desarrollados para ampliar la funcionalidad de su plataforma básica.

Habitualmente dichos módulos son gratuitos, aunque en ocasiones se puede cobrar un pequeño importe por aquellos módulos más complejos o que aportan un mayor valor.

La instalación de estos módulos es muy sencilla y se realiza directamente a través del Panel de Administración de nuestra tienda Magento, sin que sea necesario realizar ninguna programación.

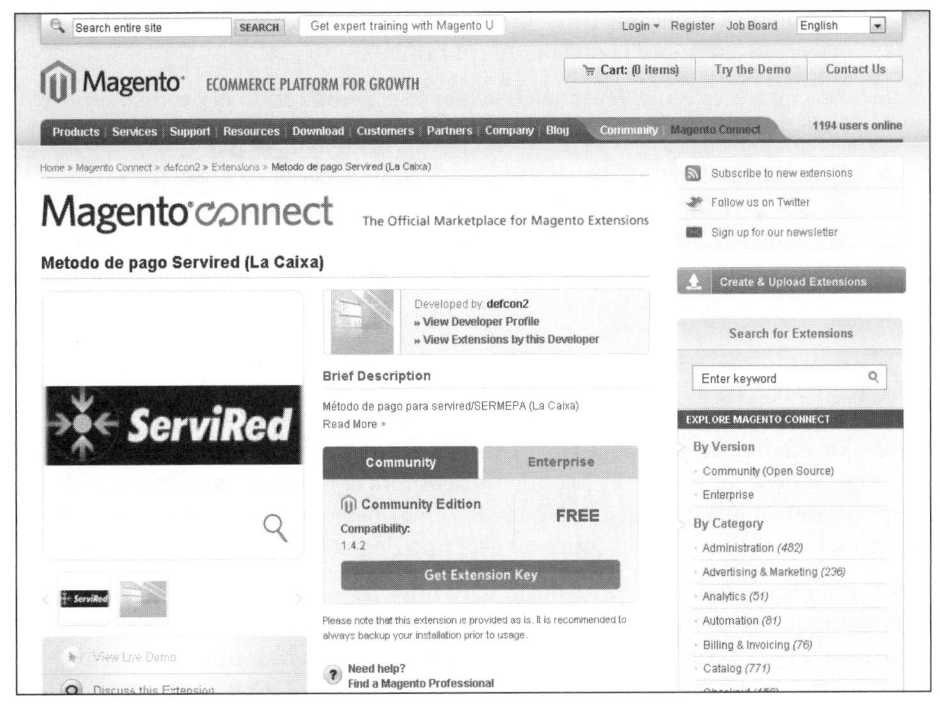

Figura 9.10. Integración de un TPV Virtual en Magento.

Todos los módulos se instalan de una manera similar, vamos a mostrar como ejemplo la forma de integrar una pasarela de pago de Redsys:

1. Acceder a la página web de Magento Connect.
2. Realizar la búsqueda del módulo de Pasarela de Pagos que se adapte al que hayamos contratado (en este caso, Redsys).
3. Dentro de la página de la extensión podremos leer la descripción del módulo seleccionado. Una vez hayamos comprobado que se ajusta a nuestras necesidades seleccionamos la opción Get extensión key (Obtener código de la extensión).
4. Nos mostrarán una página de aceptación de las condiciones del módulo, que una vez aceptadas nos proporcionará una dirección de Internet (URL) que deberemos guardar.
5. Ya con nuestra URL, entramos al panel de administración de nuestra tienda virtual.
6. Seleccionamos la opción de menú: Sistema>Magento Connect>Magento Connect Manager.

7. Pegamos la dirección URL que hemos guardado en el paso cuatro y hacemos clic sobre la opción de **Instalar**.
8. Nos aparecerá una ventana en la que se irá mostrando el proceso de instalación.
9. Una vez finalizado el proceso, ya podremos acceder desde el panel de control a las nuevas opciones de parametrización del módulo que acabamos de instalar en nuestro sistema. Es en este formulario donde debemos dar de alta los datos que nos ha proporcionado previamente nuestra entidad bancaria.

MICROPAGOS

Todos los medios de pago anteriores se definieron para pagos por encima de los 6 Euros. Si deseamos ofrecer productos de importe inferior (los denominados micropagos) en nuestra tienda debemos saber que actualmente no existe una solución electrónica para el cobro de este tipo de productos a través de Internet.

Las Entidades Financieras intentaron hace unos años lanzar una tarjeta de chip prepago (que casi nadie recuerda) que intentaba cubrir este tipo de productos y sustituir el pago con dinero en metálico, pero tuvieron bastante poco éxito. Algunos dicen que las nuevas tecnologías NFC (*Near Field Communication*) integradas en el móvil cubrirán este nicho de mercado. Básicamente consiste en un sistema que permite pagar acercando nuestro móvil al TPV de las tiendas, y que ya se utiliza con éxito en Japón como sistema de monedero electrónico y servicios como el transporte público.

Sin embargo, el sistema de pago electrónico más utilizado actualmente para productos de menos de 6 Euros son los SMS Premium.

Los SMS Premium, son un sistema de pago que ofrecen las operadoras de telefonía en el que cobran un importe a los clientes por los mensajes que envían a ciertos números cortos de móvil con el objetivo de comprar un producto. Dichos ingresos se comparten con las empresas que sirven dicho producto a los clientes (normalmente contenido digital como vídeos, juegos de móvil, etc.). Este servicio, que se hizo famoso en los programas de televisión y radio como método de interacción con sus espectadores, goza desde el 27 de noviembre de 2009 de una nueva regulación.

Dicha regulación pretende definir el importe máximo que pueden gastar los clientes en este servicio, así como definir un sistema claro de numeración asociado a su coste.

A partir de ahora los números cortos poseerán cinco o seis dígitos y tendrán un coste máximo de 6 Euros. A partir de esta nueva regulación ya no se permite la concatenación de mensajes SMS para recibir un servicio.

Se han habilitado los siguientes números en función de su destino:

- **Mensajes ocasionales y promociones:** Números de 5 cifras que en función de su coste comienzan por 25 o 27 (hasta 1,20 Euros + IVA) o por 35 y 37 (pueden alcanzar los 6 Euros + IVA).
- **Suscripciones:** Que engloban todos los servicios de alertas Premium constan de 6 dígitos y comienzan por 795 o 797 (hasta 1,20 Euros + IVA).
- **Adultos:** Constan de 6 dígitos y comienzan por 995, 997 o 999 (coste hasta 6 Euros + IVA).
- **Beneficencia:** Gozan de una fiscalidad distinta, con 5 dígitos y comienzan por 280.

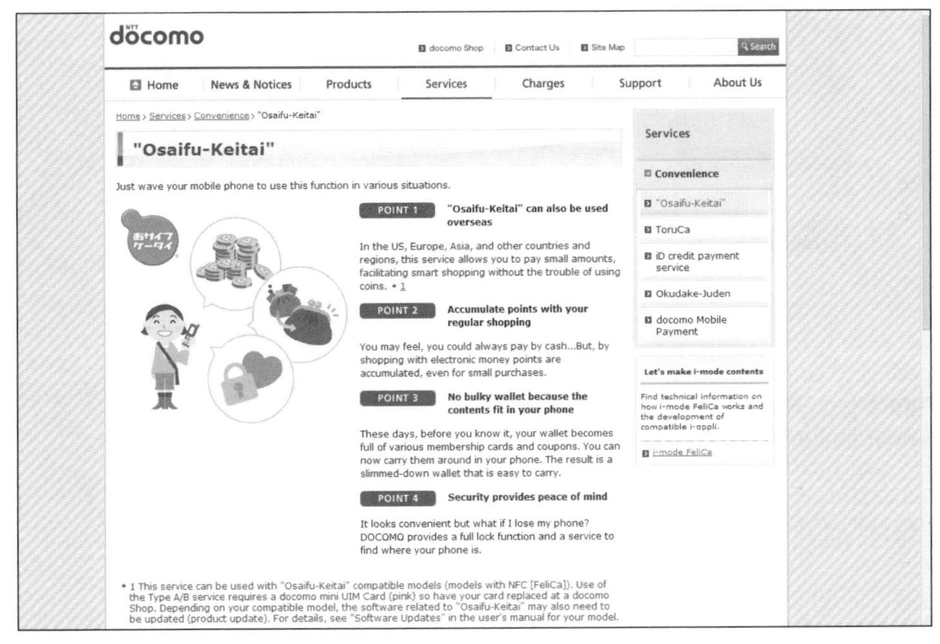

Figura 9.11. NTT Docomo lleva años ofreciendo pagos NFC integrados en el móvil.

Esta nueva regulación ha complicado el proceso a seguir para el pago mediante este sistema, ya que si el coste es superior a 1,20 Euros, el cliente debe confirmar que desea el servicio enviando un SMS gratuito y en el caso en el que éste no conteste no se puede volver a contactar con el cliente para intentar recuperar la venta, sino que hay que asumir que no desea participar.

Además, en el caso de impago por parte del cliente, la nueva regulación no permite a las operadoras darle de baja de la línea, sino que como mucho únicamente podría cortarle el servicio.

Todos estos aspectos, provoca que el mercado del pago electrónico de productos de importe inferior a 6 Euros sea muy complejo, ya que existen multitud de riesgos para las partes y complejidades operativas que impiden la venta por impulso.

Figura 9.12. Netsize ofrece una plataforma de gestión de mensajes SMS Premium.

CONTROL DEL FRAUDE EN NUESTRA TIENDA *ON-LINE*

Como comentábamos anteriormente, una vez adquirimos cierto volumen de ventas, el nivel de fraude pasa a convertirse en una de nuestras grandes prioridades, por lo que debemos tener claras una serie de pautas de actuación que nos permitan reducir nuestro riesgo, a partir de los pocos datos que, en principio poseemos de nuestros clientes y sin que este análisis complique nuestra operativa.

En general, el fraude con tarjetas de crédito se produce cuando éstas son utilizadas por personas que no son sus legítimos dueños, aunque también puede producirse cuando el cliente decide repudiar el pago afirmando que él no ha realizado ninguna operación asociada a dicho cargo (lo que es muy difícil de demostrar siempre que la operación no haya sido firmada con Comercio electrónico Seguro).

Si el banco detecta que hemos tenido un volumen alto de devoluciones de pago, podemos incluso perder nuestra cuenta por criterios de riesgo, lo que complicaría enormemente conseguir una pasarela de pagos en el futuro.

Para evitar este tipo de fraudes detallamos a continuación las medidas de filtro más comunes (también denominado *Screening*) que deberemos llevar a cabo en nuestra tienda *on-line*:

- **Solicitar el número de verificación CVV:** Es un código de seguridad que se añade a las tarjetas. En las tarjetas VISA consta de tres dígitos y se encuentra escrito en la parte trasera de la tarjeta, mientras que en las tarjetas MasterCard consta de 4 dígitos y se encuentra situada sobre el número de la misma. Este tipo de información es mucho más complicada de obtener por los ciberdelincuentes, ya que les obliga a tener acceso físico a la tarjeta, por lo que esta medida reduce enormemente el fraude.
- **Verificar la dirección del cliente:** Cuando la dirección de la tarjeta del cliente no coincide con la de envío, es una señal de que debemos analizar con mayor profundidad esa venta. Siendo cierto que en ocasiones quién paga no es la misma persona que recibe el producto, no deja de ser cierto que una comprobación adicional nos permitirá reducir el riesgo. Una simple llamada de comprobación puede ser la solución más eficaz en este caso.
- **Evitar ventas a ciertos países:** Las ventas internacionales implican un mayor riesgo que las realizadas en España, especialmente en aquellos países en los que el nivel de fraude es muy alto (en general todos aquellos países en vías de desarrollo).
- **Informar del nombre de nuestra empresa:** Es posible que el nombre de nuestra empresa no coincida con el de nuestra tienda *on-line*. Esto puede provocar que el cliente al recibir el extracto bancario, observe un cargo extraño y rechace la operación. Por ello es importante mostrar al cliente en el momento que realiza el pedido con qué denominación social se procederá a cargar sus compras en la tienda.
- **E-mails sospechosos:** En Internet existen multitud de opciones para crear una dirección de e-mail, algunas incluso te permiten crear una dirección de e-mail temporal sin registrarse (por ejemplo `tempinbox.com`). Un buen sistema de filtrado de las más conocidas y solicitar al cliente que nos indique un e-mail alternativo, nos permitirá reducir enormemente el fraude.
- **Albarán de entrega:** Es importante que la empresa de transporte solicite al cliente que firme el albarán de entrega e indique su DNI en el mismo. Este documento debemos recibirlo escaneado para evitar problemas futuros en los que el cliente nos reclame que no ha recibido la mercancía.

- **Productos caros:** Pedidos de un alto valor, o que reúnen los productos más caros de nuestra tienda, exigen que dediquemos un cuidado especial a su verificación, ya que un caso de fraude puede poner en peligro una gran parte de nuestro margen. Por ello, una llamada de cortesía siempre es recomendable en estos casos.
- **Envío rápido:** En ocasiones el cliente nos presiona para recibir el producto con urgencia. Esto nos puede hacer sospechar que sus verdaderas intenciones es que no tengamos suficiente tiempo para realizar todas las comprobaciones de riesgo oportunas.
- **Dirección sospechosa:** Cuando el cliente nos solicita realizar una entrega en algún lugar que nos parezca extraño, como dejarlo en un apartado de correos o en el portal para que él lo recoja posteriormente, puede suponer que no nos ha proporcionado una dirección verídica.

En los casos en los que veamos que tenemos alguna sospecha debemos intentar ponernos en contacto con el cliente y tratar de recabar la mayor cantidad de información posible, que nos permita comprobar que, efectivamente, ese medio de pago le pertenece.

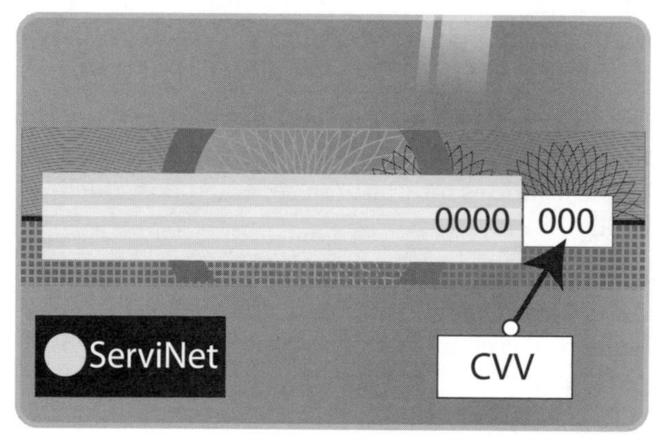

Figura 9.13. Verificación del CVV de la tarjeta.

Empresas de gestión de riesgo

Existen muchas empresas que desarrollan productos para la gestión del riesgo en transacciones de venta *on-line*, estas compañías suelen utilizar programas que analizan determinados comportamientos de riesgo, y cruzan su información con diversas bases de datos de posibles usuarios fraudulentos. También utilizan sistemas algo más afinados para comprobar la identidad de los clientes, no solamente utilizando los datos que ellos nos envían a través de los formularios sino de la información que envían navegando por Internet como su dirección

IP (lo que les permite averiguar desde qué país se origina la petición). La contratación de este tipo de servicios es absolutamente conveniente para páginas con un volumen de transacciones elevado, ya que ayudan a reducir el fraude.

TPV con sistemas de gestión de riesgo integrado

Una queja bastante común entre los vendedores de Internet es lo complejos y anticuados que se han ido quedando los TPV virtuales de los bancos tradicionales, sobre todo si los comparamos con otras soluciones alternativas, más potentes y sencillas de integrar. Sin embargo, parecen que las grandes Entidades financieras españolas por fin están despertando de su letargo y un buen ejemplo de ello es el acuerdo que el banco Santander ha alcanzado con Elavon para ofrecer servicios avanzados de medios de pago a los comercios.

Ciertamente, su nuevo TPV Virtual, aún en fase de pruebas, tiene muy buen aspecto y promete solucionar algunos de los problemas más comunes a la hora de aceptar pagos en Internet.

- Sistema de control del fraude integrado en el propio TPV
- Permite lanzar pagos con datos de tarjeta recibidos por vía telefónica
- Mantiene una agenda centralizada de clientes
- Habilita pagos planificados en el tiempo

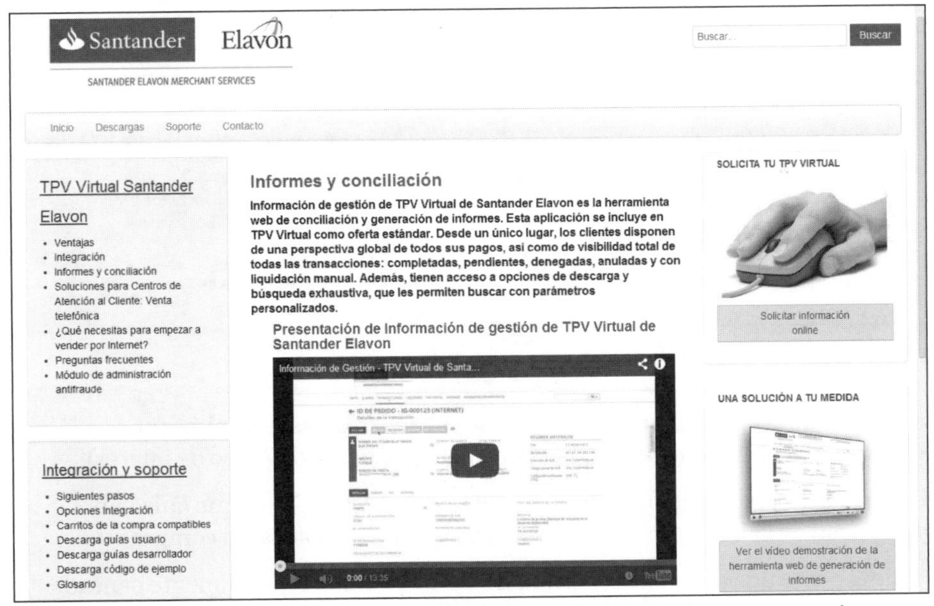

Figura 9.14. Santander Elavon ha lanzado un nuevo TPV que integra control del fraude.

Sin duda, este tipo de evoluciones permitirán desarrollar nuevos servicios de venta por Internet. A pesar de que todavía hoy sigue siendo un proceso lento y burocrático conseguir que autoricen a un pequeño cliente la posibilidad de aceptar pagos por Internet, los grandes bancos por fin parecen dispuestos a aceptar que en el futuro muchos comercios serán exclusivamente *on-line* y que tendrán que adaptar sus sistemas de control de riesgos para ser más flexibles y rápidos a la hora de dar de alta a sus clientes en este tipo de herramientas.

FINANCIACIÓN (COFIDIS)

Cofidis es una empresa que se ha especializado en la tramitación y concesión de créditos a distancia. Los clientes únicamente deben simular el tipo de préstamo que desean, indicar unos mínimos datos (DNI, cuenta y datos de nómina) y en un plazo de minutos, el cliente ya sabe si tiene concedida la operación.

Figura 9.15. Servicio de financiación de Cofidis.

A cambio de esta flexibilidad, los intereses suelen ser bastante altos (una simulación de 1.000 Euros a 12 meses ronda el 20 por 100 de tipo de interés).

Es una opción para aquellos clientes que sean solventes, pero que quizá no dispongan de la liquidez necesaria en el momento de realizar la compra.

Cofidis posee una solución denominada Cofidis *on-line* especialmente pensada para las tiendas *on-line* que permite a los clientes la consulta de financiación inmediata, en el mismo momento en el que se realiza la compra.

Para integrar este sistema es necesario que rellenemos un formulario de solicitud disponible en la web de Cofidis accesible desde Empresas Partner>Formulario de Solicitud.

Una vez rellenado se ponen en contacto para acordar con nosotros el tipo de integración a realizar.

Integrar Cofidis en Magento

En Magento Connect está disponible un módulo gratuito para la integración de los medios de pago financiados de Cofidis desarrollado por ZhenIT Software.

Para instalarlo debemos seleccionar la última versión que hayan desarrollado, seleccionando dentro de la pestaña Releases la más actualizada.

Una vez obtenida la clave de la extensión ("**Extensión key**") procedemos a instalar el módulo a través del panel de administración de Magento tal y como describimos para la instalación del TPV Virtual de Redsys.

INCLUIR LOS IMPUESTOS AL PRECIO DEL PEDIDO

En España existen varios tributos de naturaleza indirecta que gravan el consumo de bienes y servicios, en función del ámbito territorial:

- **Península y Baleares:** Denominado Impuesto sobre el Valor Añadido (IVA), que supone el 21 por 100 en su tasa normal o del 4 por 100 al 10 por 100 en su tasa reducida.
- **Canarias:** El Impuesto General Indirecto Canario (IGIC) es un tributo estatal similar al IVA pero con unos tipos impositivos inferiores suponiendo un 7 por 100 su tasa normal y el 0 por 100 la tasa reducida. Este impuesto se paga en el momento del despacho de la mercancía en la aduana, siendo el importador en Canarias el que liquidará el IGIC correspondiente. Por ello, en nuestra venta no reflejaremos el importe de este impuesto.
- **Ceuta y Melilla:** La tasa equivalente en estas ciudades es el Impuesto sobre la Producción, los Servicios y la Importación (IPSI). El tipo impositivo más común es el 10 por 100, pudiendo alcanzar en determinados productos el 2 por 100.

Estos impuestos en el fondo suponen un incremento del importe que deben pagar nuestros clientes, y por ello debemos tenerlos en cuenta a la hora de fijar unos precios que los clientes estén dispuestos a pagar por nuestros productos.

Para configurar estos impuestos en nuestra tienda Magento, debemos seguir los siguientes pasos:

1. Acceder al Panel de Administración de nuestra tienda Magento.
2. Seleccionar la opción Ventas>Impuestos>Impuestos al producto y damos de alta un nuevo tipo de impuesto al que denominaremos IVA.
3. Como este impuesto aplicará a todos nuestros clientes, en la opción Ventas à Impuestos à Impuestos al cliente crearemos una nueva clase denominada **Clientes** que representará a todos los compradores en nuestra web.
4. El IVA únicamente aplica a la península y Baleares, mientras que Canarias, Ceuta y Melilla están exentas. Esta información debemos reflejarla en la opción Ventas>Impuestos>Gestionar tasas y zonas de impuestos, donde añadiremos un nuevo tipo impositivo denominado España con una tasa del 21 por 100 y un registro por cada una de las provincias exentas (Las Palmas, Tenerife, Ceuta y Melilla) donde indicaremos la exención mediante un tipo del 0 por 100.
5. Toda esta información debe relacionarse entre sí mediante la creación de una regla de impuesto, funcionalidad a la que podemos acceder en Ventas>Impuestos>Gestionar Reglas de Impuestos.

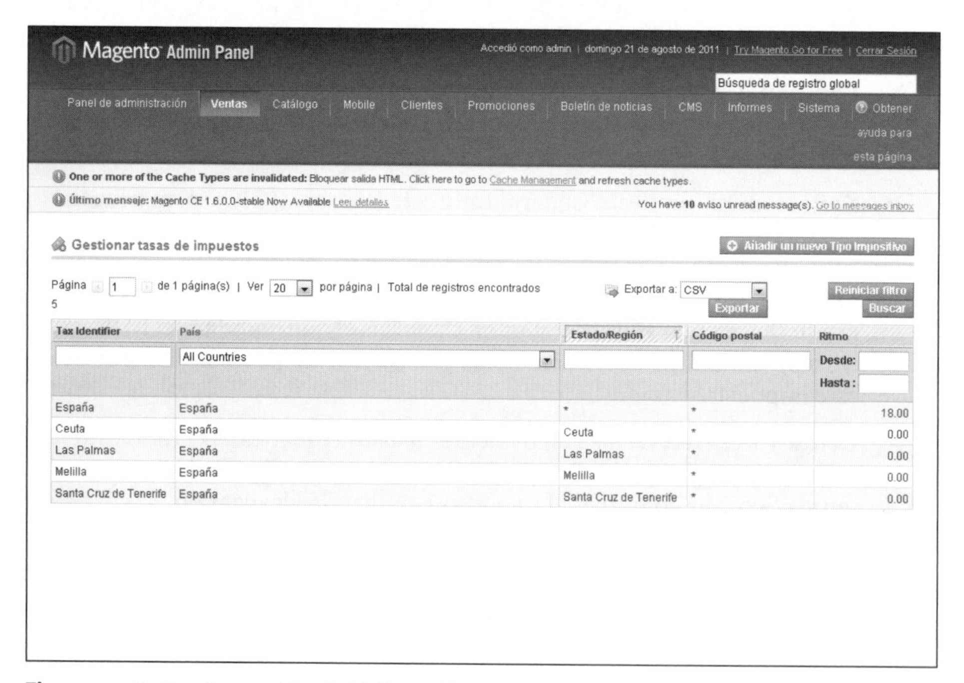

Figura 9.16. Configuración del IVA en Magento.

6. Creamos una nueva regla a la que llamaremos "**IVA**". En cada uno de sus campos de entrada incluiremos las tasas y clases que hemos creado en los pasos anteriores.
7. Tras esta configuración, ya tenemos dado de alta el tipo impositivo del 21 por 100 para todas las provincias de España excepto aquellas a las que hemos definido como exentas.

A lo largo de este capítulo hemos visto diferentes técnicas para mejorar el contenido y presentación de nuestro catálogo de productos. Sin duda lo más importante a lo largo de todo este proceso es no perder el foco en el cliente. Debemos realizar un esfuerzo importante en entender qué es lo que los usuarios esperan encontrar en nuestra tienda, cuáles son las dudas que les pueden surgir antes de comprar uno de nuestros productos y proporcionarle toda la información necesaria para ayudarle a tomar su decisión de compra.

Para saber más:

- Método de pago PayPal:

  `http://www.paypal.com/`
- Redsys:

  `http://www.redsys.es`
- CECA:

  `http://www.ceca.es`
- Euro6000:

  `http://www.privilegioseuro6000.com`
- RedSys:

  `http://www.redsys.es`
- Google Wallet:

  `http://www.google.com/wallet/`

Parte III

Desarrollo del negocio

"EL SECRETO DE MI ÉXITO ESTÁ EN PAGAR COMO SI FUERA PRÓDIGO Y EN VENDER COMO SI ESTUVIERA EN QUIEBRA."

Henry Ford. Inventor y Empresario

10. Corra la voz, promoción, promoción, promoción

En este capítulo aprenderemos:

- Ideas para captar a nuestro primer cliente.
- Herramientas para dar a conocer nuestra tienda.
- Métodos para vender en las redes sociales.
- La forma de redactar correctamente una nota de prensa.

Siempre he pensado que captar clientes es muy similar a ir de pesca. Antes de salir ya habremos estudiado el tiempo que va a hacer, dónde están situados los mejores "caladeros" de peces, qué anzuelo vamos a utilizar, cómo evitar que se escapen cuando hemos conseguido que "piquen"... De todo este proceso aplicado a nuestra tienda *on-line*, es de lo que vamos a hablar a lo largo de este capítulo.

Debemos tener en cuenta que toda pesca comienza siempre de la misma manera: capturando un primer pez.

PESCANDO A NUESTRO PRIMER CLIENTE

Un compañero de trabajo que había desempeñado altas funciones en una red comercial, me explicaba siempre que la mejor forma de captar clientes es tejer una buena red. ¿En qué consiste? El proceso es muy sencillo, debemos conseguir a nuestro primer cliente de entre las personas de nuestra confianza (un amigo, alguien que nos recomiende...) y lograr cubrir sus necesidades, no hay que parar hasta dejarle satisfecho.

Cuando este cliente vaya a agradecernos las gestiones que hemos realizado de forma tan sobresaliente, le pediremos que "corra la voz" recomendando nuestros servicios a alguno de sus amigos y personas de confianza.

Normalmente cuando un cliente está satisfecho no le cuesta contárselo a sus amigos y pronto veremos como los clientes van llegando. Al inicio, los clientes llegarán lentamente, pero al cabo de un tiempo, según la red vaya creciendo, el número de clientes que captemos se incrementará exponencialmente.

Esta teoría, que en esencia es la que subyace en el crecimiento tan enorme que han tenido las redes sociales, es la que se ha aplicado toda la vida a la captación de clientes en cualquier negocio.

Por ello, una vez llegados a este punto todos nuestros esfuerzos deben ir centrados en captar a nuestro primer cliente.

CÓDIGOS PROMOCIONALES

Nuestra tienda ya está diseñada, con todos sus productos dados de alta, ya hemos habilitado el sistema de pago... ¡ya la tenemos lista para funcionar!

Entonces nos sentamos delante de nuestro ordenador a esperar...y no entra nadie. Pero, ¿cómo va a entrar alguien en nuestra web si no la conocen?

Lo primero que debemos hacer es contar a nuestro entorno más cercano lo fantástica que es nuestra web. Para que dicho contacto sea natural y les impulsemos a utilizar nuestra tienda, no hay mejor herramienta que la emisión de vales promocionales.

Un vale promocional no es más que un cupón descuento en forma de código, que nuestros clientes podrán teclear en nuestra tienda en el momento de realizar el pago del pedido. De esta forma, el sistema detecta que debe aplicar un determinado descuento que anteriormente hayamos definido en el sistema.

Dar de alta un vale promocional en Magento

Magento ofrece la posibilidad de incluir este tipo de cupones descuento en función de una serie de reglas que podemos definir:

- Descuento en porcentaje del precio.
- Descuento en importe absoluto del precio.
- Compre un artículo y consiga otro gratis.
- Gastos de envío gratuitos.

En estos descuentos podemos definir los productos a los que aplica, el rango de fechas entre los que estará activo, así como el número de usos totales y por cliente de los códigos.

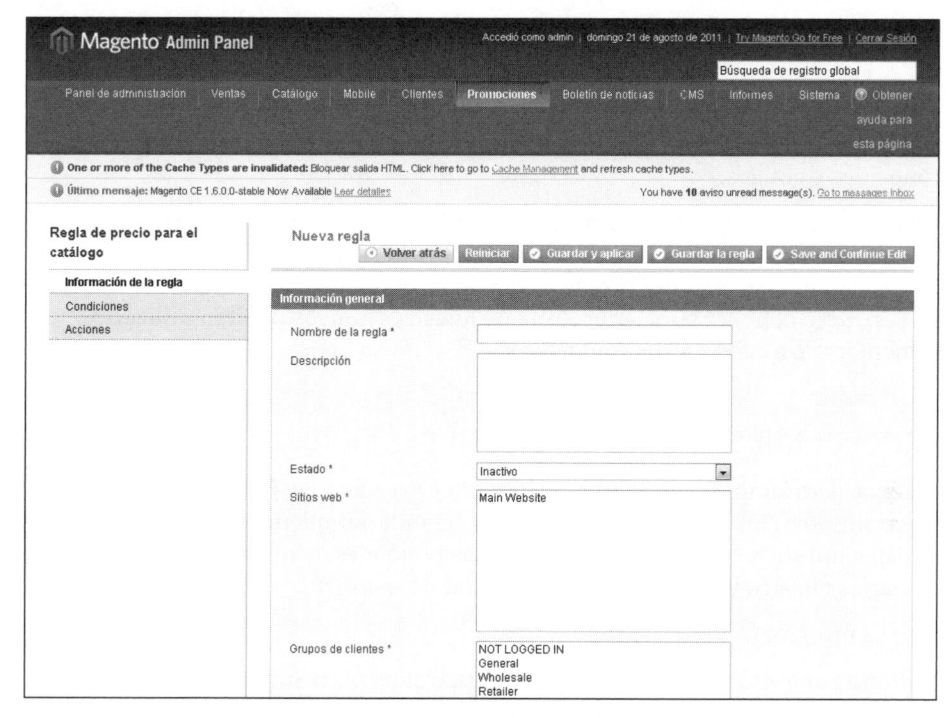

Figura 10.1. Configuración de un vale promocional en Magento.

Este sería un ejemplo de los pasos a seguir para configurar un código de descuento:

1. Debemos acceder al Panel de administración de nuestra tienda *on-line* y seleccionar Promociones>Reglas de precios de carrito de compras.
2. Seleccionamos la opción de **Agregar nueva regla**, que se encuentra en un botón situado en la esquina superior derecha de la pantalla.
3. Nos aparece un formulario donde debemos editar la información de la regla, incluyendo su nombre, los usuarios a los que se dirige, las características y el código del cupón promocional (para este ejemplo utilicemos '123456').
4. Seleccionando la opción del menú de la izquierda denominado Condiciones podemos, si así lo deseamos, añadir filtros para la aplicación del descuento. En este caso lo dejamos tal y como aparece por defecto.

5. Ya solamente nos queda definir el tipo de descuento que vamos a aplicar cuando se reconozca el cupón de las diferentes clases habilitadas que comentábamos anteriormente (porcentaje, importe, envío gratuito, etc.).
6. Guardamos la regla para terminar el proceso de alta del cupón de descuento.

Una vez dado de alta, ya disponemos de un cupón descuento habilitado que podremos utilizar para promocionar nuestra página web entre nuestros conocidos y amigos.

Una técnica muy sencilla para promocionar la web es generar un cupón descuento del 10 por 100 durante un determinado período de tiempo de lanzamiento. Este período no debe ser muy amplio (nunca mayor a tres meses), pero debe ser suficiente para que nuestros amigos puedan utilizarlo y comentárselo a su vez a sus contactos.

Entregar nuestros cupones promocionales

Muchos podríamos pensar que actualmente y gracias a las redes sociales hacer llegar nuestro cupón de descuento es muy sencillo, simplemente mandar un e-mail a nuestros contactos presentando las bondades de nuestra tienda y enviarles nuestro vale promocional invitándoles a usarlo.

¡Eso es un error!

Recuerda que estamos en el proceso de captar nuestro primer cliente, que debe ser quién haga nacer y crecer nuestra red. ¿Hace cuanto tiempo que no llamas por teléfono a tus amigos? ¿No te apetecería hablar con ellos? Este momento es una excusa genial para ponerte en contacto con ellos y ver qué tal les va, hablar con ellos de multitud de temas y, de paso, presentarles tu tienda y tener un detalle entregándoles un código de promoción en persona.

A pesar de que puede llevar algo más de tiempo, el contacto humano es primordial, en primer lugar porque es divertido, y segundo porque hablar con tus amigos puede hacer crecer nuestras oportunidades de negocio y que ellos mismos nos recomienden a otra persona con quien hablar sobre nuestro proyecto. Además cuando tengan cualquier problema con nuestra tienda se sentirán más comprometidos para llamar y explicarnos qué incidencias han encontrado y cómo poder mejorarla.

Esquemas piramidales

Una vez hemos conseguido que nuestra red de contactos más cercana pruebe nuestro producto y se lo cuente a sus amigos, ¿cómo podríamos incentivar que estos se lo contasen a su vez a los suyos?

Sin duda, el mayor experto en este tipo de modelo comercial es la empresa Vorwerk, que comercializa entre otros productos la famosa Thermomix.

Vorwerk fue fundada en 1883 en Alemania por dos hermanos y por ello la empresa adquirió el apellido familiar (que sigue dirigiendo el negocio). Comenzaron por las alfombras para seguir con electrodomésticos que venden a través de canales directos.

En España, la red de ventas a través de agentes que han conseguido establecer les ha permitido vender más de 1 millón de aparatos.

Si analizamos las claves de su éxito veremos que tienen un grandísimo producto que ha ido evolucionando a lo largo del tiempo, un producto con mucho margen lo que permite remunerar bien a su red de ventas y una relación comercial basada en la confianza, ya que sus agentes dan charlas sobre el producto en los propios domicilios de los potenciales compradores, donde les explican de una manera amena y sencilla el funcionamiento del aparato de cocina.

En Internet existe un modelo similar denominado "Red de afiliación", este tipo de sistema permite publicitar nuestros productos o servicios a través de una red de webs o páginas afines al público de nuestra tienda y pagar un determinado importe en función de las ventas que dichos anuncios consigan.

Es una buena fórmula para buscar incrementar el número de clientes adheridos a nuestra red y no es incompatible con que establezcamos un esquema de agentes propio para nuestra web. ¿Por qué no crear un código promocional de apadrinamiento? Su funcionamiento sería el siguiente: proporcionamos un 5 por 100 de descuento a nuestro cliente y una remuneración del 5 por 100 al que nos lo haya presentado. Si no queremos realizar abonos en metálico, lo podemos acumular como un porcentaje de descuento adicional para estos captadores de clientes en próximas compras que nos hagan o en el envío de productos gratuitos.

El objetivo es provocar que nuestros usuarios nos presenten nuevos clientes que puedan incrementar nuestros beneficios sin altos costes en publicidad.

E-MAIL MARKETING Y BOLETINES DE INFORMACIÓN (*NEWSLETTERS*)

Una vez hemos conseguido potenciar nuestra red de clientes a través de nuestros contactos, es momento de potenciar nuestra relación con ellos a través del envío por e-mail de boletines de información periódica (*newsletters*) y tratar de captar nuevos clientes a través de e-mails promocionales.

Tal y como explicamos en el apartado legal, en la legislación española no está permitido el envío de e-mails a clientes que no nos hayan dado su consentimiento previo.

Los clientes pueden indicar de forma proactiva que no desean recibir comunicaciones comerciales dándose de alta en un servicio denominado "Listas Robinson". Esta lista es un servicio de exclusión publicitaria, que está gestionado por la Asociación Española de la Economía Digital.

Antes de enviar una comunicación publicitaria a un cliente, ya sea a través de su correo postal, e-mail o número de teléfono debemos contrastar que no se encuentren dados de alta en este servicio, para evitar enviar comunicaciones comerciales a clientes que no desean recibirlas.

Boletines de información (*newsletters*)

Siempre que un cliente navegue por nuestra tienda, debemos ofrecerle la oportunidad de estar informado de nuestros descuentos y nuevos productos. Para ello le ofreceremos la posibilidad de registrar su e-mail en nuestra web con fines publicitarios.

A estos clientes les enviaremos periódicamente (normalmente una vez al mes) un boletín informativo que recogerá las nuevas ofertas que hayamos colgado en nuestra tienda, así como información que pueda ser de su interés.

Para verificar que los datos que nos ha enviado el cliente son correctos y que efectivamente el e-mail que nos ha indicado es de su propiedad, debemos enviarle un mensaje de confirmación a su buzón de correo para validar la suscripción. Una vez haya confirmado el alta, ya podremos comenzar a enviarle el boletín de noticias.

Tal y como explicamos en el capítulo legal, es obligatorio facilitar el acceso, rectificación y anulación de los datos que nos han cedido para el envío del boletín. Por ello, es práctica común incluir un e-mail de contacto para darse de baja y dejar de recibir el boletín informativo.

Es importante que el e-mail del *newsletter* cumpla con los siguientes requisitos:

1. El contenido sea relevante para el lector y esté escrito con corrección gramatical y ortográfica.
2. El diseño sea agradable de leer y compatible con la mayoría de los sistemas de correo electrónico.
3. Tenga una equilibrada combinación de contenido informativo y comercial.
4. Todos los enlaces del mismo estén habilitados correctamente.
5. Debemos evitar por todos los medios que el cliente pueda considerar que la periodicidad de la *newsletter* es excesiva.

6. Cuanto más afinado esté el contenido a los intereses del lector, mejor. Podemos crear varias versiones del boletín en función de sub-segmentos de clientes que definamos.

Uno de los aspectos que debemos advertir a nuestros clientes es que, en ocasiones, las aplicaciones de correo electrónico pueden considerar nuestros envíos informativos como *SPAM*.

Por ello, deben revisar su bandeja de entrada y marcar el e-mail como seguro, para que en próximas ocasiones los boletines se reciban directamente en su bandeja de entrada.

Desde un punto de vista práctico, los pasos a seguir para poder crear y enviar una *newsletter* son los siguientes:

Seleccionar una herramienta de envíos masivos de e-mail

Aunque en la fase inicial de nuestra tienda, cuando aún no tengamos muchos usuarios, podemos enviar nuestros boletines directamente desde el e-mail de la empresa, la realidad es que a partir de cierto volumen de clientes realizar los envíos de e-mail de forma manual es inmanejable.

De hecho, la mayor parte de los sistemas de correo electrónico no nos permitirán realizar envíos masivos de e-mails, que además serán considerados como correo no deseado (también denominado SPAM).

En el mercado existen multitud de herramientas de calidad para el envío de *newsletters*, que nos permitirán además obtener estadísticas acerca del número de clientes que la han leído, con lo que tendremos información para ir afinando periódicamente nuestros envíos a los gustos de los lectores.

Algunas de las más conocidas son `mailchimp.com`, que ofrece un plan gratuito para 2.000 suscriptores y 12.000 e-mails mensuales (lo que en general será suficiente para la fase inicial de nuestra tienda) y `ConstantContact.com` que ofrece un período gratuito de 60 días.

Elegir el diseño de la *newsletter*

Lo primero que debe cumplir un buen diseño de boletín de noticias es que pueda accederse a él sin que sufra ninguna deformación de aspecto al abrirse en nuestra herramienta de correo.

Como no todos los clientes dispondrán de nuestra misma aplicación, debemos hacer pruebas en varias herramientas, para asegurarnos que el aspecto de nuestra *newsletter* siempre se mantiene con el formato deseado.

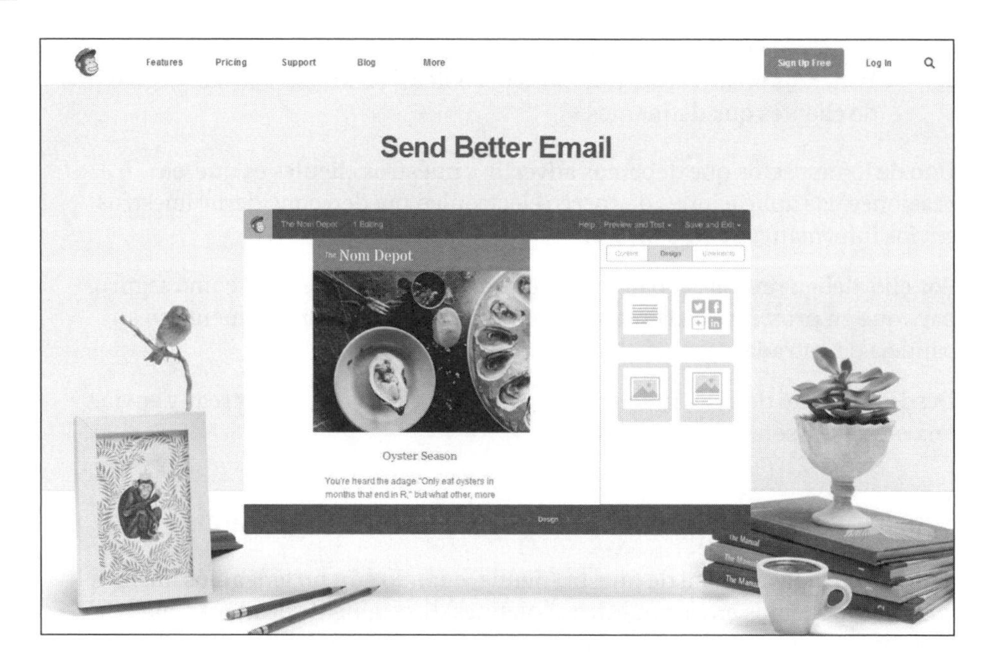

Figura 10.2. Mailchimp ofrece un servicio de envío masivo de Boletines informativos.

Para asegurarnos que incluso aquellos clientes que utilizan herramientas de lectura de e-mails muy antiguas pueden recibir nuestra *newsletter* deberíamos ofrecer la posibilidad de enviarla en un formato de texto o incluir un enlace a una versión *on-line* del boletín en nuestra web.

En la página web de themeforest podemos acceder a múltiples plantillas especialmente diseñadas para el sistema de envío masivo de correos electrónicos denominado mailchimp. Estos diseños se visualizan correctamente en los lectores de e-mail más comunes del mercado.

Elegir un buen asunto para nuestro mensaje

Debemos seleccionar un asunto que atraiga la atención del lector y que posea una extensión menor de 30 caracteres, ya que algunos sistemas de correo "cortan" el texto del asunto a esa longitud.

Lo mejor es que orientemos el asunto a aspectos que interesen al lector como "25 por 100 de descuento en el producto XX", "Pruebe gratis el producto YY" o "Trucos de verano para ponerse en forma".

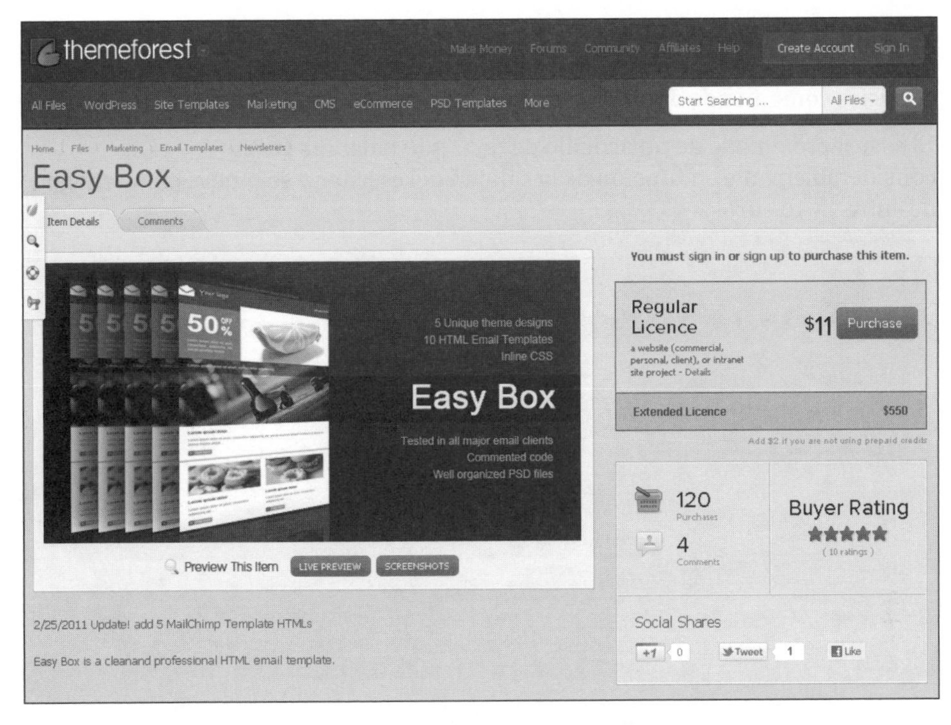

Figura 10.3. Es posible adquirir diseños de *newsletters* en themeforest.

Definir y elaborar el contenido

Crear un boletín de noticias periódico para nuestros clientes puede suponer una gran cantidad de trabajo.

Para que nuestra *newsletter* sea interesante para nuestros clientes no puede ser una simple recopilación de las ofertas que tenemos disponibles, sino que debemos incluir artículos informativos relacionados con los productos que estemos vendiendo.

El tipo de contenidos que un lector puede esperar encontrar en una *newsletter* son:

- Noticias relacionadas con el sector o nuestra tienda.
- Análisis de los productos que vayan surgiendo.
- Recomendaciones de expertos.
- Descuentos y promociones que vayamos actualizando en la tienda.

Para que la escritura de dichos contenidos no suponga una carga de tiempo demasiado importante, muchas empresas subcontratan esta tarea a través de servicios como `findablogger.net`.

El coste aproximado de un artículo de unas 300 palabras varía considerablemente en función de la calidad del escritor y se mueve en un rango de entre 2 y 10 euros.

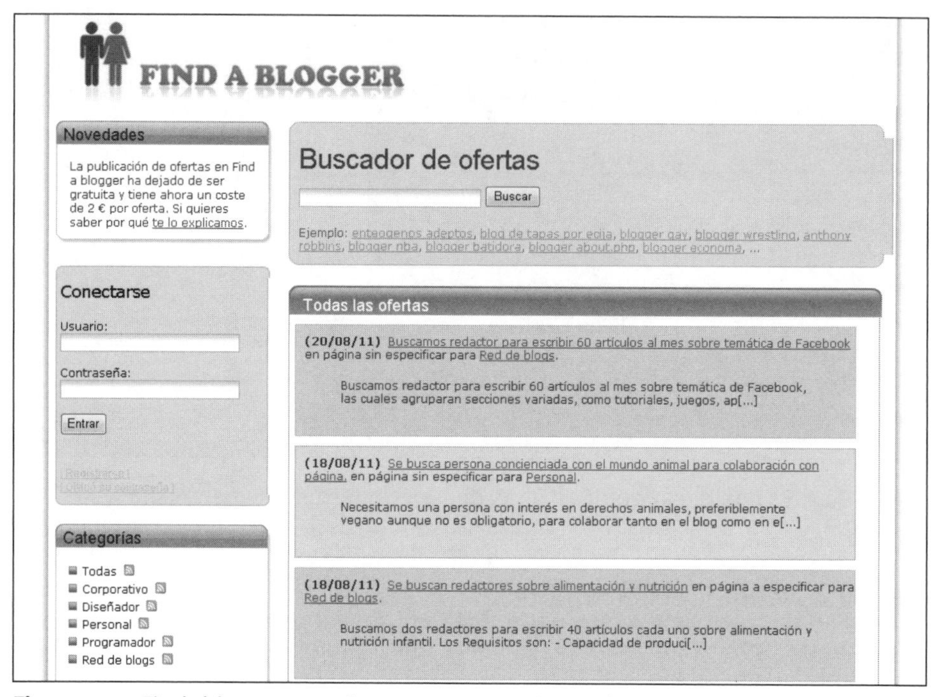

Figura 10.4. Findablogger permite contratar escritores freelance para nuestro boletín.

Algunas empresas en vez de crear un contenido específico para la *newsletter* lo que hacen es enviar un resumen de los artículos que periódicamente publican en su web con noticias, informaciones, etc. (lo que se conoce como Blog). En estos casos es habitual no publicar todo el artículo, sino hacer un breve resumen e incluir un enlace directo a nuestra página con el artículo completo, consiguiendo así incrementar el tráfico de nuestra web.

Para incrementar el impacto de nuestra *newsletter*, es normal acompañar nuestros artículos con imágenes. En caso de subcontratar la escritura del artículo, es necesario que nos cercioremos que los escritores efectivamente poseen los derechos sobre las imágenes que nos envían junto con el texto. En caso contrario, podemos optar por acceder a un banco de imágenes de Internet donde seleccionar gráficos que encajen con nuestra temática.

Segmentar en función de los clientes

Sobre el contenido anterior podemos realizar pequeñas variaciones para adaptarlo a las características de nuestros sub-segmentos de clientes más importantes.

En el ejemplo que hemos venido desarrollando de la tienda de arte, podemos definir tres sub-segmentos específicos: amantes del arte, detalles para empresas y bodas, por lo que podemos afinar el contenido de nuestras ofertas a estos tres colectivos.

Seguimiento

Algunas herramientas permiten medir el grado de atención que hemos conseguido captar con nuestra *newsletter*. Debemos analizar estos datos y comprobar si los clientes han abierto o no nuestro e-mail (que puede deberse a que lo hayan recibido como *SPAM* o bien que el asunto del e-mail no les haya motivado lo suficiente) y también si una vez abierto han pinchado sobre alguno de nuestros enlaces o realizado alguna compra.

Este análisis nos permitirá ir afinando nuestros mensajes y artículos para que se adapten mejor a los intereses de nuestros clientes y aumenten nuestras ventas.

Campañas de e-mailing

Para una empresa que comienza, hacer una campaña agresiva de envíos de cartas físicas a potenciales clientes es impensable debido a su coste.

En Internet se ha puesto de moda utilizar un sistema mucho más barato que consiste en conseguir los e-mails de un grupo de clientes potenciales y enviarles una comunicación comercial ofreciéndoles nuestros productos. De esta forma nos ahorramos los costes de impresión, el sello, etc.

Sin embargo, debemos ser prudentes, ya que no está permitido el envío de e-mails comerciales no solicitados a personas que no hayan dado una autorización previa. Por ello, ciertas empresas han visto la oportunidad de reunir grandes bases de datos de e-mails de clientes con autorización para hacerles campañas publicitarias.

Una de estas empresas es `Canalmail.com`, que ofrece una base de datos legal de e-mails para hacer publicidad que, según los datos que ofrece la empresa, en España supera los 10.500.000 de personas.

Para trabajar con ellos, lo que debemos hacer es preparar un pequeño resumen del tipo de clientes a quién nos queremos dirigir y el mensaje que les queremos trasladar. Normalmente nos cobrarán un variable por cliente a quien nos dirijamos, por lo que deberemos ser lo más específicos posibles para que el número de registros de la base de datos resultante no sea muy elevado y podamos tener un alto nivel de redención.

Figura 10.5. Canalmail posee más de 10 millones de e-mails válidos para eMarketing.

En general, este tipo de e-mail no solicitado previamente por el cliente debe cumplir los mismos requisitos que el de una *newsletter*, aunque debemos realizar algunas adaptaciones:

- **Más comercial:** No saben quiénes somos y el objetivo es que abran nuestro e-mail, por lo que debemos ser algo más agresivos comercialmente en el texto del asunto.
- **Evitar ser considerados SPAM:** Debemos huir de palabras y mensajes similares a los de comunicaciones comerciales no deseadas. Por ejemplo, independientemente de que nuestra tienda sea una parafarmacia y vendamos dietas, no sería conveniente mandar un e-mail con un asunto del tipo "adelgace en dos semanas", ya que es el tipo de comunicación que cualquier usuario de Internet va a asociar directamente con SPAM.
- **Cuidar el formato:** En este tipo de e-mails es especialmente importante que utilicemos tipos, colores y tamaños de letra que den un aspecto profesional a nuestra comunicación.

Métodos "grises"

Siempre que se define una norma, aparecen personas y empresas que intentar "buscarle las vueltas" para conseguir saltársela y obtener algún beneficio.

Lógicamente el marketing a través de e-mail es una oportunidad enorme para este tipo de actividades. Por ello, se han inventado aproximaciones sutiles que intentan evitar que los clientes se sientan violentados por este tipo de mensajes y los denuncien como e-mails no deseados.

Al igual que la policía conoce la forma en que actúan los delincuentes, nosotros debemos conocer cómo funcionan este tipo de actividades, no para ponerlas en práctica, sino para evitar que nuestros competidores saquen partido de ellas.

Una de las técnicas más utilizadas es la consistente en realizar ofertas especiales a colectivos que funciona de la siguiente manera:

1. Obtenemos un listado de e-mails en páginas corporativas de empresas a través de herramientas como ACX-MailFinder, un sistema de araña que permite obtener todos los e-mails disponibles en una página web.
2. Se genera un oferta específica para ese colectivo de empresa (por ejemplo con un descuento o un regalo al realizar la primera compra).
3. Se envía un e-mail a dichos empleados de la empresa, comunicándolo como una oferta especial de duración determinada.
4. Una vez los clientes contactan con la web y dan su información personal, ya se integran en la base de datos de la tienda como clientes y se puede comenzar a enviarles *newsletters*.

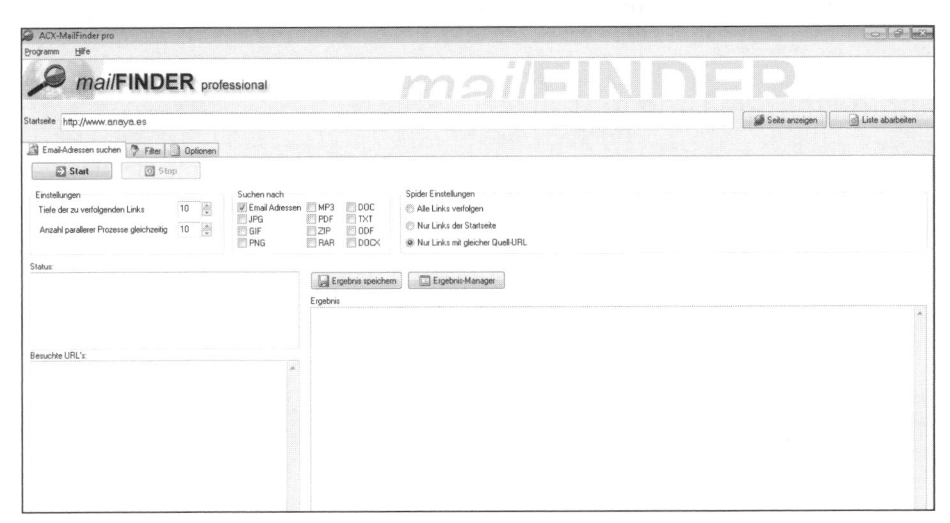

Figura 10.6. ACX-MailFinder es una herramienta de araña para la obtención de e-mails.

Al comunicarlo como una ventaja a los clientes, en general no suelen percibirlo como correo no deseado, por lo que es una forma especialmente sutil de enviar propuestas comerciales no solicitadas a clientes.

Aunque hay quien dice que este tipo de comunicaciones podrían ser legales, al encontrarse los e-mails de los clientes de forma pública en la web, no deja de ser una forma elegante de *SPAM*, y no merece la pena arriesgarse, ya que las sanciones por este tipo de prácticas son muy elevadas.

CREAR UN BLOG

A lo largo de los últimos años se ha puesto muy moda que las empresas tengan un Blog (también conocido como bitácora) donde se recogen noticias y artículos referidos al mercado y productos que comercializan.

Lo normal es que se fomente la participación de los lectores de los artículos, permitiéndoles hacer comentarios y aportar información adicional.

El éxito de los blogs se debe en gran medida a la forma en que funcionan los buscadores como Google. Realmente los buscadores analizan todo el contenido de texto de una web tratando de identificar su temática. Como los buscadores valoran la información reciente y el nivel de actualización de una web, cuantos más artículos tenga un blog y más se actualice más posibilidades de aparecer cuando un cliente realice una búsqueda.

Tanta importancia tienen los Blogs para los buscadores, que Google adquirió en 2003 Pyra Labs una compañía que había desarrollado una herramienta para la creación gratuita de Blogs denominada Blogger.

Cómo crear un Blog gratuito

Blogger es una herramienta muy sencilla e intuitiva para el desarrollo de Blogs. En tres pasos ya podemos tener listo nuestro Blog para comenzar a incluir nuevos artículos:

1. Acceder con nuestro usuario y contraseña o crear una cuenta de Google.
2. Asignar un nombre a nuestro Blog.
3. Elegir el diseño de la plantilla para nuestro Blog dentro de los que ofrece la herramienta.

A partir de este momento ya estamos listos para escribir artículos (también conocidos como *posts*) relacionados con nuestra tienda virtual.

Figura 10.7. Blogger nos permite crear un gestor de noticias y artículos en nuestra página web.

Algunas recomendaciones que habría que seguir para redactar artículos en un Blog son:

- **Nunca copiar de otras webs:** Lo peor que podemos hacer es replicar los contenidos de otro Blog. Esta práctica afectará negativamente a nuestro posicionamiento en Google y además no atraeremos la atención de nuestros lectores. Si compramos el contenido a terceros, podemos validar que no sea una simple copia utilizando herramientas como Copyscape.
- **Elegir un buen título:** Debemos escoger un título que enganche al lector e incluir, siempre que sea posible, alguna palabra clave referida al contenido del post.
- **No escribir párrafos largos:** Mejor listas de puntos que párrafos excesivamente largos, el motivo es que, habitualmente, la gente lee los *posts* en diagonal, por lo que cuanto más claros queden los mensajes principales, mejor.
- **Añade fotografías:** Una buena fotografía que explique el contenido del Blog siempre es una buena ayuda para reforzar nuestro mensaje.

- **Vende, pero sin pasarte:** Hay que intentar ser lo más sutil posible en los mensajes comerciales. Siempre es mejor ofrecer un artículo informativo y una vez finalizado, hacer un enlace publicitario.
- **Participa en la conversación:** Cuando los lectores dejen comentarios, tenemos que intentar contestarles. Esto supone que hemos leído y les hemos dedicado nuestro interés.

Blogger es una herramienta bastante sencilla que dispone de las funcionalidades básicas para nuestro Blog, por lo que cuando los usuarios comienzan a ser más expertos, enseguida prefieren utilizar una herramienta algo más profesional como Wordpress.

No vamos a entrar en detalles de todas las posibilidades y módulos que se han desarrollado para esta herramienta, que es realmente potente. Aquellos que tengan curiosidad pueden instalarlo sin dificultad desde el panel de control de su hosting, ya que es una de las aplicaciones que normalmente viene incluidas dentro de los sistemas de instalación rápidos como Installatron.

SEO Y SEM

Según el último estudio de la consultora Stat Counter, el 95 por 100 de los usuarios en España utilizan Google como buscador, seguido a gran distancia por Bing (3,4 por 100) y Yahoo (0,74 por 100).

En la práctica esto supone que cuando un usuario español busca algo en Internet, siempre lo busca a través de Google, por lo que si desean encontrar una tienda donde poder comprar un producto determinado más vale que salgamos en los primeros puestos del resultado de la búsqueda.

A la optimización de nuestro posicionamiento en los diferentes buscadores se denomina SEO (por sus siglas en inglés *Search Engine Optimization*). Este tipo de optimización tiene la particularidad de que no pagamos dinero al buscador para que nos muestre como uno de sus primeros resultados, a diferencia del SEM (*Search Engine Marketing*). Este tipo de marketing consiste en pagar a los buscadores para que muestren un pequeño anuncio (normalmente de texto) que enlace a nuestra web. Para ello se definen una serie de palabras claves que cuando el usuario introduce en el buscador se muestra nuestro anuncio.

Actualmente este tipo de marketing se ha ampliado a las redes sociales, donde también se permite mostrar anuncios micro-segmentados.

El objetivo de un buen buscador es mostrar el resultado más relevante para el usuario que realiza una búsqueda. Dicho resultado tendrá valor cuanto más actualizado esté, y cuanto mayor sea la reputación de la página web. La revolución del buscador Google fue obtener un algoritmo que conseguía dar una valoración a la reputación de nuestra web, en función de los medios que nos enlazasen (si por ejemplo nos enlazan como referencia los grandes medios españoles como el país y el mundo, se puede suponer que nuestra web es de gran reputación).

Por ello, el posicionamiento SEO en general es lento y se mejora añadiendo y actualizando contenidos de forma periódica en nuestra web, y con una codificación en nuestras páginas que facilite a los buscadores comprender y clasificar nuestros contenidos.

Para hacer más sencillo el trabajo a los buscadores las páginas web poseen unas cabeceras dentro del código que permiten identificar mejor el tipo de contenidos que incluyen:

```
<META name="Marimerce" content="Obras de arte, joyas y abanicos
personalizados">
<META name="keywords" content="Abanicos joyas pañuelos llaveros arte
personalizados">
```

Este ejemplo, muy simplificado, permite observar como las cabeceras indican a los buscadores el contenido general de la página web, así como las palabras claves asociadas a su temática que facilitan su clasificación.

Existen herramientas en Internet que permiten obtener de manera automática una versión más optimizada de cabeceras, que posteriormente podremos incluir en nuestras páginas web.

Una de ellas se encuentra disponible en el enlace `http://www.rivassanti.net/SEO/generador-de-metatags.php` que, tras solicitarnos una serie de datos sobre el contenido de nuestra tienda, nos entrega una versión de texto de las cabeceras que deberíamos añadir.

Es recomendable que este tipo de cabeceras sean incluidas tanto en la página principal como en cada uno de nuestros productos. Afortunadamente, casi todos los sistemas de tienda virtual (incluido Magento) ya incluyen opciones para optimizar el posicionamiento de nuestra tienda en los buscadores.

Una de las técnicas que nos ayudará a mejorar nuestro posicionamiento es dar de alta nuestra tienda en los diferentes directorios web disponibles.

Un directorio web no es más que un listado organizado en diferentes categorías de enlaces a otras webs.

Existen multitud de directorios web disponibles en Internet, uno de ellos es `http://www.portal-seo.com/listado-directorios-web.php`.

Para inscribirnos debemos acceder a las diferentes web y seleccionar la opción de darnos de alta. Allí nos solicitarán información acerca de nuestra web y la clasificación donde nos gustaría incluirla. Tras una revisión, que en función de la calidad del directorio puede tardar semanas, nos confirmarán el alta.

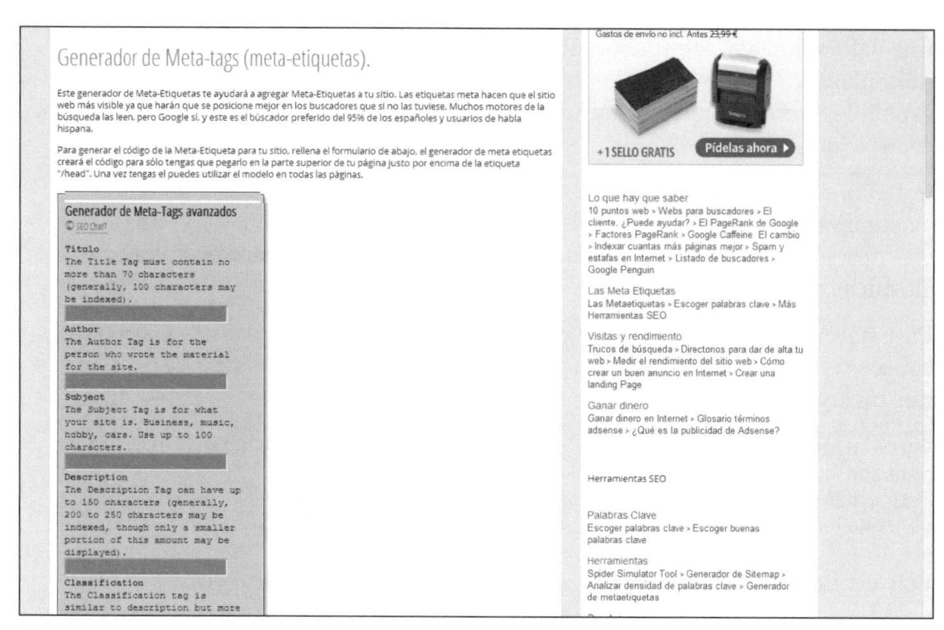

Figura 10.8. Ejemplo de herramienta de optimización de nuestra web para buscadores.

Nombre	URL	PR	Gratuito	Revisado
Portal SEO	Directorio Portal SEO	3	SI	14-05-2009
Posiciona tu web	Directorio web	3	NO	14-05-2009
dmoz - open directory project	dmoz	7	SI	14-05-2009
Yahoo! España	Yahoo! España	5	SI	14-05-2009
COMpartimos.NET	COMpartimos.NET	5	SI	14-05-2009
Directorio todo.letras	Directorio todo.letras	1	SI	14-05-2009
Donde buscar	Donde buscar	4	SI	14-05-2009
DirectorioBus	DirectorioBus	4	SI	14-05-2009
Equipo SEO	Directorio Equiposeo	0	SI	14-05-2009
Flesko	http://es.flesko.com/	5	SI	14-05-2009
alnavirtual	alnavirtual	4	SI	14-05-2009
Portal-Web	Portal-Web	2	SI	14-05-2009
Tagoror	Tagoror	NP	SI	14-05-2009
Pergamino virtual	Pergamino virtual	4	SI	14-05-2009
Artelinks	Artelinks	3	SI	14-05-2009
DirectWeb	Europe web directory	0	SI - R	14-05-2009
Zaping Directorio de Blogs	Directorio de blogs	4	SI	14-05-2009
SeoPosicion	Posicionamiento en buscadores	4	SI	14-05-2009

Figura 10.9. Darse de alta en directorios es un sistema efectivo para mejorar nuestro posicionamiento.

Algunos de estos directorios exigen el pago de una cuota para poder tramitar la inclusión, con el volumen de opciones gratuitas que existen, no deberíamos malgastar dinero en estas opciones. En otras ocasiones nos solicitan que establezcamos un enlace a su web en nuestra página, esta es una práctica que no es aconsejable ya que puede penalizar nuestro posicionamiento en Google, por lo que tampoco deberemos tenerla en consideración.

Este proceso, al tener que realizarse de forma manual, es bastante tedioso. Por ello hay empresas que ofrecen este servicio y realizarán el alta de nuestra tienda en múltiples directorios a cambio de un pequeño importe.

La decisión, obviamente dependerá de nuestra disponibilidad de tiempo, pero la verdad es que si nos planificamos bien, podemos realizar cada día el alta en 10 directorios web y a lo largo del año habremos avanzado más que subcontratando esta tarea. Tenemos que darnos cuenta que obtener un buen posicionamiento es algo diario, que nos exige "cuidar" y "regar" nuestra web de forma continua.

Aunque pueda sonar obvio, cuando hablamos de darnos de alta en directorios web, esto incluye darnos de alta manualmente también los principales buscadores como Google, Bing o Yahoo. Aunque es cierto que sus propias arañas detectarán nuestra web, lo mejor es que les indiquemos nosotros nuestros datos para que puedan indexar nuestra página de forma correcta.

¿Cómo dar de alta nuestra tienda en Google?

La opción para incluir nuestra página web en el índice de Google está un poco escondida dentro de las diferentes opciones que ofrece Google, por lo que vamos a darnos de alta accediendo a una dirección de Internet directa para el alta de páginas webs en el buscador Google.

1. Acceder a la dirección de Internet `https://www.google.com/webmasters/tools/submit-url?hl=es`
2. En caso de que no estemos registrados, nos pedirá nuestro usuario y clave de Google.
3. En el campo URL debemos indicar la dirección de la página que deseamos que Google comience a indexar.
4. Escribimos nuestra dirección de Internet, precedida por `http://`, para que Google pueda, a partir de ese momento, comenzar la indexación periódica de nuestra web.
5. Hacemos clic sobre el botón **Enviar solicitud**.

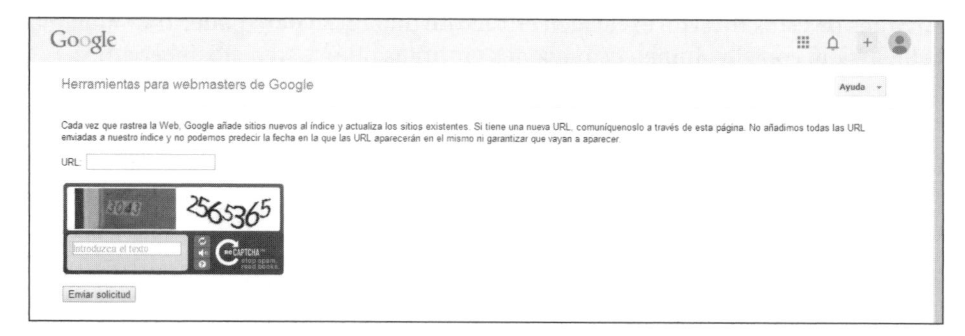

Figura 10.10. No debemos olvidar darnos de alta en buscadores como Google.

Todos estos pasos, nos permitirán ir progresivamente mejorando nuestra posición en los resultados de Google cuando los clientes realicen búsquedas relacionadas con nuestra actividad. Este proceso puede tardar meses o incluso para algunas palabras clave años, hasta que alcancemos un buen posicionamiento ¿cómo podemos hacer que los clientes vean nuestra web en los resultados?

Esto se consigue mediante el marketing en buscadores también denominado SEM, consistente en el caso de Google en comprar anuncios en Google Adwords, un servicio de Google que permite "pujar" por palabras clave, es decir, fijamos el precio que estamos dispuestos a pagar por aparecer en una determinada búsqueda, y si estamos entre los que más han pujado apareceremos en los primeros puestos de los resultados de Google.

Por lo tanto, tenemos que hacer pruebas hasta conseguir pagar el mínimo precio posible para aparecer en los resultados. Tampoco debemos obsesionarnos con aparecer como primer resultado de los anuncios patrocinados de Google, de hecho, hay quien afirma que la mejor posición es ser el primero de los anuncios patrocinados del menú derecho.

La compra de nuestro primer anuncio en Google.

1. Accedemos a la página `adwords.google.es`.
2. Google pone a nuestra disposición una serie de herramientas que nos permite segmentar nuestros anuncios, decidiendo a qué tipo de clientes mostrárselos.
3. Seleccionamos nuestras palabras clave y el precio que estamos dispuestos a pagar. Debemos intentar ser bastante específicos para tratar de incrementar el ratio de respuesta al menor coste posible. El coste depende del tipo de palabras clave, siempre es bueno que vayamos haciendo pruebas hasta conseguir afinar el precio.

4. Indicamos cuál es nuestro presupuesto máximo. Google automáticamente parará la campaña si superamos este límite.

5. Una vez activada la campaña, se comenzará a mostrar nuestros anuncios a los clientes.

Dentro del tipo de técnicas que persiguen mostrar nuestros productos o anuncios al mayor número de clientes potenciales posibles está el alta en otro tipo de directorios:

- **Directorios de productos:** es un tipo de directorio que agrupa artículos de diversas tiendas en diferentes categorías, muy similares en estructura a los directorios web.
- **Comparadores de precios:** Consisten en un sistema de araña que busca en Internet las ofertas de diferentes tiendas sobre un mismo producto, para que los clientes puedan comparar y escoger las ofertas más interesantes en cada tienda.

Algunos de los directorios de este tipo donde deberemos tramitar el alta son eBay, Google Shopping, Kelkoo, Segundamano.es, Codigobarras y Mercamania.

La forma de tramitar el alta es similar al de cualquier buscador, por lo que debemos seguir un proceso parecido al indicado anteriormente en el alta en Google, con pequeñas particularidades en función de los datos que se vayan a mostrar en cada caso.

Figura 10.11. Otra técnica adicional es darse de alta en directorios de productos.

REDES SOCIALES

Las redes sociales, consisten en herramientas informáticas que nos permiten crear enlaces con otras personas con las que mantenemos algún tipo de relación y de esta forma mantener el contacto con ellas.

En Internet existen multitud de redes sociales en función del tipo de personas que podamos encontrarnos en ellas (aficiones comunes) o del tipo de relación (más social como Facebook o más laboral como Linkedin).

Actualmente la red social más conocida en el mundo es Facebook con más de 600 millones de miembros, en Estados Unidos ha llegado incluso a superar a Google como la web con más visitas, y se prevé que pueda superarla en ingresos publicitarios a final de 2011. Por ello, Google acaba de crear una red social propia denominada Google+ para tratar de competir con Facebook.

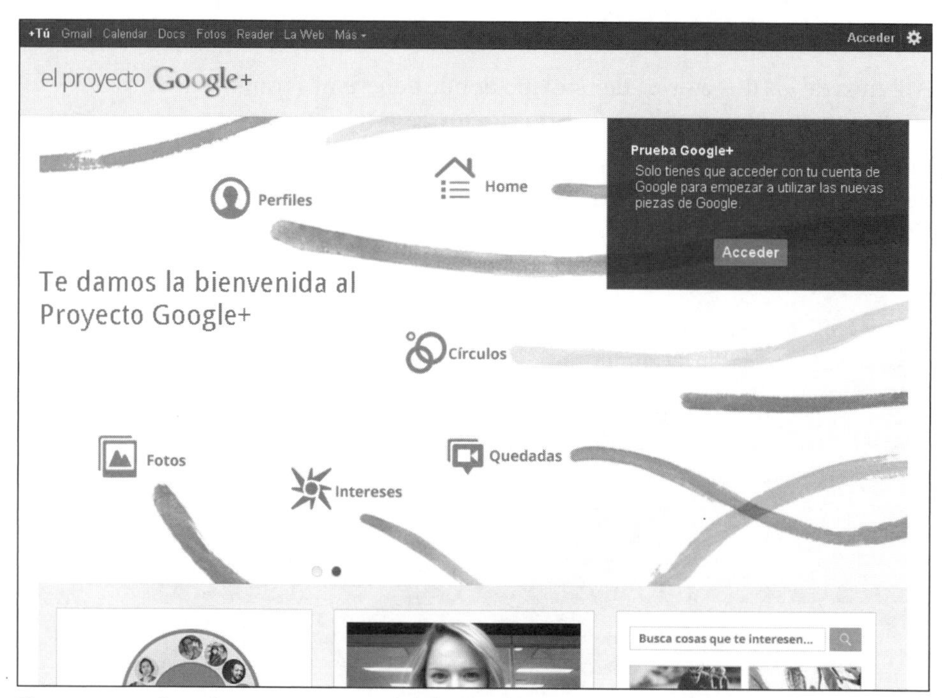

Figura 10.12. Google+ es una nueva iniciativa de Google para competir con Facebook.

Las empresas viendo dicho crecimiento, están intentando analizar de qué forma aprovechar la gran cantidad de usuarios de Facebook para tratar de venderles sus productos y servicios.

Es muy difícil valorar el grado de éxito de estas iniciativas, ya que aún se está tratando de buscar un modelo viable para que las empresas puedan comercializar sus productos o servicios a través de Facebook (en general sin mucho éxito).

Algunos expertos entienden que este proceso no será fácil, ya que a la hora de navegar por Internet la actitud del usuario depende del modo en el que se encuentre:

- **Modo de búsqueda:** Cuando un usuario tiene alguna necesidad, lo primero que intenta es encontrar información. Para ello, va a uno de los motores de búsqueda (normalmente a Google) e intenta localizar los datos que necesita. Si en ese momento está buscando un vestido, un anuncio indicándole una buena oferta en una tienda cercana es posible que atraiga su atención y consigamos una venta.
- **Modo de relación:** En una red social como Facebook, sin embargo, el cliente se encuentra relacionándose con otras personas, intercambiando fotografías y contenidos personales, por lo que no tiene por qué tener en ese momento ninguna necesidad de adquirir ningún producto. Por lo tanto un anuncio similar a los que nos podemos encontrar en Google no tendrá mucho impacto.

Estas consideraciones de los expertos no quieren decir que no sea posible vender a través de Facebook, sino que no podemos simplemente aplicar una copia del modelo que actualmente funciona en Google. De hecho, Facebook posee un arma muy potente para las ventas: la recomendación.

El objetivo que debemos tener en Facebook es conseguir que nuestros usuarios nos recomienden a sus contactos, intentando replicar en Internet un esquema piramidal similar al de Thermomix.

Hoy ya es posible crear nuestra tienda en Facebook, y ciertas compañías nos ofrecen servicios que sitúan nuestros productos accesibles desde la red social.

Uno de ellos es `vendingbox.net`, que nos permite integrar los artículos de nuestra tienda de forma automática. Tiene soporte para las tiendas virtuales más comunes como Magento, Os commerce y Zencart, por lo que no deberemos volver a introducir de nuevo nuestros productos.

Además cuenta con un plan inicial en el que solamente nos cobran por artículo vendido, así que no tendremos riesgo en caso de que no consigamos vender a través de este medio.

Otra red social que ha adquirido una gran fama es Twitter que se estima tiene alrededor de 200 millones de usuarios.

Por explicar su funcionamiento de una forma muy simple, es una especie de Blog en el que cada entrada (denominada *tweet*) solamente contiene texto y como máximo puede tener 140 caracteres (similar a un SMS). Estos mensajes son públicos y es posible suscribirse a los *tweets* de otros usuarios (lo que técnicamente se denomina "seguir"). Esto provoca que existan algunos usuarios de Twitter que tienen miles e incluso cientos de miles de seguidores (alguna cuenta ya ha superado el millón).

Figura 10.13. Vendingbox nos permite vender nuestros productos a través de Facebook.

Viendo la potencia e influencia que puede generar esta herramienta, debemos analizar si es posible vender a través de Twitter.

Existe una empresa que lo está intentando y para ello ha creado una herramienta denominada Chirpify, cuyo proceso de alta es el siguiente:

1. Acceder a Chirpify con el usuario y password de Twitter.
2. Crear una campaña, asociando una etiqueta (también llamadas *hashtags*) a una acción, que puede ser realizar una compra, visualizar un anuncio, participar en un sorteo.
3. La empresa anunciante comunica en su campaña de publicidad la etiqueta que sus clientes deben compartir en las redes sociales.
4. Cuando los clientes las incluyen en un tweet o post en Facebook, Chirpify les manda la acción asociada, si es la primera vez que se dan de alta pueden incluir los datos de su tarjeta de crédito que se almacenarán de forma segura para próximas acciones comerciales.

Figura 10.14. Chirpify pretende utilizar Twitter como canal de venta en Internet.

Tal y como estamos viendo, en este momento, la venta a través de redes sociales está en un punto bastante inicial y no existen estudios lo suficientemente amplios para comprobar qué modelos tienen éxito.

Sin embargo, seguir una estrategia de establecerse a un coste bajo en redes sociales, e ir adaptando nuestros métodos de venta según se vayan perfeccionando los modelos, no puede ser una mala estrategia. ya que nos ofrece una gran oportunidad a un coste muy bajo.

NOTAS DE PRENSA

No por ser tradicional debemos pasar por alto uno de los mejores sistemas para dar a conocer nuestra tienda a través de Internet.

Enviar notas de prensa a medios de comunicación en Internet como diarios digitales, revistas y blogs es una fantástica forma de comunicar el lanzamiento de un nuevo producto, un acuerdo comercial o un evento que vayamos a realizar en próximas fechas.

En general, no podemos esperar que nuestras notas de prensa siempre acaben publicadas, sino que dependerá de las necesidades que existan en ese momento en la redacción del medio de comunicación en cuestión.

En cualquier caso, utilicen o no las notas de prensa, siempre existe un encargado de leerlas y seleccionarlas, por lo que nunca debemos despreciar la importancia que tiene escribir una nota de prensa de calidad.

Una buena nota de prensa debe cumplir los siguientes requisitos:

- **Definir el mensaje:** hay que enfocarlo siempre desde el punto de vista del lector, ¿qué noticias pueden interesar a los lectores de ese medio? ¿Qué título les llamaría la atención?
- **Seleccionar los medios:** Es importante escoger los medios (e incluso a qué persona responsable) vamos a enviar nuestra nota de prensa. Cada una de ellas debe ir personalizada y adaptada, no tiene sentido mandar la misma nota de forma indiscriminada.
- **Tener paciencia:** Nunca molestar, la utilicen o no, es el editor quien debe valorar en qué momento es conveniente incluir nuestra noticia y nunca debemos ser excesivamente insistentes.
- **Atender al medio:** Puede ser que nuestra nota de prensa les inspire para una nueva noticia y nos quieran utilizar como fuente, por ello debemos estar siempre accesible a los medios y ayudarles en lo posible.
- **Ser veraz:** A pesar del enfoque comercial que deben siempre mostrar nuestros mensajes, nunca debemos mentir y ofrecer una imagen que no se corresponda con la realidad.

El formato de una nota de prensa no difiere del de cualquier notificación importante que enviemos por e-mail. Por lo general suele tener los siguientes elementos:

- **Mensaje principal:** Que se utilizará como título de la nota, supone un resumen que contiene el mensaje más importante que queremos transmitir.
- **Mensaje secundario:** Dos o tres ideas adicionales que queremos que queden claras en nuestro comunicado.
- **Texto de la nota:** Es el contenido que deseamos transmitir en nuestra nota de prensa, que no deberá ser muy extenso. Como no es posible saber en qué momento los medios publicarán nuestra nota, nunca debemos usar referencias a fechas relativas (como mañana o el próximo lunes) sino que debemos establecer fechas concretas (por ejemplo, 7 de septiembre de 2012).
- **Datos de contacto:** Este punto es muy importante, ya que pueden quedar aspectos de la nota de prensa que los editores deseen matizar o de los que necesiten recibir más información.

Como podemos observar, atraer clientes a través de Internet no deja de ser similar a captarlos en una tienda tradicional, lo que ocurre es que podemos aprovecharnos de los nuevos medios para dirigirnos a un mayor número de clientes potenciales de una manera mucho más barata, además de poder comunicarnos con ellos de una forma más interactiva.

Para saber más:

- Envío masivo de e-mails, MailChimp:

  `http://www.mailchimp.com`
- Herramienta ACX-MailFinder:

  `http://www.acx-software.com`
- Base de datos de e-mails, Canalmail:

  `http://www.canalmail.com`
- Conseguir un escritor para nuestra web:

  `http://www.findablogger.net`
- Alta en directorios de productos, eBay:

  `http://www.ebay.es`
- Dar de alta un Blog, Blogger:

  `http://www.blogger.com`
- Vender a través de Facebook, Vendingbox:

  `http://www.vendingbox.net/`
- Vender a través de Twitter, Chirpify:

  `http://www.chirpify.com`

"LA FIDELIDAD DE MUCHOS HOMBRES
SE BASA EN LA PEREZA, LA FIDELIDAD
DE MUCHAS MUJERES EN LA COSTUMBRE."

Victor-Marie Hugo. Escritor

11. Programa de fidelización

En este capítulo aprenderemos:

- Métodos para la creación de un plan de fidelización.
- Técnicas para mantener a nuestros clientes.
- Herramientas para diseñar nuestras propias tarjetas personalizadas.
- La forma de configurar un programa de puntos en Magento.

Tras conseguir dar a conocer nuestra tienda *on-line* y captar una buena base de clientes, aún nos queda una de las tareas más complejas que debemos acometer: fidelizar a nuestros clientes.

La fidelización es un concepto de marketing que engloba todos aquellos métodos y técnicas utilizados para que el cliente vuelva a comprar en nuestra tienda alguno de nuestros productos. El objetivo es potenciar nuestra relación con los clientes, detectando y consiguiendo satisfacer sus necesidades en el momento en el que se produzcan.

Si desarrollamos un buen programa de fidelización para nuestra tienda *on-line*, conseguiremos que nuestros clientes regresen, y progresivamente nos vayan considerando su establecimiento de referencia en Internet, incrementando el número y frecuencia de sus compras.

¿QUÉ ES UN PROGRAMA DE FIDELIZACIÓN?

Un programa de fidelización reúne un conjunto de ventajas, que ofrecemos a nuestros clientes en función de que mantenga un comportamiento que nos interese (comprar periódicamente, utilizar un determinado medio de pago, etc.).

Debemos analizar nuestro programa de fidelización desde un punto de vista global, no podemos definirlo como acciones inconexas, sino que debemos conseguir integrar cada una de las ventajas que ofrezcamos para que sean coherentes entre sí y se adapten al ciclo de vida de nuestros clientes. En caso contrario, las ventajas del programa se diluirán para nuestros clientes.

Por ello, a la hora de confeccionar un plan de fidelización, debemos tener en cuenta los siguientes aspectos:

- **Segmentación de los clientes:** Tenemos que agrupar a nuestros clientes en función de sus características e intereses comunes. Es posible que algunas de nuestras ventajas tengan un alto valor percibido para alguno de estos grupos y, sin embargo, su valor sea bajo para otro, por lo que no tendría sentido comunicársela a este sub-segmento.
- **Plan de comunicación con el cliente:** A lo largo del año, hay multitud de momentos en los que nuestro cliente está más receptivo a que nos pongamos en contacto con él. Uno de estos momentos es su cumpleaños, o algunas fechas destacadas como el comienzo de las vacaciones de verano, la vuelta al "cole", Navidad, etc.
- **Presupuesto:** De nada sirve crear un programa de fidelización que no sea rentable para nuestra tienda. Debemos analizar cuánto nos podemos gastar por cada uno de nuestros clientes y tratar de ajustar las ventajas a nuestro presupuesto.
- **Descuentos exclusivos:** Llegar a acuerdos con terceras empresas, nos permitirá ofrecer precios rebajados a nuestros clientes que no podrían encontrar en el mercado.
- **Promociones y regalos periódicos:** Los programas de fidelización suelen definirse a largo plazo con, al menos, una duración de varios años. A lo largo de este tiempo es necesario animar nuestro programa con este tipo de acciones especiales.

La característica más importante que debe tener nuestro programa de fidelización es la coherencia. Es mucho más potente comunicar todos los componentes de nuestro programa de forma conjunta, que realizar acciones individualizadas, que desconcierten a nuestros clientes, ya que no comprenderán el verdadero alcance de todas las iniciativas que estamos llevando a cabo.

¿A QUIÉN DEBEMOS DIRIGIRLO?

Los programas de fidelización deben estar orientados a premiar aquellos comportamientos que deseemos de nuestros clientes. El motivo es que recompensar a un cliente supondrá un cierto coste, que debemos intentar recuperar a lo largo de la relación con nuestro usuario. Por ello, es imprescindible que obtengamos la mayor información posible de nuestros clientes y calculemos el valor que cada uno de ellos nos aporta en su ciclo de vida, para determinar qué ventajas ofrecerles y qué factores les diferencian entre sí.

Figura 11.1. Aspectos a tener en cuenta en nuestro plan de fidelización.

A continuación desarrollamos los pasos que deberíamos seguir al desarrollar un plan de fidelización rentable para nuestra tienda *on-line*:

1. Establecer claramente los objetivos que deseamos obtener del programa de fidelización.
2. Revisar todos aquellos procesos de nuestra tienda relacionados con el cliente. Para ello podemos hacer uso de encuestas periódicas de satisfacción, o de nuestro sistema de seguimiento de incidencias para analizar la respuesta que estamos ofreciendo a las consultas y reclamaciones de nuestros clientes. En caso de que alguno de estos procesos deba afinarse, hay que realizar las modificaciones oportunas antes de lanzar nuestro plan de fidelización.
3. Estudiar nuestras aplicaciones de obtención de datos de seguimiento y CRM. Debemos comprobar que tenemos los datos suficientes para poder medir los comportamientos que deseamos premiar de nuestros usuarios e implantar aquellas nuevas herramientas que nos permitan valorar el grado de fidelidad de nuestros clientes (a través de un programa de puntos, por ejemplo).

4. Analizar los segmentos que hayamos definido y el valor de cada uno de nuestros clientes.
5. Elaborar un sistema de inscripción en el Programa y decidir si vamos a crear un modelo abierto en el que todos los clientes van a poder darse de alta o, por el contrario, lo vamos a restringir a aquellos de mayor valor.
6. En función del punto anterior, determinar las acciones que vamos a realizar con cada uno de esos grupos (plan de medios, descuentos, promociones, etc.).
7. Confeccionar un presupuesto, que establezca el retorno que pretendemos obtener de cada una de estas acciones.
8. Establecer los indicadores que nos permitan seguir el grado de éxito de nuestro plan (número de altas, descuentos redimidos, incremento de volumen o importe de ventas, etc.).
9. Iniciar un proceso de ajuste periódico de nuestro programa hasta que el nivel de éxito esté dentro de los parámetros deseados, eliminando o añadiendo aquellas iniciativas que sea pertinente.

Cuando decidimos a qué clientes orientar nuestro programa, es habitual (al ser lo más sencillo) obtener el valor que un cliente nos aporta actualmente con sus compras. Este método de cálculo puede provocar que no tengamos en consideración a clientes que potencialmente nos pueden aportar mucho más valor en el futuro. Pero, ¿cómo podríamos saber el valor potencial de un cliente? En nuestra tienda *on-line*, prácticamente no tendremos datos de los clientes. Su nombre, su dirección y como mucho, algunos datos personales como su fecha de nacimiento. Esta información puede ofrecernos muchos más datos de los que, en principio, podríamos suponer. Por ejemplo, si uno de nuestros clientes tiene su domicilio en una de las zonas más caras de Madrid, podemos suponer que tendrá un alto nivel de renta, comparable al de sus vecinos.

Tampoco sería descabellado pensar que clientes de la misma edad, sexo, nivel de renta y región, puedan estar interesados en los mismos productos y realizar un volumen similar de compras. Lógicamente estas estimaciones serán mejores cuanto mayor sea el número de clientes y datos que podamos obtener.

Para poder hacer comprobaciones sobre nuestras estimaciones, y evitar que no tengan sentido, debemos compararlas con estudios sectoriales de ventas de nuestros artículos por zonas geográficas, para comprobar que no difieren mucho del volumen medio de compras que realizan este tipo de clientes.

En definitiva, para que nuestro plan tenga éxito, debemos afinar todos nuestros procesos orientados al cliente y dirigir nuestro foco comercial a incrementar la relación con nuestros usuarios.

Figura 11.2. Proceso de elaboración de un programa de fidelización.

¿QUÉ TIPOS DE PROGRAMAS DE FIDELIZACIÓN EXISTEN?

Cada plan de fidelización debe ser diferente en función de los objetivos que nos hayamos marcado obtener con su puesta en marcha. Existe una gran variedad de programas, siendo los más habituales aquellos basados en:

- **Descuentos:** Estos esquemas de fidelización están centrados en ofrecer rebajas sobre próximas compras en nuestra tienda. Es indicado en aquellos casos en los que el precio es una variable crítica para la decisión de compra.
- **Alianzas con terceros:** Llegar a acuerdos con otras empresas que puedan ofrecer servicios exclusivos a nuestros clientes. La negociación debe pretender obtener un acuerdo beneficioso para ambas partes, el proveedor recibe una comunicación gratuita de su oferta entre nuestros

clientes y nosotros ofrecemos un descuento sin coste como ventaja para nuestros usuarios. Es importante elegir los servicios que más valor percibido tengan para nuestros clientes.

- **Trato V.I.P.:** Los clientes exclusivos no basan su decisión de compra únicamente en el precio, sino que tienen en cuenta el trato que reciben. A largo plazo, es beneficioso ofrecer un trato especial a los clientes más fieles o rentables. Un ejemplo sería ofrecer una línea de atención telefónica personalizada a este tipo de clientes, tal y como hacen algunas operadoras de telefonía.
- **Acumulación de puntos:** Una de las fórmulas más habituales consiste en la acumulación de puntos por compras realizadas, siempre que cumplan una serie de características que, como empresa, deseamos potenciar (por ejemplo, adquirir un número determinado de artículos o alcanzar un determinado importe de venta).
- **Condiciones preferentes:** Ofrecer a los clientes ventajas como permitirles acceder a ciertos descuentos especiales limitados en el número de unidades, o darles acceso a la venta en exclusiva de determinados artículos.
- **Eventos especiales:** Invitaciones para galas, cursos o viajes donde poder reunirse con otros socios de nuestro programa de fidelización.

El objetivo es tratar de vincular a nuestros clientes desde un punto de vista más personal, para que se sienta en cierta forma comprometido y desee volver a realizar compras en nuestra tienda.

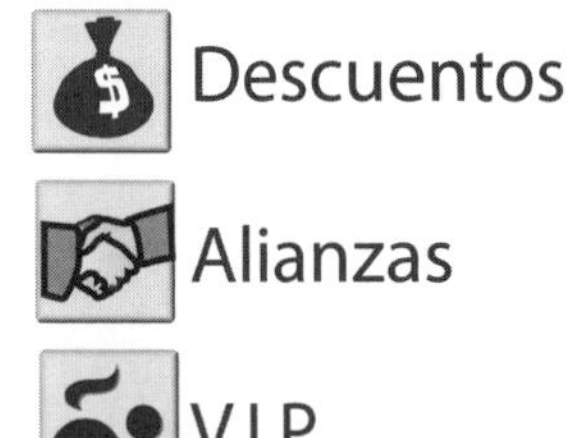

Figura 11.3. Tipos más habituales de programas de fidelización.

MÉTODOS PARA MEDIR EL ÉXITO DE NUESTRO PLAN DE FIDELIZACIÓN

A simple vista, medir el grado de consecución de los objetivos de nuestro programa de fidelización parece sencillo, si se han conseguido los resultados de incremento de ventas o margen en nuestros clientes, es que el plan ha funcionado. ¿No es así de simple?

Por desgracia, este no es siempre un razonamiento correcto. El principal problema proviene del hecho de que es imposible aislar cada uno de los factores que influyen en el comportamiento del cliente. Durante nuestra actividad pueden ocurrir multitud de sucesos que cambien el ritmo de compras de un cliente (por ejemplo, el cambio en los precios, comunicaciones publicitarias, mejora del servicio al cliente, etc.). En otras ocasiones puede ocurrir que no se cumpla con el objetivo inicial de retención de clientes pero que ayude a la captación de nuevos usuarios en nuestra tienda. Por todo ello, debemos definir una serie de mecanismos que nos permitan medir el grado de éxito de nuestro plan desde un punto de vista global en relación con nuestra empresa. Algunas de estas técnicas son las siguientes:

- **Establecer grupos de control:** En medicina se prueba la efectividad de un medicamento en, al menos, dos grupos: uno que toma el medicamente y otro que toma un placebo. De esta forma es posible determinar su grado de eficacia real. En nuestro programa de fidelización podemos aplicar un método parecido, analizando los comportamientos de clientes similares y tratando de encontrar diferencias en sus pautas de compra.
- **Determinar si permite generar ahorros:** No solamente debemos tener en cuenta los ingresos que nos pueda suponer nuestro programa, sino también la potencial reducción de costes que nos pueda ofrecer este incremento de la información que tenemos de nuestros usuarios.
- **Calidad de nuestra información:** Establecer una estrecha relación con nuestros clientes, nos facilita la tarea de mantener una base de datos actualizada, que nos permita evitar incidencias en el envío de comunicaciones comerciales a los clientes.
- **Captación de clientes:** Los clientes también valoran el trato personal y las ventajas que las empresas les ofrecen a lo largo de su ciclo de vida. Por ello, algunos usuarios se decidirán a comprar en nuestra tienda debido a la existencia de nuestro plan de fidelización, o bien porque uno de nuestros socios le haya recomendado nuestra web.
- **Satisfacción de los clientes:** Un programa de fidelización tiene un efecto positivo en la percepción de nuestros clientes, ya que valoran el hecho de que nos preocupemos y pretendamos ofrecer ventajas a los clientes más fieles.

- **Relaciones con terceros:** Este tipo de programas, nos permiten alcanzar acuerdos con terceras empresas y aumentar nuestra relación comercial con ellas. Estos contactos pueden desembocar en nuevas oportunidades comerciales, que se acaben concretando en líneas de negocio novedosas para nuestra empresa. Imaginemos el caso de una tienda de vino *on-line* que ofrezca viajes a bodegas con un 25 por 100 de descuento a los socios de su club. En el futuro podría organizar sus propios viajes llegando a un acuerdo con su proveedor y vendérselos a los clientes obteniendo un pequeño margen de cada venta.

Lanzar un programa de fidelización es complejo, y exige nuestro compromiso absoluto con él. Lo que en la práctica implica que debemos buscar la satisfacción de nuestros clientes a lo largo de todos nuestros procesos de negocio y convertir este objetivo en un principio básico de nuestra actuación comercial.

Figura 11.4. Métodos de medición del grado de éxito de nuestro programa.

QUÉ TIPO DE PROGRAMA DE FIDELIZACIÓN ELEGIR PARA NUESTRA TIENDA

La elección del tipo de programa de fidelización dependerá, obviamente, de los objetivos que queramos conseguir, el mercado al que nos estemos dirigiendo y el tipo de clientes que compren en nuestra tienda.

Sin embargo, existen multitud de estudios que indican que, de forma general, los programas más valorados por los clientes son aquellos basados en la obtención de regalos mediante la acumulación de puntos.

La obtención de estos puntos se asocia a la realización de ciertos comportamientos, tales como:

- Adquirir determinados artículos en nuestra tienda.
- Sobrepasar un cierto importe en el valor del pedido.
- Realizar nuestras compras en un determinado período de tiempo.
- Recomendar a otras personas a que realicen compras en nuestra tienda.
- Leer nuestras comunicaciones comerciales (como *newsletters*, etc.).

Además de este tipo de esquemas otro de los aspectos más valorados por los clientes fieles es que les brindemos un trato preferente, ofreciéndoles una serie de privilegios adicionales al del resto. Lo mejor de este tipo de iniciativas es que, además de fidelizar a nuestros clientes poseen un coste asociado relativamente bajo.

Figura 11.5. El programa 59+ de BBVA es un ejemplo de fidelización por segmento.

Uno de los aspectos críticos de nuestro programa de fidelización es cómo comunicarlo a nuestros usuarios, y asegurarnos que leen los mensajes comerciales que les enviamos. Tal y como hemos mencionado previamente, la gran mayoría de nuestros clientes no suelen leer nuestras comunicaciones, de hecho, en el caso de las *newsletters*, reconocen abiertamente leerlas por encima o ni siquiera abrirlas. Sin embargo, la actitud de los clientes es muy diferente con respecto a los mensajes incluidos en los extractos de su cuenta, por lo que si queremos que lean nuestros mensajes comerciales deberíamos incluirlos, de forma destacada en nuestras comunicaciones, próximos al saldo de puntos del cliente.

Además, debemos tener en cuenta que los clientes siguen prefiriendo las comunicaciones físicas, que aquellas realizadas por e-mail. Obviamente, y debido a cuestiones asociadas al coste de cada envío, las comunicaciones se realizarán vía e-mail, aunque no deberíamos descartar realizar un envío físico con cierta periodicidad (por ejemplo una vez al año) donde reforcemos la comunicación con ellos.

Este tipo de programas basados en la acumulación de puntos podrían tener únicamente un soporte digital, ofreciendo un usuario y clave a nuestros clientes para que accedan al saldo de sus puntos. Sin embargo, es habitual entregarles una tarjeta física que permita incrementar su vinculación emocional con nuestra tienda y además cumpla con dos objetivos adicionales: servir de soporte publicitario y permitir que se identifiquen como miembros del programa en establecimientos físicos.

MÉTODOS PARA DISEÑAR UNA TARJETA DE FIDELIZACIÓN

Una tarjeta de fidelización nos ofrece un soporte físico de comunicación con nuestros clientes. Habitualmente la empresa emisora de la tarjeta (en este caso nuestra tienda *on-line*) llega a acuerdos con terceros para ofrecer ventajas o descuentos a sus clientes en dichos establecimientos, que pueden ser páginas web, aunque normalmente son tiendas físicas.

El funcionamiento habitual de este tipo de tarjetas es el siguiente:

1. El cliente consulta los establecimientos adheridos en aquellos canales definidos por la empresa (web, teléfono, etc.).
2. El usuario acude al establecimiento seleccionado, donde se identifica con su tarjeta de fidelidad asociada al programa y su DNI.
3. El responsable de dicha tienda comprueba que efectivamente la tarjeta pertenece al cliente y se encuentra vigente en el programa. En algunas ocasiones esta comprobación se realiza a través de una herramienta informática, aunque generalmente se realiza una comprobación física.
4. Una vez validado como socio, el establecimiento aplica el descuento acordado al cliente.

5. En caso de que al usuario le surja alguna incidencia con la redención, puede ponerse en contacto con el servicio de atención al cliente de la empresa.

Figura 11.6. Proceso de redención de una ventaja en un programa basado en tarjeta.

El diseño de una tarjeta de fidelización, debe cumplir con su función principal de identificar al usuario y garantizar la vigencia del cliente como socio del programa. Por ello, debe incluir, al menos, los siguientes datos:

- **Número de socio:** Consiste en un código que identifica de forma única a cada uno de nuestros clientes como socios del club.
- **Nombre y Apellidos:** Incluir el nombre y los apellidos del cliente facilita la identificación del usuario en el establecimiento.
- **Fecha de caducidad:** Tiene la finalidad de evitar que los clientes, una vez hayan dejado de comprar en nuestro establecimiento, puedan seguir aprovechando nuestras ventajas.
- **Condiciones de uso:** Hay que especificar claramente la forma en que la tarjeta puede ser utilizada, el proceso de identificación del cliente, así como dónde encontrar los establecimientos asociados. Debido a su extensión, únicamente se suele incluir en la tarjeta el enlace a la web donde estarán recogidas todas las condiciones.
- **Teléfono de atención al cliente:** En caso de que surja una incidencia, el cliente debe tener fácilmente visible el número de contacto al que llamar.

Figura 11.7. Contenidos de una tarjeta de fidelización.

CÓMO CREAR UNA TARJETA DE FIDELIZACIÓN

Las tarjetas de fidelización, como en general todos los materiales impresos, reducen su coste de forma proporcional al número de unidades que imprimamos. Lógicamente, cuantas más tarjetas imprimamos cada vez, más barato será su coste. El problema es que los clientes no suelen registrarse en nuestro programa de fidelización de forma simultánea, sino que se dan de alta de forma progresiva en el tiempo. Por lo tanto, si decidimos agrupar la impresión de nuestras tarjetas el plazo de entrega se incrementará enormemente, pero si decidimos enviarlas según los clientes se registren, nuestros costes se dispararán. La solución consiste en analizar las altas que se van produciendo en nuestro programa, y agrupar las de un período corto (por ejemplo dos semanas) para que los clientes no perciban un retraso excesivo en el plazo de entrega de sus tarjetas.

El proceso de impresión se suele externalizar a empresas especializadas, ya que son ellas las que mejor optimizarán todos los costes fijos que supone la compra de las máquinas específicas para realizar este tipo de impresiones.

Hay muchas empresas que ofrecen este tipo de servicios, pero para volúmenes cortos, se puede diseñar y solicitar la impresión de nuestras tarjetas directamente a través de una herramienta *on-line* que ofrece la empresa VistaPrint.

La aplicación permite personalizar modelos de tarjetas ya predefinidos o utilizar nuestros propios diseños. Los pasos a seguir para elaborar nuestras tarjetas son los siguientes:

1. Accedemos a la página `http://www.vistaprint.es`.
2. Seleccionamos la opción Todos los productos>Material de Marketing>Tarjetas de Fidelidad.
3. Hacemos clic sobre el botón **Comenzar**.

4. Seleccionamos en el menú ubicado en la parte superior derecha de la pantalla denominado Otras formas de diseño la opción de Empieza con una plantilla en blanco.
5. Accedemos a un nuevo menú que nos permitirá modificar el texto, incluir nuevas imágenes, etc.
6. El diseño que incluiremos será la base que hayamos definido, con espacios vacíos que deberemos personalizar posteriormente con los datos de nuestros clientes.
7. Una vez seleccionado el volumen de tarjetas que deseamos imprimir, debemos escoger el tipo de papel que deseamos utilizar. Hay que tener en cuenta que cuanto mayor sea la calidad de las tarjetas, mejor la presencia de la misma así como su duración.

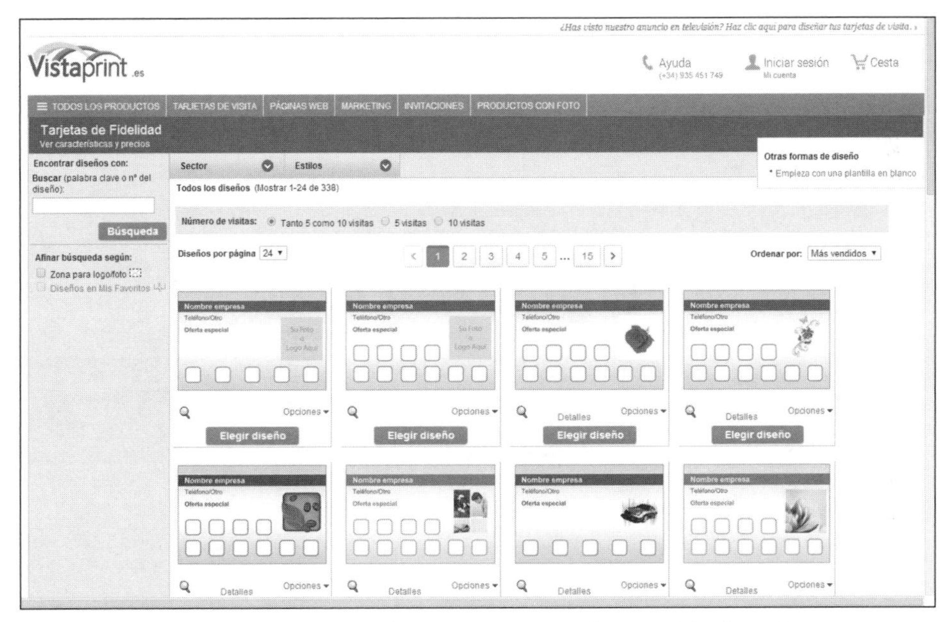

Figura 11.8. VistaPrint ofrece una herramienta para la creación de tarjetas de fidelización.

Como indicábamos antes, estas tarjetas, no estarán personalizadas, lo que podremos realizar imprimiendo sobre ellas los datos personales de nuestros clientes en aquellos espacios que hemos dejado vacíos intencionadamente en nuestro diseño.

Una vez personalizadas, ya podemos enviárselas a nuestros clientes aprovechando el envío de uno de sus pedidos, o bien a través de una empresa de mensajería (Correos, SEUR, etc.).

REDES DE DESCUENTOS

Crear una red de establecimientos asociada para nuestro programa de fidelización, supone un coste considerable en tiempo y recursos. Es necesario alcanzar acuerdos con cada una de estas empresas, que además deben cubrir todo el territorio nacional, ya que tendremos clientes de todas las provincias de España.

Para facilitar este servicio a aquellas empresas que desean contar con una red de establecimientos asociada pero no disponen de los recursos necesarios para llevar a cabo esta tarea, las agencias de marketing promocional ofrecen sus propias redes y paquetes de descuentos, que permiten dotar de contenido a los programas y clubs de fidelización de las empresas.

En España existen una gran cantidad de empresas dedicadas al marketing promocional, una lista de las cuales se puede consultar a través de la dirección "`http://www.publidata.es/agencias-marketing-promocional`".

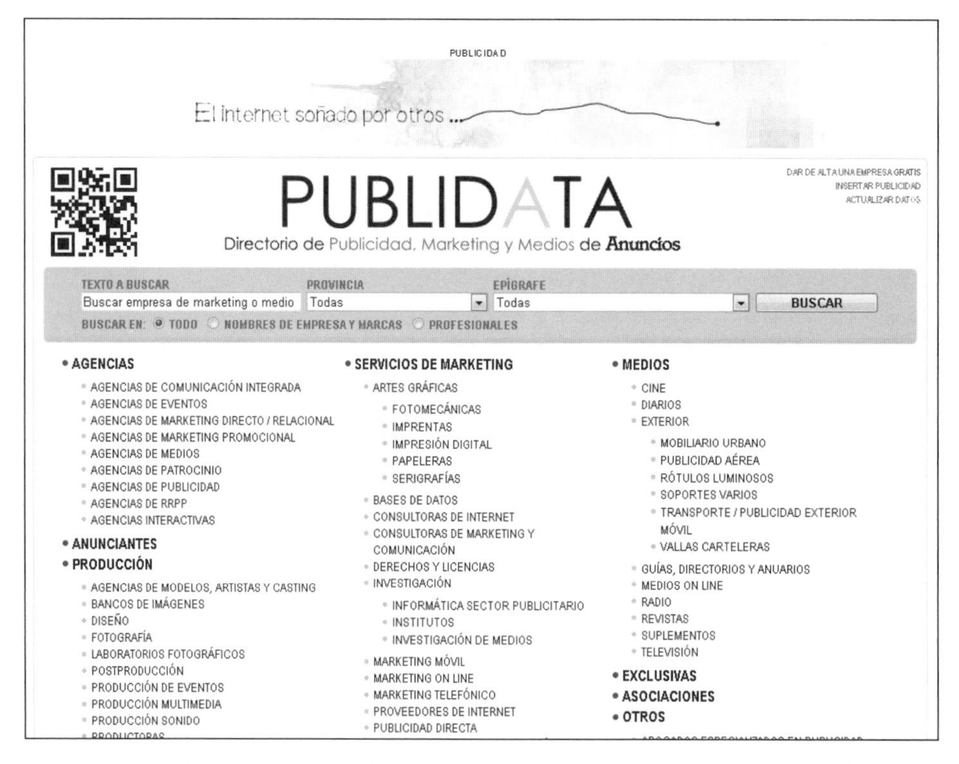

Figura 11.9. Publidata dispone de un gran listado de agencias promocionales.

Algunos de los posibles contenidos que nos pueden ofrecer son los siguientes:

- **Belleza:** Acceso a circuitos termales, masajes o tratamientos de belleza. Este tipo de servicios son especialmente indicados para mujeres y parejas jóvenes.
- **Salud:** Descuentos en servicios médicos y de naturopatía. Este tipo de servicios son muy apreciados por las personas mayores, que se preocupan más por su estado de salud.
- **Viajes:** Adaptable a cualquier tipo de segmento de clientes en función del tipo de viaje que definamos, como escapadas de fin de semana, cultural, playa, etc.
- **Moda:** Descuentos en tiendas de ropa. Es un tipo de contenido habitualmente dirigido a mujeres, aunque los hombres jóvenes cada vez reclaman más este tipo de ventajas.
- **Música:** Los conciertos de música atraen al segmento más joven de nuestros clientes. En el caso de los artistas más conocidos, estas ventajas pueden estar muy cotizadas y tener un alto valor percibido.
- **Cine:** Los estrenos cinematográficos son muy valorados por aquellos segmentos de clientes con más tiempo libre como jóvenes y mayores.
- **Teatro:** A diferencia del cine, el teatro es apreciado por segmentos de un nivel sociocultural más alto.
- **Gasolina:** Los descuentos en estaciones de servicio son apreciados por personas jóvenes y de mediana edad, que prefieren regalos más prácticos ya que disponen de poco tiempo para el ocio.

Figura 11.10. Ventajas que pueden ofrecerse en un programa de fidelización.

Las agencias también ofrecen otro tipo de productos de *merchandising* para regalar a los clientes como caramelos personalizados, artículos deportivos, etc. que ayudan a crear imagen marca, por lo que es habitual repartirlos en aquellos eventos promocionales que patrocinemos.

El precio de este tipo de servicios depende del volumen de clientes a los que queramos ofrecer la ventaja (a mayor número de clientes menor precio unitario) y del proceso que tengan que seguir nuestros clientes para utilizar su premio. El motivo es que estos acuerdos tienen en cuenta el número final de clientes que utilizan estas ventajas (es decir, la redención). Imaginemos que queremos ofrecer una entrada gratis a 500 de nuestros mejores clientes. Como el número de clientes a los que ofrecemos esta ventaja no es muy alto, el precio que conseguiremos para nuestras entradas no será muy diferente al que podríamos obtener directamente en la taquilla del cine. Sin embargo, el precio que nos ofrecerá una agencia de marketing será muy inferior, ¿cuál es el motivo? Principalmente dos: por un lado, al centralizar la demanda de entradas de varios clientes pueden obtener mejores precios, por otro lado, las agencias cobran por el número de clientes que estiman que finalmente va a acudir al cine a obtener su ventaja.

Es por este motivo por el que es tan importante el proceso que debe seguir un cliente para obtener su ventaja. Las agencias tratarán de conseguir que vaya el menor número posible de clientes al cine ya que de ahí vendrá su beneficio, mientras que nuestro objetivo debe ser que el mayor número posible de clientes obtengan su ventaja (sin quebrar a la agencia).

Es comprensible, por lo tanto, que uno de los aspectos críticos en la negociación con una agencia promocional sea la definición del proceso de redención.

CÓMO IMPLANTAR UN PROGRAMA DE FIDELIZACIÓN BASADO EN PUNTOS EN NUESTRA TIENDA MAGENTO

La versión gratuita de Magento no cuenta por defecto con un sistema para la creación de un programa de fidelización basado en la acumulación de puntos por compras.

Para añadir esta funcionalidad hay varias opciones:

- Migrar a una de las versiones profesionales de Magento.
- Instalar uno de los paquetes de fidelización disponibles en Magento Connect.
- Llevar el seguimiento de los puntos de nuestros clientes de forma no integrada con nuestra tienda virtual.

Migrar a una de las versiones profesionales de Magento

Magento ofrece en sus versiones de pago (*Professional* y *Enterprise*) la posibilidad de habilitar un programa de fidelización basado en puntos.

Desde el panel de control de nuestra tienda tendremos la posibilidad de configurar las acciones que añadirán puntos a la cuenta de nuestros clientes:

- Registrarse en la tienda.
- Suscribirse por primera vez a nuestra *newsletter*.
- Realizar compras.
- Añadir un comentario sobre un artículo.
- Asociar una palabra identificativa (denominada *tag*) a un producto.

Figura 11.11. La versión profesional de Magento dispone de un sistema de Puntos.

Estos puntos se irán acumulando en sus cuentas, de forma proporcional al importe de las compras que realicen en nuestra tienda. Dichos puntos se pueden utilizar en el momento de realizar una próxima compra aplicando un descuento sobre el importe total del pedido. Si los clientes han acumulado un número suficiente de puntos, el sistema les permite realizar el pago de manera íntegra a cambio de sus puntos acumulados. En caso contrario, pueden pagar mediante una combinación de puntos y el medio de pago de su elección.

Para poder realizar esta conversión entre puntos y su importe económico, debemos definir la "tasa de cambio" de cada punto, es decir, indicar cuál es el equivalente en dinero de un punto.

A través del Panel de Administración podremos definir un número mínimo de puntos que el sistema exigirá a nuestros clientes para poder aceptarlos como pago, así como un número máximo, que el cliente no podrá superar por lo que dejará de acumular puntos hasta que los utilice. Para incentivar las compras de nuestros clientes y que los puntos cumplan con su finalidad, es recomendable fijar una fecha límite de utilización, pasada la cual los puntos se eliminarán del saldo del cliente.

Los clientes pueden consultar el saldo de puntos que llevan acumulados a través de su cuenta de usuario, así como el histórico de todas las operaciones en las que los han utilizado.

Como podemos observar, este sistema tiene grandes ventajas, ya que se integra de forma perfecta con nuestra tienda. El mayor problema es su coste, que nos implica adquirir una de las versiones de pago de nuestra tienda Magento, por ello, debemos analizar otras alternativas de menor coste.

Instalar uno de los paquetes de fidelización disponibles en Magento Connect

En Magento Connect, existen a disposición de los usuarios varias extensiones que amplían la funcionalidad de Magento permitiendo incluir un plan de fidelización basado en puntos.

Tres de las extensiones más conocidas que nos ofrecen esta funcionalidad son J2T Reward Points, Reward Points Pro y Sweet Tooth Reward Points, con precios que van desde los 40 Euros hasta los 180 Euros.

Todas ofrecen una funcionalidad similar a la de las versiones profesionales de Magento a un precio considerablemente más bajo.

Su instalación es similar a la de todas las extensiones de Magento, por lo que no repetiremos aquí el proceso, que como hemos visto en otras ocasiones, es bastante sencillo.

Llevar el seguimiento de los puntos de forma no integrada en nuestra tienda virtual.

En la fase de lanzamiento de nuestra tienda virtual, nuestra primera preocupación será reducir al mínimo nuestros costes. Muchas veces nos obsesionamos intentando automatizar todos los procesos, implantando herramientas informáticas de coste elevado. Instalar una herramienta informática para la gestión de nuestro plan de fidelización es imprescindible cuando tenemos un volumen elevado de clientes adheridos al club, pero ¿por qué no hacer una primea prueba utilizando un sistema manual? Nuestros clientes no tienen por qué percibir que el proceso se realiza a mano, y conseguiremos gastar mucho menos dinero en hacer pruebas y afinar los procesos de nuestro programa de fidelización.

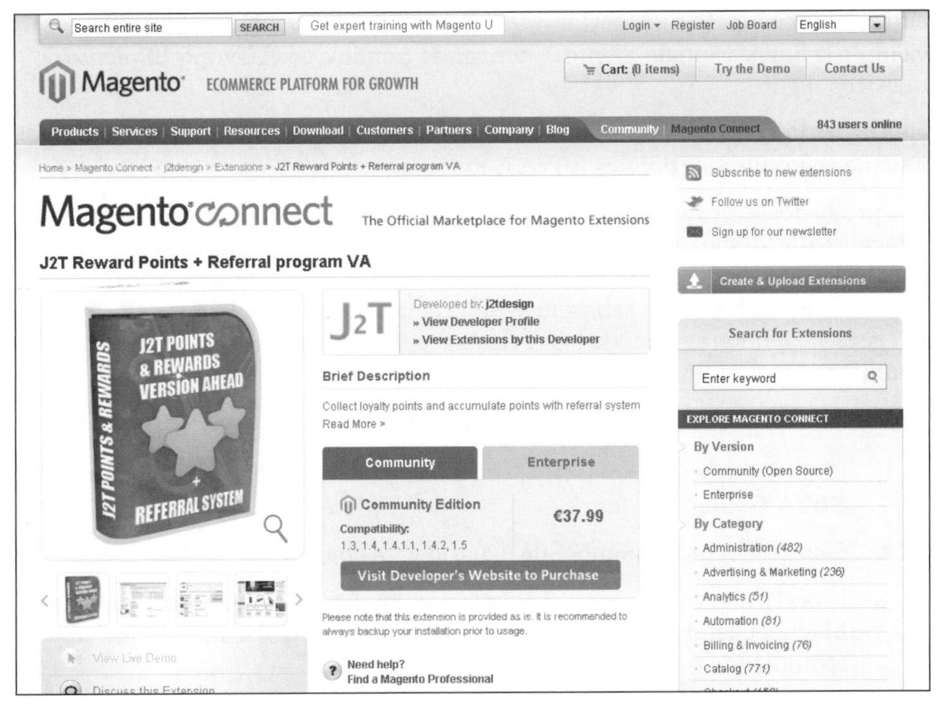

Figura 11.12. Instalación de un programa de puntos en Magento.

Las herramientas que podemos utilizar para a cabo llevar este seguimiento son muy variadas, pero una inteligente combinación de ficheros Excel donde vayamos indicando por cada uno de nuestros clientes los puntos que van acumulando, podría ser suficiente. Periódicamente (de forma mensual, por ejemplo) les mandamos un e-mail con el saldo de sus puntos acumulados y un código promocional que les ofrezca un descuento equivalente en su compra y que solamente podrán utilizar durante ese mes. En caso de utilizarlo, reducimos su saldo de puntos. Si no lo han utilizado, simplemente damos de baja el código promocional de ese mes y creamos uno nuevo para el mes siguiente por el nuevo importe.

Como se puede observar, un poco de creatividad y mucho trabajo manual nos puede permitir ahorrar ciertos costes, sin restar funcionalidades a nuestros clientes.

NUEVAS ESTRATEGIAS DE FIDELIZACIÓN: LA GAMIFICACIÓN

La gamificación, también conocida como "ludificación", pretende aprovechar las técnicas que se han venido utilizando en los juegos y actividades de entretenimiento para mejorar los resultados de otras actividades, como por ejemplo la fidelización de clientes, motivando cambios en el comportamiento de nuestros clientes.

Una de las iniciativas más destacables en este sentido que han aparecido en España en los últimos años es BBVA Game.

Los productos y servicios que ofrece un banco probablemente sean los menos atractivos que desde un punto de vista de marketing de fidelización nos podamos encontrar. Los clientes no se despiertan cada mañana pensando en entrar a su página web de BBVA.es y, si hacemos una encuesta especialmente en esta época de crisis, la opinión general de los clientes acerca de los bancos y mercados financieros no será muy positiva.

La dinámica de BBVA Game desde el punto de vista de los clientes es la siguiente:

1. El cliente debe entrar en BBVA.es y hacer clic sobre la opción del menú **BBVA Game**.
2. Se registra con un nombre de usuario y un email de contacto.
3. Una vez dentro del juego, el cliente acepta uno de los retos propuestos por BBVA y cuando lo realiza según las indicaciones que le han propuesto va acumulando puntos BBVA Game.
4. El cliente puede canjear estos puntos posteriormente por premios directos, participaciones en sorteos, descuentos en la tienda BBVA, etc.

El objetivo inicial de BBVA con este proyecto era enseñar a los clientes a operar a través de su banca *on-line*, con lo que los primeros retos estaban muy enfocados a aprender a utilizar las operaciones básicas. Lo sorprendente del caso, es que fue tal el éxito de esta iniciativa, que uno de los primeros problemas que se encontraron es que los usuarios habían finalizado ya todos los retos por lo que se encontraron en la necesidad de ir creando nuevos y "alimentar" a BBVA Game y sus usuarios.

Con este problema encima de la mesa comenzaron a escuchar a los usuarios y preguntarles directamente a través de encuestas cuáles son los retos que les gustaría completar y convirtieron completar encuestas en un reto en sí mismo. De esta forma consiguieron que fueran los propios usuarios los que les fueron indicando el camino que debían seguir a la hora de ir fijando nuevos retos y objetivos en la dinámica del juego. De esta forma, si los primeros retos habían estado enfocados a la visualización de videos, respuesta de preguntas e invitar amigos a participar, en esta segunda fase de retos se fue añadiendo complejidad premiando aspectos como la antigüedad, los cumpleaños, el aporte de comentarios y sugerencias por parte de los clientes y su vinculación y nivel de actividad en el juego.

Los resultados de BBVA Game son realmente sorprendentes, en 10 meses ha conseguido 109.000 usuarios, de los cuales un 15% son invitados y referidos. Además estos clientes tienen una menor tasa de fugas, están más vinculados a la Entidad y la recomiendan a sus amigos y familiares.

A pesar de que pudiera parecer que este tipo de programas están enfocados a un público urbano y tecnológico, las estadísticas demuestran que hay un jugador GAME en uno de cada dos pueblos en España, lo que ofrece una idea de lo masivo y extendido que está el programa entre la base de clientes del banco.

Lógicamente esto también ha tenido impacto en las cifras del canal digital, multiplicando por 12 los video visualizados con respecto al año anterior, por 5 el número de fans en Facebook, han mejorado la calidad de su base de datos de clientes, refrescando datos como el email que tan importantes son actualmente para reducir los costes de las comunicaciones, al poder realizarlas vía emailing.

BBVA Game es un ejemplo de lo que la gamificación puede lograr a nivel de fidelización en un sector complejo y con unos productos que, en principio, no dan mucho juego a la hora de comunicar y fidelizar a los clientes, por lo que aplicar estas teorías a nuestra tienda *on-line* seguro que nos permite mejorar la vinculación de nuestros clientes.

Figura 11.13. BBVA Game, un ejemplo de éxito de gamificación en España.

EL FUTURO: LOS PROGRAMAS DE FIDELIZACIÓN EN EL MÓVIL

En los últimos años, hemos visto una proliferación de empresas que ofrecen programas de fidelización en el móvil. La mayor parte de ellas son americanas, pero también existen algunas iniciativas interesantes en este sentido en España, como la empresa Sellópolis, que ofrece una aplicación móvil que los clientes se descargan en su móvil y que les permite coleccionar sellos por cada compra que realizan en los establecimientos adheridos. Posteriormente estos sellos pueden canjearlos por premios y descuentos que premian su fidelidad al establecimiento.

Figura 11.14. Sellópolis, una empresa empresa que ofrece programas de fidelización a través del móvil.

Las ventajas, tanto para las empresas, como para los clientes son bastante considerables:

- No es necesaria la emisión física de tarjetas, lo que reduce los costes.
- Las tarjetas se llevan cómodamente en el móvil sin ocupar espacio.
- Al estar integradas en el móvil no se producen pérdidas ni olvidos de las tarjetas.
- La comprobación de la identidad del cliente es automática, mediante usuario y clave.

- Las tarjetas se desactivan en el momento en el que el usuario deja de ser cliente.

Actualmente el servicio de la empresa Sellópolis ofrece suscripciones para comercios por un precio de 35 Euros al mes a través de la web. Para servicios más avanzados es necesario ponerse en contacto con ellos y consultar sus tarifas.

Otras empresas están ofreciendo diferentes servicios de fidelización a través del móvil como Paycloud, Keyringapp, Stampt o Mobitto.

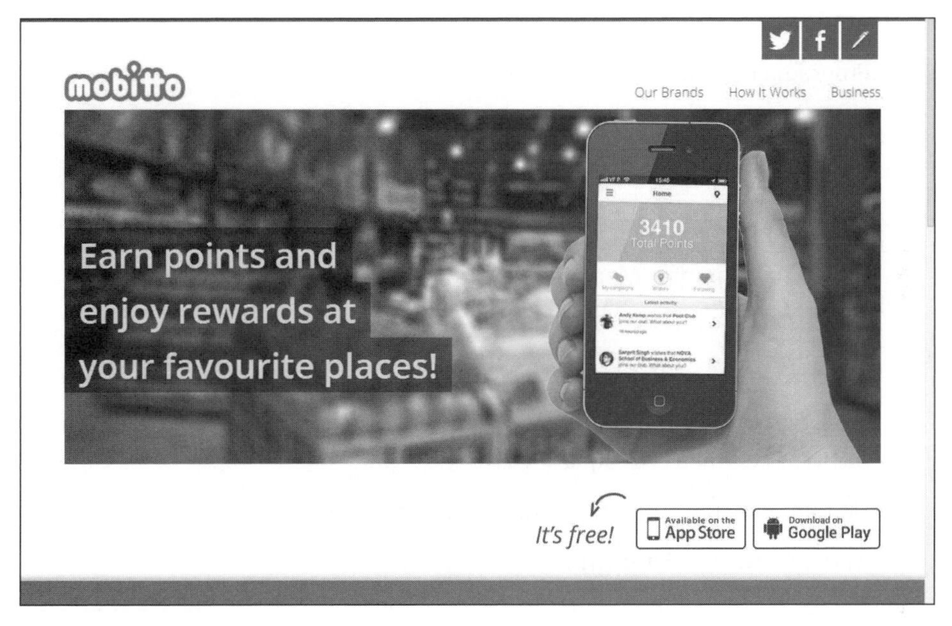

Figura 11.15. Mobitto informa de los descuentos próximos a nuestra ubicación.

Algunos de estos servicios como Mobitto están basados en la geolocalización, es decir, determinan la posición de nuestros clientes y les ofrecen los descuentos de aquellos establecimientos que estén situados más cerca de su ubicación, para que los clientes acudan.

En España por el momento, este tipo de sistemas no tienen una gran implantación. Las tarjetas de fidelización se siguen comprobando manualmente y las incidencias se solucionan por vía telefónica. Sin embargo, este tipo de herramientas serán comunes en los próximos años, por lo que debemos comprender qué ventajas aportan sobre los actuales y que adaptaciones tendremos que realizar sobre nuestros programas de fidelización cuando estos lleguen a España.

En cualquier caso, no debemos olvidar que un plan de fidelización es algo más que una simple tarjeta, o una serie de ventajas para nuestros clientes. Es un cambio estratégico en nuestra empresa, que debe centrar todos sus procesos en obtener la satisfacción de nuestros usuarios a largo plazo.

Para saber más:

- Directorio de agencias promocionales:

  `http://www.publidata.es/`

- Programa de fidelización en el móvil, Sellópolis:

  `http://sellopolis.es/`

- Ofertas geolocalizadas, Mobitto:

  `http://www.mobitto.com`

- Programa de puntos Magento, Reward Points Pro:

  `http://www.mage-world.com`

- J2T reward Points:

  `http://www.magentocommerce.com/magento-connect/j2t-reward-points-referral-program-va.html`

- Herramienta de creación de tarjetas de fidelización:

  `http://www.vistaprint.es`

"CON NÚMEROS SE PUEDE DEMOSTRAR CUALQUIER COSA."

Thomas Carlyle. Historiador y crítico social

12. Mida y Corrija... constantemente

En este capítulo aprenderemos:

- Métodos para reflexionar sobre el concepto de éxito.
- Las perspectivas de nuestra tienda que debemos medir.
- A definir indicadores que, en la práctica, nos ayuden en la gestión de nuestra tienda.
- Herramientas de Internet para facilitar la medición de nuestros indicadores.

Cuando creamos una tienda virtual, todos queremos que tenga el mayor éxito posible... pero ¿cuántas veces nos hemos parado a reflexionar sobre qué consideramos un éxito? Algunos socios pueden pensar que repartir la mayor cantidad de dividendos posibles es un éxito, mientras que otros podrían considerar que invertir en la empresa para garantizar su crecimiento futuro es mucho más crítico.

Por ello es tan importante que implantemos un sistema de medición que nos permita equilibrar tanto las necesidades de la empresa con las de los diferentes agentes implicados como clientes, accionistas, etc.

Algunas de las ventajas que nos ofrece la implantación de este sistema, en ocasiones denominado Cuadro de Mando Integral, son las siguientes:

- Establece una definición común de lo que supone el éxito para nuestra empresa.
- Mantiene a la organización enfocada en las tareas prioritarias para conseguir este éxito.
- Simplifica la conversión de la estrategia de la empresa en tareas concretas.
- Permite establecer parámetros de medida del rendimiento y establecer procesos de revisión y mejora continua.

En la primera parte de este capítulo, desarrollaremos la explicación de las bases teóricas para la construcción de un cuadro de mando integral eficiente, y posteriormente analizaremos, en la segunda parte del capítulo, la aplicación de este marco teórico para el caso de una tienda *on-line*.

El diseño de nuestro cuadro de mando integral nos obliga a reflexionar sobre muchos aspectos de nuestra empresa, para que podamos definir una serie de objetivos a cada persona implicada en el desarrollo de nuestro proyecto empresarial.

Según los expertos Robert S. Kaplan y David P. Norton, que dedicaron parte de su vida a analizar la manera de utilizar un cuadro de mando integral como sistema de gestión estratégica, y cuyos estudios se utilizan actualmente como base para las implementaciones que se realizan a nivel profesional, los puntos que debemos tener en consideración son los siguientes:

- **Misión:** Es el motivo de la existencia de la empresa.
- **Valores:** Son los principios en los que creemos, que sustentan nuestra empresa.
- **Visión:** Es lo que nos gustaría llegar a ser en el futuro.
- **Estrategia:** Nuestro plan para conseguir nuestra visión.
- **Cuadro de mando integral:** El método para implantar esta estrategia y qué prioridades vamos a fijar en cada tarea.
- **Iniciativas estratégicas:** Diferentes actividades que necesitamos hacer para cumplir con nuestro plan estratégico.
- **Objetivos personales:** Los logros que debemos alcanzar como individuos.

Figura 12.1. Puntos a considerar en la creación de un cuadro de mando integral.

¿QUÉ MEDIR Y POR QUÉ?

Para poder equilibrar todos los aspectos anteriores, debemos estudiar una serie de indicadores que, tomando como núcleo central nuestra visión y estrategia, permitan definir indicadores que sean coherentes entre sí y que nos ayuden a alcanzar nuestros objetivos.

Las cuatro perspectivas en las que tenemos que definir indicadores son:

- Financiera.
- Clientes.
- Procesos de negocio.
- Innovación y aprendizaje.

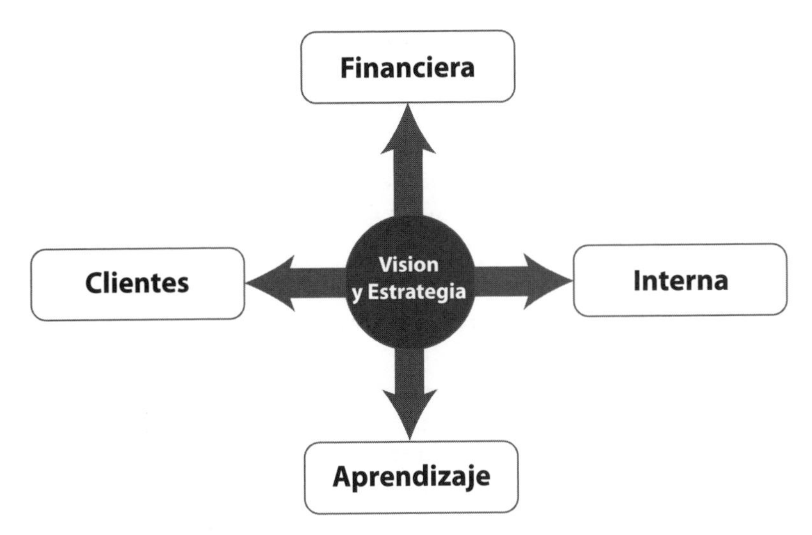

Figura 12.2. Gráfico de perspectivas para las que es necesario definir indicadores.

No cualquier ratio de medición constituye un indicador clave de gestión (*Key Performance Indicator* o KPI), ya que para ser considerado como tal debe ser una guía de carácter estratégico que mida el crecimiento del valor de nuestra empresa.

Las características que debe reunir un buen indicador son las siguientes:

1. Estos indicadores deben permitir medir la estrategia de creación de valor de la empresa

El objetivo principal de cualquier KPI es conseguir medir tareas que realizándolas satisfactoriamente, nos acercan al éxito de nuestra organización.

Nuestros indicadores deben permitir comprobar que estamos siguiendo la dirección que hemos definido para cumplir nuestros objetivos empresariales.

2. Deben estar definidos con el consenso de la dirección de la empresa

Un KPI que no esté aprobado y reconocido por toda la dirección de la empresa no sirve de nada, ya que son ellos los que deben comprender y aplicar dichos parámetros para medir las actividades bajo su responsabilidad.

Por ello es tan importante que invirtamos tiempo en llegar a acuerdos de consenso acerca de los indicadores que se van a utilizar a lo largo de la vida de nuestra empresa.

3. Debe "calar" en toda la organización

No es suficiente con que los directivos de la empresa conozcan y deseen implantar los indicadores. Una correcta medición y seguimiento de los mismos necesita de la involucración de todos los estamentos de nuestra empresa.

Los KPI tienen una estructura jerárquica, en el sentido de que un indicador puede estar formado por varias métricas diferentes a lo largo de las distintas áreas o departamentos de nuestra empresa, que bajan en "cascada" a lo largo de toda la organización.

Por ello debemos implicar y hacer comprender la importancia estratégica de estos indicadores a los responsables de realizar el seguimiento.

4. Deben estar claramente definidos

Es sorprendente lo que atrae a las personas hacerse "trampas al solitario", y falsear el cálculo de diferentes indicadores de medición.

Por ello es necesario crear una definición exacta de cada uno de ellos, y definir qué ocurriría en caso de que se produzca alguna excepción que no permita realizar el cálculo tal y como está definido.

5. Mucho cuidado con el origen de los datos

Los documentos lo soportan todo. Podemos crear una definición perfecta de los indicadores que debemos calcular para realizar las mediciones necesarias de nuestro camino hacia el éxito, pero ¿seguro que es posible obtener los datos a partir de los cuales se generan dichos indicadores?

No es extraño ver organizaciones que no tienen la capacidad de obtener esta información mínima que les permita calcular dicha información con la periodicidad necesaria.

Por ello, en la creación de estos indicadores debemos conocer los métodos que se van a utilizar para obtener dichos datos en cada caso y revisar si efectivamente, estos son correctos.

6. Es imposible mejorar si no se entiende qué se hace mal

Cuando un empleado tiene un indicador que no comprende o que desconoce cómo se calcula, sin duda es incorrecto.

Para ello, es necesario formarles sobre el motivo por el cual se define un determinado indicador, y cuál será el método de cálculo concreto, ya que en caso contrario nuestro equipo no modificará su comportamiento para adecuarse a las necesidades estratégicas de la empresa.

7. Calidad mejor que cantidad

Es necesario que los indicadores se vayan adaptando progresivamente a los cambios de estrategia de la empresa, revisándolos y modificándolos cuando sea preciso.

Por ello, en vez de llenar los cuadros de seguimiento de las personas de la organización con multitud de indicadores "por si acaso", es imprescindible que escojamos un número máximo (no es recomendable más de 10) por perfil para realizar el seguimiento.

8. Es necesario fijar objetivos en cada indicador

Para poder definir si estamos actuando correctamente o no en las tareas que estamos desempeñando, tenemos que fijar una serie de metas para cada indicador, en caso de que cumplamos por encima del mismo estaremos actuando de forma sobresaliente, y en caso contrario tendremos que fijar medidas que permitan mejorar nuestros resultados.

9. Motivar el cambio en procesos

Debemos ser conscientes que modificar un proceso de negocio que implica la actividad de diferentes empleados es muy complejo. Por ello, debemos saber recompensar mediante incentivos a los empleados que mejor hayan desempeñado su función.

10. Los indicadores deben evitar las "trampas"

En general, las personas inteligentes, en cuanto saben que les van a aplicar un indicador intentan buscar fórmulas para cumplirlo con el menor esfuerzo posible.

Por ello es muy importante que al definir un indicador nos pongamos en la piel de los empleados que lo deben cumplir y analizar todos los posibles trucos que pueden utilizar para no adecuarse a los objetivos de la empresa.

Es necesario que definamos indicadores que sea muy difícil que las personas puedan saltarse o hacer trucos para utilizarlos de forma incorrecta.

LA VISIÓN

Para establecer nuestra visión, debemos elegir un objetivo lo suficientemente ambicioso que capte la atención de las personas que lo escuchen. Debe empujar a nuestros empleados a actuar y estar comprometidos con él para que potencie el espíritu de equipo.

Esta visión debe ser a largo plazo, pero transmitiendo la sensación de poder conseguirse con esfuerzo, por lo que debemos fijar etapas que permitan a nuestro equipo ir viendo cómo van superando metas progresivamente que nos acercan al éxito.

Algunos ejemplos de visiones de empresas muy representativas serían:

- Ford: Poner un coche en cada garaje
- 3M: Solucionar de forma innovadora problemas aún sin resolver.
- Coca-Cola: Una Coca-Cola al alcance de la mano de cada cliente del mundo.
- Canon: Batir a Xerox.

La visión resume en una frase la posición donde queremos ver a nuestra empresa en el futuro.

LA MISIÓN

Define el motivo de nuestra existencia, el porqué estamos desarrollando nuestra empresa. Debe establecer lo qué queremos desarrollar y de esta forma ofrecernos una dirección en la que encaminarnos, que nos permita centrar nuestro ámbito de actuación.

A continuación se detallan algunas de las características que debe tener nuestra misión para ser efectiva:

- **Clara:** Todo el mundo de la empresa debe comprenderla y alinearse con ella.
- **Viable:** Debe ser una misión que se pueda conseguir con trabajo y esfuerzo.

- **Consistente con la visión:** Lógicamente debe ser coherente con el posicionamiento que deseamos a largo plazo.

Esta visión y misión que hemos definido será la base sobre la que definiremos nuestra estrategia, por lo que debemos trabajar con toda la dirección de la empresa en acordar y clarificar estos dos puntos antes de comenzar a establecer un cuadro de mando integral, ya que difícilmente podremos establecer indicadores clave del rendimiento (KPI) sino sabemos exactamente qué es lo que debemos medir.

ESTRATEGIA: FACTORES CLAVES DEL ÉXITO

Los factores clave del éxito son aquellas actividades que debemos realizar de forma excelente para conseguir lograr los objetivos que hemos definido, y distinguirnos de nuestra competencia.

Solamente es posible identificar estos factores clave de éxito tras un análisis interno de nuestros procesos y atributos de negocio que convierten nuestro producto o servicio en diferencial.

En mercados muy maduros, donde los productos ya están muy desarrollados y existe una gran competencia, puede ser difícil identificar los factores clave de éxito, algunos ejemplos pueden ser la calidad de servicio, una buena ubicación geográfica, nuestra cadena de distribución...

Una herramienta de análisis muy común es el DAFO, que permite analizar en un solo golpe de vista las Debilidades, Amenazas, Fortalezas y Oportunidades de nuestro negocio. Las fortalezas y Debilidades las obtendremos de un análisis profundo de nuestra cadena valor, mientras que las Fortalezas y Debilidades las podremos obtener analizando nuestro entorno mediante un análisis PEST (análisis de factores externos Políticos, Económicos, Sociales y Tecnológicos) y un análisis de las 5 fuerzas de Porter.

A pesar de que sería apasionante, no vamos a entrar en más detalle en ellas, ya que no es el objetivo de este libro profundizar en las herramientas de análisis estratégico. Además todas estas herramientas son muy sencillas de utilizar, por lo que aquellas personas que tengan curiosidad, una simple búsqueda en Internet les permitirá encontrar ejemplos y descripciones detalladas de los pasos a realizar para estos análisis.

Los factores claves de éxito se resumen en la ventaja competitiva, una ventaja que nos permite obtener un resultado mayor que el de nuestros competidores de forma consistente a lo largo del tiempo.

Una vez hemos definido cuáles son los factores clave de éxito que poseemos o que debemos desarrollar para conseguir nuestra misión y visión, debemos definir cuáles van a ser las tareas en las que vamos a enfocar nuestra empresa para conseguirlas, con lo que definiremos nuestra estrategia.

Por ejemplo, si uno de nuestros factores claves de éxito fuera nuestro alto nivel de innovación, deberemos enfocarnos en continuar con nuestro desarrollo tecnológico y en la creación de equipos de alto nivel.

Definir nuestra estrategia supone que vamos a seleccionar el conjunto de actividades en las que nuestra empresa destacará creando una diferencia que se mantenga de forma sostenible a lo largo del tiempo.

LOS CUADRANTES DEL CUADRO DE MANDO INTEGRAL

Como comentábamos antes, Kaplan y Norton definen las cuatro perspectivas más importantes de una organización:

- Financiera.
- Clientes.
- Procesos internos del negocio.
- Aprendizaje y organizacional.

Dos de ellas (Financiera y de Clientes) son perspectivas externas a nuestra empresa críticas para nuestros accionistas y clientes, mientras que las otras dos son internas a la empresa.

Es necesaria la inclusión de indicadores no financieros, ya que éstos no solamente nos ofrecen un estado de la situación sino también y más importante, las posibles causas que nos han llevado a ella.

Perspectiva Financiera

Esta perspectiva se corresponde con la forma en que nos ven nuestros accionistas, permite analizar si nuestra empresa tiene sentido desde un punto de vista financiero.

El objetivo es definir un sistema efectivo de control que nos permita desarrollar nuestra estrategia.

Figura 12.3. Ejemplo de un gráfico de perspectiva financiera.

Esta perspectiva únicamente tiene en consideración el éxito financiero, como indicativo del grado de consecución de los objetivos de nuestra empresa.

Este análisis nos permite reconsiderar aspectos de nuestra estrategia, ya que si los esfuerzos en la mejora de determinados procesos no afectan positivamente a nuestros resultados financieros, tendrá más sentido priorizar la mejora de otros procesos o áreas de la empresa.

Perspectiva de Clientes

Esta perspectiva se corresponde con la forma en la que nos ven nuestros clientes.

El objetivo es controlar el nivel de servicio que ofrecemos a nuestros usuarios (algunos ejemplos serían el nivel de calidad de los productos, el grado de atención o el tiempo de espera).

Debemos considerar tanto los aspectos internos de la empresa con respecto a los clientes (número de productos lanzados en un determinado tiempo, tiempo de espera, etc.) como los aspectos externos (nivel de satisfacción percibida por el cliente).

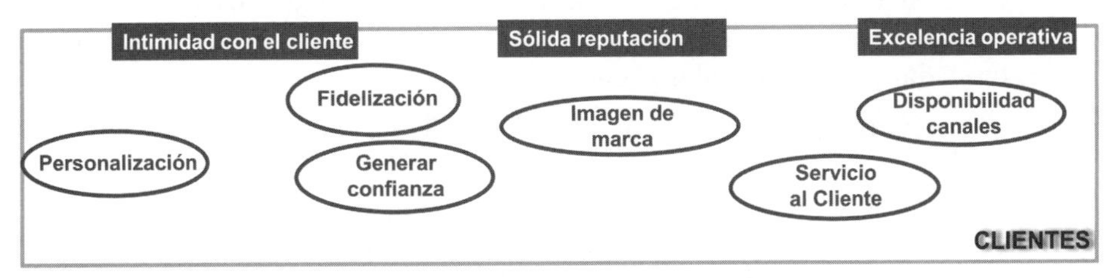

Figura 12.4. Ejemplo de un gráfico de perspectiva de clientes.

Desde un punto de vista interno de la empresa, el ciclo de vida del cliente se divide en cuatro grandes momentos:

- **Búsqueda del cliente:** Nuestros clientes potenciales están distribuidos en grandes masas de compradores. Por ello, tenemos que definir una serie de atributos (demográficos, sociales o geográficos) que nos permitan dirigirles nuestras comunicaciones comerciales de forma segmentada.
- **Captación del cliente:** Es el momento crítico, en el que el cliente tiene que decidir si comienza una relación comercial con nosotros o decide optar por uno de nuestros competidores.
- **Desarrollo del cliente:** En caso de que el cliente decida elegirnos, tenemos que conseguir incrementar su relación con nosotros, bien a través del incremento del número de productos que adquiere o de la frecuencia de sus contactos comerciales con nuestra empresa.

- **Fidelización del Cliente:** Consiste en establecer unos lazos que eviten que el cliente decida acudir a los servicios de nuestra competencia.

Debemos definir un sistema que nos permita medir nuestro grado de efectividad a lo largo de este ciclo de vida, para corregir y solucionar aquellos aspectos donde existan oportunidades de mejora.

Perspectiva de procesos internos del negocio

Una vez definida cuál va a ser nuestra aproximación a los clientes, debemos reflejar los procesos internos en los que es necesario enfocarse para poder llevar a cabo nuestra oferta a los clientes:

- **Marketing:** La mejora de procesos internos vinculados con la gestión del cliente y sus relaciones comerciales.
- **Productos y fabricación:** Engloba el diseño y desarrollo de nuevos productos y servicios, así como los aspectos de innovación y mejoras en el proceso de fabricación.
- **Logística:** Son aquellos relacionados con la distribución y entrega de nuestros productos y servicios a los clientes. El objetivo es reducir nuestro tiempo y coste de envío hasta el punto más eficiente posible, para trasladar el máximo valor al cliente.
- **Seguridad:** Tanto desde el punto de vista de los empleados como del medioambiente. En la actualidad no solo es necesario cumplir con la regulación, sino también tener en cuenta el impacto que en nuestra reputación puede tener (y por lo tanto menores ventas) no ser respetuoso con la salud de nuestros empleados y la comunidad.

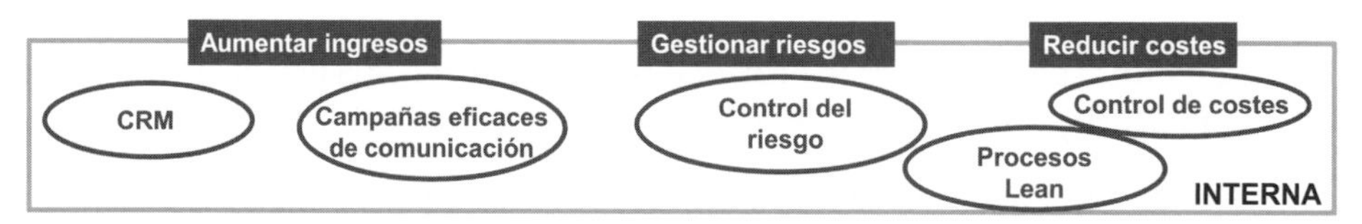

Figura 12.5. Ejemplo de un gráfico de perspectiva de procesos internos.

Perspectiva de Aprendizaje y Organizacional

Tanto los trabajadores como el conocimiento y activos intangibles que se van generando a lo largo de los años, son el verdadero valor de una empresa, ya que conforman su forma de actuar.

Por ello es importante tener en cuenta esta perspectiva para poder seguir y analizar cómo debemos organizar nuestros equipos y qué competencias debemos desarrollar en ellos para poder cumplir la estrategia de nuestra empresa.

Los tres puntos clave que debemos considerar en esta perspectiva son:

- **Personas:** Qué características posee nuestra plantilla y cuáles son las competencias que deben desarrollar para alcanzar el modelo deseado.
- **Información:** Asegurar que mejoramos la forma de procesar la información de nuestra empresa, empleando cada vez menos recursos y asegurándonos de que no perdemos información crítica para el negocio y que somos capaces de analizarla correctamente.
- **Organización:** Engloba nuestra capacidad para trasladar la misión y estrategia de la compañía en cascada por todas las áreas de la empresa. Alineando a todas las personas implicadas en su consecución y consiguiendo que trabajen como un equipo.

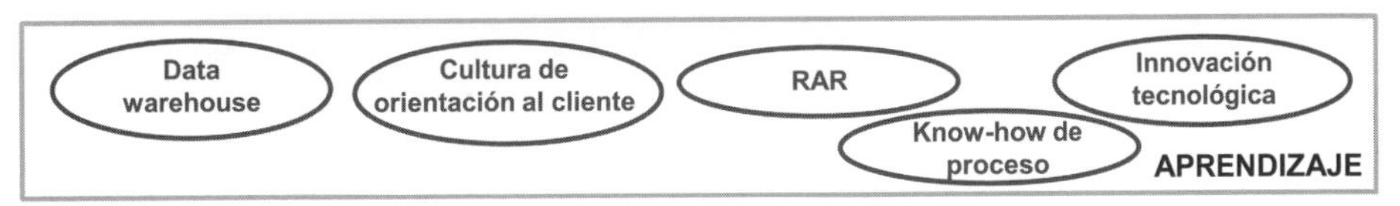

Figura 12.6. Ejemplo de un gráfico de perspectiva de aprendizaje y organizacional.

EL MAPA ESTRATÉGICO

Cada métrica definida en el Cuadro de Mando Integral, debe seguir una estructura lógica de causa-efecto, que debe interconectar los resultados de los objetivos estratégicos fijados en cada una de las perspectivas, con los del nivel superior, hasta alcanzar los objetivos finales de creación de valor que hemos definido.

La filosofía que subyace en esta estructura del mapa estratégico es que si disponemos de un equipo excelente, desarrollando procesos bien definidos y orientados hacia la satisfacción del cliente, esto obtendrá el éxito financiero y la consecuente creación de valor.

CREACIÓN DE UN CUADRO DE MANDO INTEGRAL PARA NUESTRA TIENDA *ON-LINE*

La mejor forma de ver cómo aplicar todo lo aprendido en este capítulo a nuestra tienda *on-line*, es a través de un ejemplo resuelto.

Por supuesto el cuadro de mando integral que definamos para cada caso específico dependerá del análisis que realicemos de nuestra empresa, desde su visión hasta los indicadores que definamos en cada una de las perspectivas.

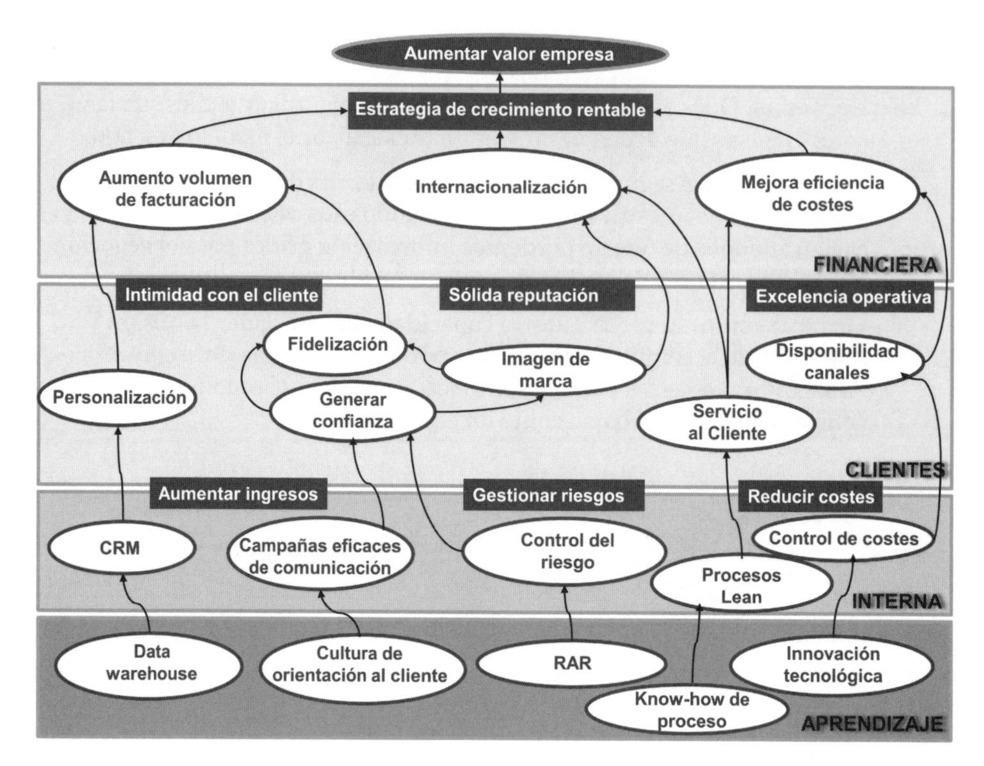

Figura 12.7. Ejemplo de un gráfico de mapa estratégico.

OBJETIVOS E INDICADORES ESTRATÉGICOS PROPUESTOS PARA LA PERSPECTIVA FINANCIERA

Como dueños que seremos de nuestra propia tienda virtual, y probablemente máximos accionistas, nuestro principal interés es incrementar al máximo el valor económico de nuestras participaciones o acciones en la empresa.

En la fase de lanzamiento de nuestra tienda *on-line* para poder obtener el crecimiento deseado, proponemos una estrategia centrada en el incremento de ingresos, mediante la captación de clientes y el aumento de los márgenes con los que trabajamos.

Figura 12.8. Gráfico de perspectiva financiera en su versión para nuestra tienda *on-line*.

Por supuesto, no podemos olvidarnos de mantener nuestra eficiencia y productividad, mediante una mejora progresiva de nuestra estructura de costes.

Para medir estos objetivos estratégicos, podemos utilizar los siguientes indicadores KPI:

- **EVA (Valor Economico Añadido,** ***Economic Value Added*****):** Es un indicador financiero que nos permite medir el valor creado en exceso del exigido por nuestros accionistas.
- **BPA (Beneficio por Acción):** Cálculo del beneficio obtenido por cada una de las acciones de la empresa.
- **Facturación (en Euros):** Medida mensual de los ingresos por ventas que estamos realizando.
- **Cuota de mercado (en Porcentaje):** El porcentaje del total mercado o sub-segmento del mercado al que nos estamos dirigiendo con nuestros productos y servicios.
- **Ratio de eficiencia:** Es el porcentaje de los ingresos que se comen los gastos. Por ejemplo un ratio de eficiencia del 30 por 100 quiere decir que por cada 100 Euros de ingresos, nuestra empresa gasta 30 Euros.

Objetivos e indicadores estratégicos propuestos para la perspectiva de clientes

Nuestro objetivo en la fase de lanzamiento es aumentar el número de clientes que consultan nuestra tienda, así como incrementar las ventas que se realizan por cada cliente que nos visita.

Por ello, es muy importante que midamos nuestro servicio al cliente, tanto el tiempo de espera que los clientes deben aguardar para ver contestadas sus solicitudes de información, como la respuesta que ofrecemos a sus reclamaciones.

Figura 12.9. Gráfico de perspectiva de clientes en su versión para nuestra tienda *on-line*.

Para poder medir estos objetivos estratégicos, podríamos utilizar los siguientes indicadores:

- **Reclamaciones atendidas:** Es el porcentaje de reclamaciones atendidas con respecto al número total de recibidas.
- **Tiempo de atención:** Tiempo medio transcurrido en contestar la incidencia de un cliente.
- **Tasa de abandono:** Número de clientes que abandonan sin finalizar una compra iniciada en nuestra tienda.
- **Tráfico de clientes:** Mide el número de clientes mensuales que entran en nuestra tienda virtual.
- **Tasa de redención:** Consiste en el número de clientes que realizan una compra tras haber observado uno de nuestros anuncios.

Independientemente del canal por el que se haya comunicado el cliente con nosotros (teléfono, e-mail o web), deberíamos tener la oportunidad de consultar el indicador global, así como el desglose por cada uno de los canales.

Objetivos e indicadores estratégicos propuestos para la perspectiva de procesos internos

Para conseguir unos procesos operativos excelentes, debemos mantener unos costes de envío bajos pero sin dejar de cumplir nuestros compromisos de entrega.

Además deberemos ceñirnos al presupuesto que hayamos fijado y definir unos sistemas de control de fraude que eviten que nos sustraigan pedidos.

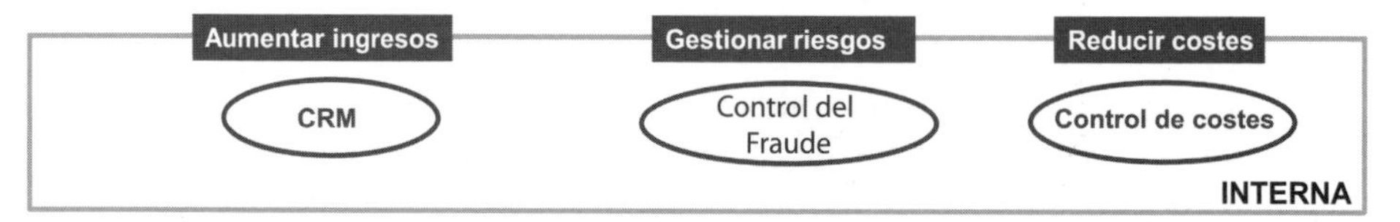

Figura 12.10. Gráfico de perspectiva procesos internos en su versión para nuestra tienda *on-line*.

Con respecto al medio ambiente, desarrollar una página web nos permite lograr una operativa "sin papeles" que además de evitar la tala indiscriminada de árboles, reduce nuestros gastos.

- **Coste de distribución:** Coste por envío en comparación con los costes de nuestra competencia.
- **Tiempo de entrega:** Consiste en el período medio de espera que un cliente debe aguardar desde que hace el pedido hasta que lo recibe en su casa.

- **Presupuesto:** Grado de cumplimiento del presupuesto asociado a cada actividad.
- **Control de fraude:** Número de operaciones fraudulentas con respecto al número de operaciones de compra realizadas en nuestra tienda virtual.
- **Cuidado Medio Ambiente:** Número de hojas utilizadas en la gestión de nuestra actividad.

Objetivos e indicadores estratégicos propuestos para la Perspectiva de Aprendizaje y Organizacional

Según va creciendo nuestra empresa, iremos dejando de realizar todas las tareas y delegando en terceras personas, por lo que debemos asegurar que no se pierde la cultura corporativa que deseamos implantar, manteniendo un gran nivel de conocimiento de los productos y servicios que tenemos en cartera, así como manteniendo la calidad de nuestra base de datos.

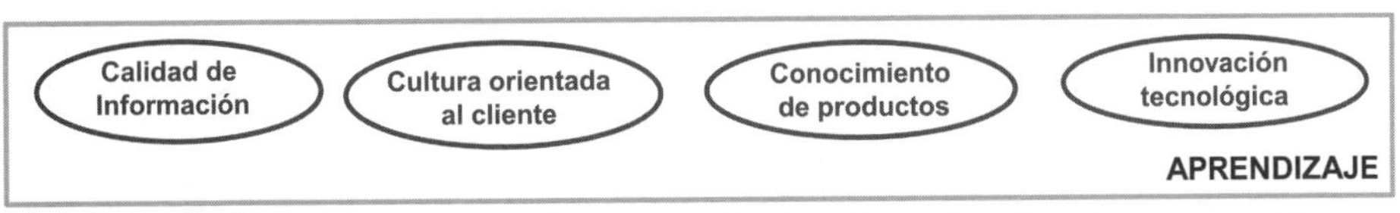

Figura 12.11. Gráfico de Perspectiva Aprendizaje y Organizacional en su versión para nuestra tienda *on-line*.

- **Orientación al cliente:** Nuestra cultura de orientación al cliente puede medirse a través de las encuestas de satisfacción que ofreceremos rellenar a todos nuestros clientes, por lo que podremos conocer el nivel de atención recibido y sus propuestas de mejora.
- **Grado de conocimiento de nuestros productos:** Es medible a lo largo de todos los empleados de nuestra organización, mediante el establecimiento de cursos formativos (bien presenciales u *on-line*) y realización de cuestionarios periódicos.
- **Número de errores en Base de datos:** Corregir la información de nuestros clientes en la base de datos es primordial para evitar enviar *newsletters* a e-mails desconocidos o no tener una forma de contacto válida con nuestros clientes.
- **Innovación tecnológica:** Medible a través de nuestro gasto en tecnología, una vez hemos decidido crear una tienda *on-line* debemos mantenernos en la brecha, por lo que es necesario asignar un cierto nivel de gasto a esta partida. Sin embargo, esto no significa que debemos hacer gasto no productivo, por lo que es imprescindible analizar en qué se invierte este dinero y supervisarlo directamente.

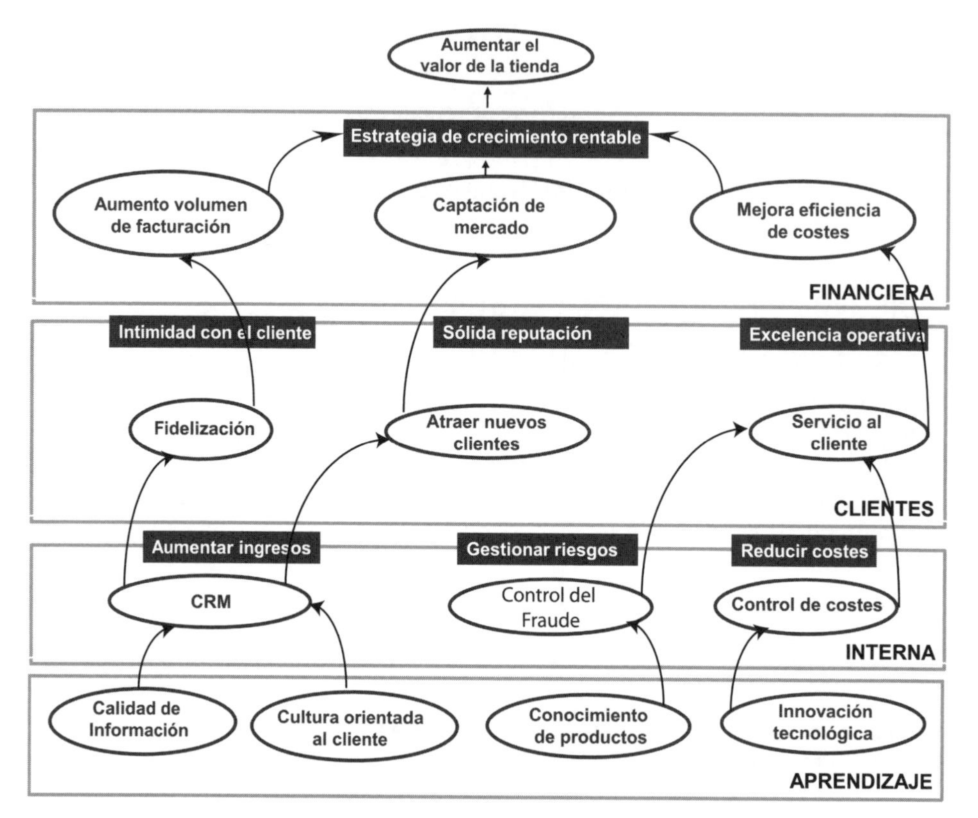

Figura 12.12. Gráfico de mapa estratégico en su versión para nuestra tienda *on-line*.

ANÁLISIS DE LAS VISITAS A NUESTRA TIENDA

Cuando creamos una tienda tradicional, diariamente podemos ver el número de personas que entran por la puerta, los productos que miran y por los que solicitan información adicional, sus comentarios sobre el precio, dónde han obtenido sus códigos promocionales, etc.

Uno de los problemas que nos encontramos al intentar recabar información de nuestros usuarios en una tienda *on-line*, es que las navegaciones por Internet son anónimas, ya que cada usuario solamente se identifica por un código único (denominado IP) y que, en general, se modifica cada vez que encendemos nuestro ordenador y volvemos a conectarnos.

Sin embargo, las herramientas estadísticas de Internet agrupan la actividad de los usuarios en nuestra tienda virtual en períodos denominados "visitas", durante los cuales los usuarios acceden a uno o varios documentos (también conocidos como páginas) de nuestra web.

Por ello, cuando analicemos nuestros datos estadísticos veremos que las "páginas vistas" siempre son un número mayor al número de "visitas", ya que un mismo usuario en una "visita" accederá como mínimo a una "página" de nuestra tienda. Lo normal es que la página más visitada sea la inicial, aunque gracias a los motores de búsqueda como Google, es posible que nuestros clientes accedan directamente a la página específica del artículo que desean comprar.

En la actualidad, Internet nos proporciona toda una serie de herramientas para la obtención de esta información tan importante, a continuación veremos un breve resumen de los datos más importantes que debemos analizar y que podremos utilizar para afinar la oferta de nuestra tienda.

- **Número de visitas y cifra de negocio:** Estos datos nos permiten analizar los días de la semana que mayor impacto tienen para nuestra facturación, así como el efecto que diferentes promociones están aportando a la evolución de nuestras ventas.
- **Categorías más vistas por los usuarios:** Un análisis profundo de cuáles son las categorías que más atraen a nuestros clientes, nos permitirán dirigir nuestra publicidad a las más demandadas. De la misma forma, nos debería llamar la atención sobre aquellas categorías en las que somos menos competitivos, lo que implica que debemos realizar un análisis más profundo, bien del diseño, precios, o artículos incluidos en dicha categoría.
- **Artículos más comprados:** No siempre los artículos que reciben más visitas, se convierten finalmente en los más comprados. Debemos trabajar en esos artículos, así como en sus precios y desarrollar las descripciones para que sean más comerciales.

Todas las aplicaciones de tiendas virtuales (como Magento) disponen de este tipo de análisis de datos, por lo que los podremos consultar directamente a través de nuestro panel de control.

El embudo de conversión de una tienda *on-line*

Debemos pensar en la actividad de nuestros clientes en la tienda como en un embudo. De aquellos clientes que nos visitan, únicamente unos pocos incluyen algunos de nuestros artículos en su cesta de la compra, de éstos muchos menos proceden a formalizar un pedido, y aún menos finalizan dicho proceso con un pago correcto.

Nuestro objetivo debe ser intentar aumentar progresivamente el porcentaje de clientes que pasan al siguiente nivel dentro de este embudo.

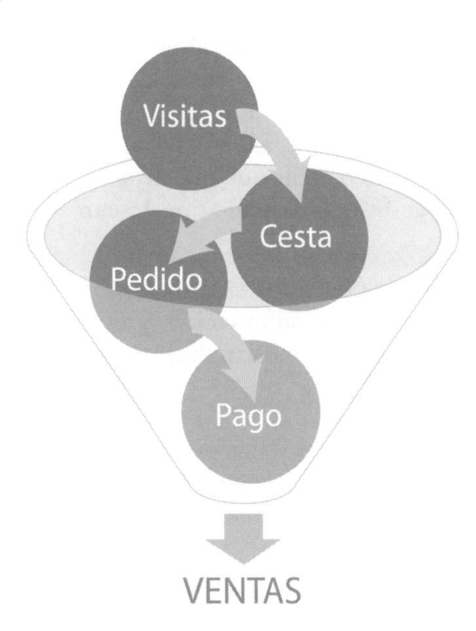

Figura 12.13. Gráfico del embudo de conversión de nuestra tienda.

Esto solamente se consigue mediante un proceso continuo de mejora y adaptación de nuestra página web, afinando el texto de las descripciones de los artículos y sus fotografías y refinando nuestros procesos operativos y costes hasta cumplir con las expectativas del mayor número posible de clientes potenciales.

Aún siendo una herramienta de información muy potente, estos datos solamente nos ofrecen una visión limitada que describe la actividad de nuestros clientes a lo largo de su estancia en la tienda, pero no nos permite analizar ninguna información adicional respecto al grado de eficacia de nuestras campañas de marketing *on-line*, la satisfacción de nuestros usuarios o datos socio demográficos de los visitantes a nuestra tienda.

Para realizar este tipo de análisis más avanzados, existen una serie de herramientas más específicas, procederemos a hacer un resumen sobre las más populares.

Google Analytics

Google Analytics es un servicio gratuito ofrecido por Google, inicialmente desarrollado por una empresa llamada Urchin Software que fue adquirida por Google en el año 2005.

Esta herramienta está orientada principalmente a los responsables de marketing de las webs en Internet ya que ofrece estadísticas acerca de las campañas de marketing *on-line*, gracias a su integración con AdWords, el servicio de publicidad del motor de búsqueda de Google.

Figura 12.14. Google Analytics ofrece una gran cantidad de datos de seguimiento y análisis del tráfico de nuestra tienda.

Es posible hacer seguimiento de nuestras campañas, analizando la generación de oportunidades de compra (leads) y descubrir cuáles de nuestros anuncios se comportan peor, para cancelarlos o realizar las modificaciones sobre ellos que consideremos oportunas.

Incluso es posible realizar algún nivel básico de segmentación de los clientes (con información estimada) que nos permite ver de qué zona geográfica provienen e incluso algunos datos sociales básicos.

En la actualidad, seguro que nos vamos a anunciar en Google AdWords, ya que todos nuestros clientes potenciales utilizan este buscador. Por ello deberemos configurar una cuenta de Google Analytics para nuestra web.

La integración de Google Analytics en nuestra tienda Magento es muy sencilla, simplemente debemos seguir los siguientes pasos:

1. Darnos de alta una cuenta en Google Analytics a través de la siguiente dirección web "`http://www.google.com/analytics/sign_up.html`"
2. Nos indicarán un número identificador de nuestra cuenta, que debemos apuntar ya que lo necesitaremos posteriormente en la integración.

3. Desde el Panel de Administración accedemos a la siguiente pestaña situada en System (Sistema)>Configuration (Configuración)>Sales (Ventas)>Google API>Google Analytics.
4. Una vez allí, indicamos el identificador de nuestra cuenta y activamos la opción en el menú desplegable.
5. Tras salvar esta configuración, ya tendremos disponible toda la potencia de la herramienta de Analytics en nuestra tienda virtual.

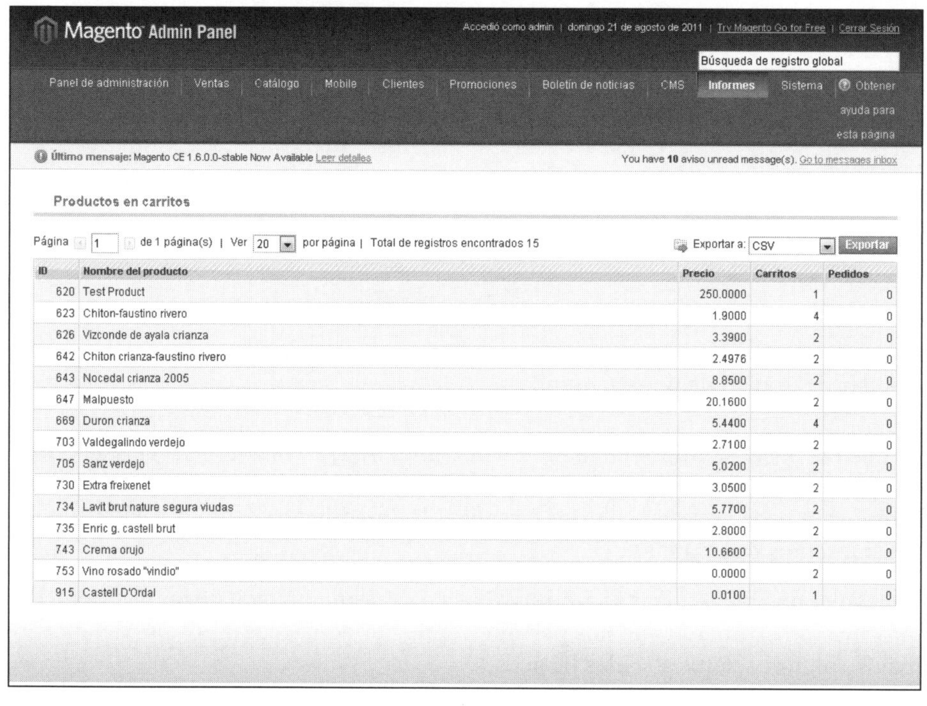

ID	Nombre del producto	Precio	Carritos	Pedidos
620	Test Product	250.0000	1	0
623	Chiton-faustino rivero	1.9000	4	0
626	Vizconde de ayala crianza	3.3900	2	0
642	Chiton crianza-faustino rivero	2.4976	2	0
643	Nocedal crianza 2005	8.8500	2	0
647	Malpuesto	20.1600	2	0
669	Duron crianza	5.4400	4	0
703	Valdegalindo verdejo	2.7100	2	0
705	Sanz verdejo	5.0200	2	0
730	Extra freixenet	3.0500	2	0
734	Lavit brut nature segura viudas	5.7700	2	0
735	Enric g. castell brut	2.8000	2	0
743	Crema orujo	10.6600	2	0
753	Vino rosado "vindio"	0.0000	2	0
915	Castell D'Ordal	0.0100	1	0

Figura 12.15. Magento posee sus propias herramientas de análisis que nos permiten obtener informes de actividad.

La obtención y análisis de estos datos es crítica para nuestro negocio, por ello es habitual que los responsables de una tienda *on-line* instalen varias herramientas de seguimiento, con el objetivo de tener la posibilidad de comparar los datos y descubrir la existencia de posibles errores.

Las alternativas más populares son Histats y StatCounter. Ambos son sistemas gratuitos y de alta calidad, para hacerlos funcionar simplemente debemos incluir un pequeño código en nuestra web y se comenzará a generar información de seguimiento diario de nuestra tienda.

Figura 12.16. HiStats es otra herramienta gratuita de análisis de datos.

Nota: En páginas web con un número muy alto de visitas, los sistemas de tracking pueden afectar a la velocidad y rendimiento del sistema. En general esto no nos debe preocupar, ya que una tienda on-line de tamaño pequeño o mediano no es muy intensiva en tráfico.

ANALIZAR LOS DATOS DE TRÁFICO DE NUESTRA COMPETENCIA

Una de las tareas que siempre debe realizar un buen comerciante es visitar las tiendas de su competencia periódicamente, para ver el número y tipo de clientes que acuden y comprobar si les estamos robando clientes, o son ellos los que están creciendo a nuestra costa.

En Internet, para poder tener controlada a nuestra competencia, debemos hacer exactamente lo mismo, para ello se han desarrollado una serie de herramientas cuya utilización es básica para ver la evolución de nuestra cuota de mercado.

Buysellads.com

Desde que Google decidió no continuar ofreciendo su servicio de planificación de medios denominado ad Planner y sustituirlo por otra herramienta, en mi humilde opinión mucho peor, denominada Display Planner, Buysellads ha tomado su relevo como la fuente de tráfico más fiable desde el punto de vista publicitario.

Buysellads desglosa el tráfico estimado por cada uno de los banners disponibles en cada página web que aparece en sus listados.

El objetivo inicial de esta herramienta es similar al que tenía Google ad Planner, poder analizar una determinada web para nuestro plan de medios, es decir, ver si sería interesante a nivel publicitario integrar en ella nuestros anuncios.

Sin embargo, también se puede utilizar como sistema de análisis de la competencia, ya que nos ofrece datos acerca del interés que sus contenidos poseen para nuestros potenciales clientes.

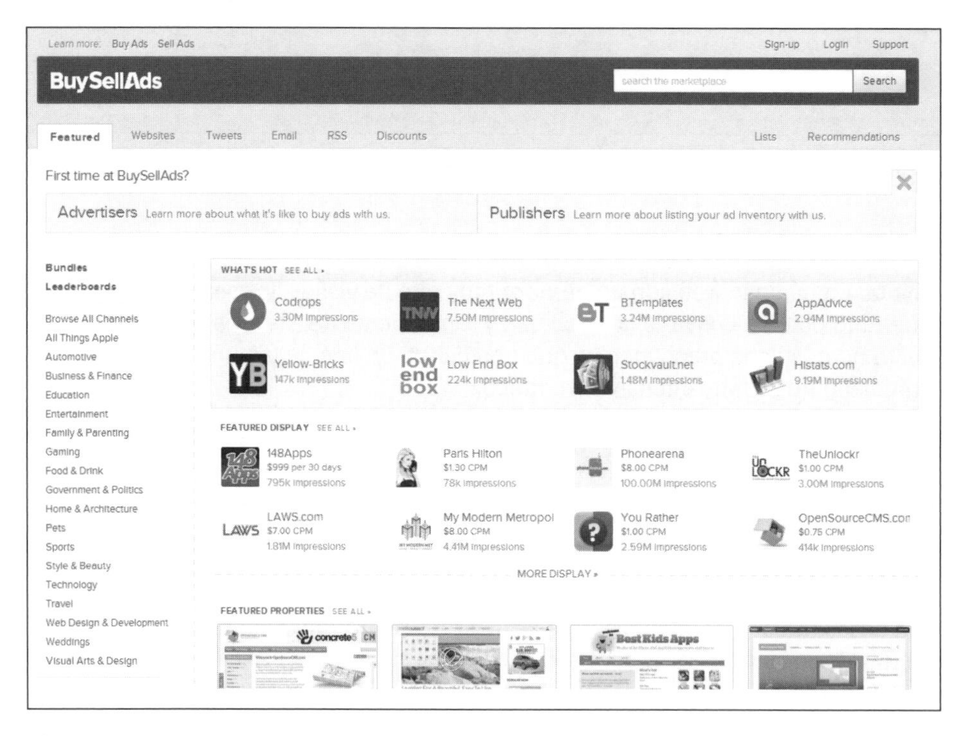

Figura 12.17. Buysellads nos permite analizar a nuestra competencia.

Otras herramientas alternativas que podríamos utilizar para estimar el nivel de tráfico de nuestra competencia serían:

- **Alexa:** Fundada en 1996, y actualmente propiedad de `Amazon.com`. Proporciona información acerca del número de visitas que recibe una web, así como su evolución a lo largo del tiempo. Obviamente, no posee información de todas las páginas web de Internet, por lo que únicamente encontraremos a aquellos competidores de mayor nivel de tráfico.

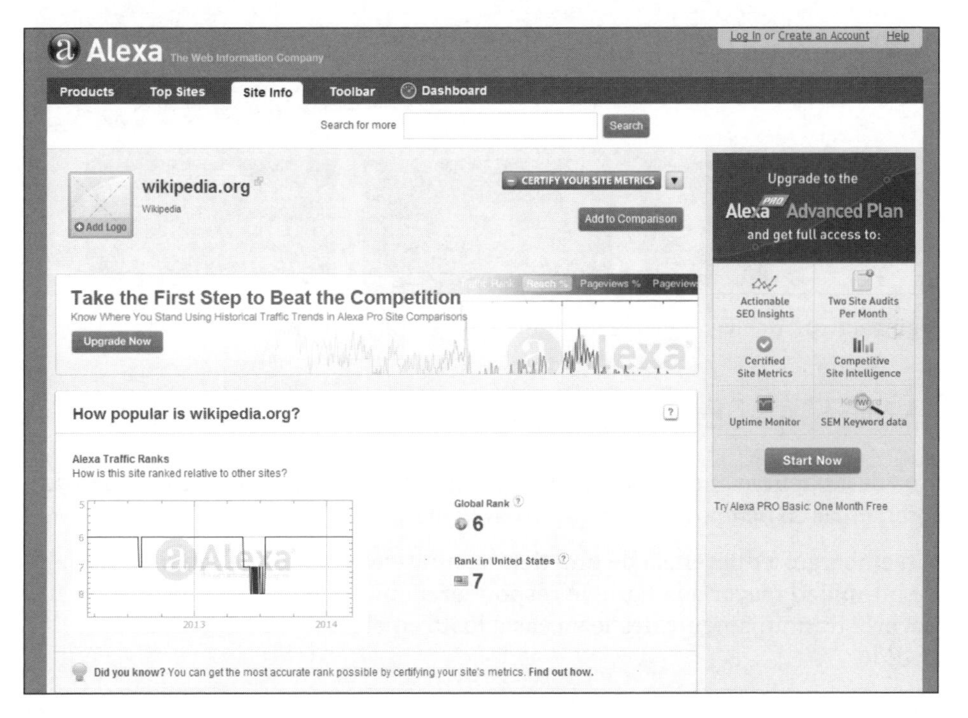

Figura 12.18. Alexa nos ofrece información sobre la evolución de las visitas en nuestra tienda.

- **URL trends:** Integra la información de Alexa y además nos proporciona algunos datos de posicionamiento en buscadores y redes sociales.
- **Archive.org:** Dispone de un servicio denominado WayBackMachine (la máquina del tiempo) que permite acceder a versiones antiguas de las webs, por lo que podemos analizar rediseños en las páginas de nuestros competidores y el impacto que estos han ido teniendo en su nivel de tráfico en Internet.

Figura 12.19. Archive.org es la máquina del tiempo de Internet.

ENCUESTAS DE SATISFACCIÓN A NUESTROS CLIENTES

Una de las aplicaciones más potentes que nos ofrece Internet, es la capacidad de interactuar en tiempo real con nuestros clientes.

Sin embargo, a diferencia de una tienda, nuestros clientes tienen un grado de intimidad mayor a la hora de responder a una encuesta, ya que pueden hacerla tranquilamente desde su casa, justo en el momento de recibir su pedido.

No solamente el grado de calidad de las respuestas es superior, sino que podemos tener todas las respuestas de nuestros clientes integradas de forma automática y realizar estadísticas y análisis sin esfuerzo.

Existen múltiples webs que ofrecen este servicio, con la posibilidad de personalizar encuestas para nuestros clientes de manera muy sencilla. Aunque casi todas tienen algún plan gratuito, los servicios de personalización más avanzados suelen tener un cierto coste mensual.

Algunas de las herramientas disponibles en el mercado son Uservoice con un plan gratuito limitado a un solo administrador, mientras que con servicios de pago periódico podríamos destacar Kampyle o Qualaroo que ofrecen servicios con un alto nivel de personalización e integración con redes sociales.

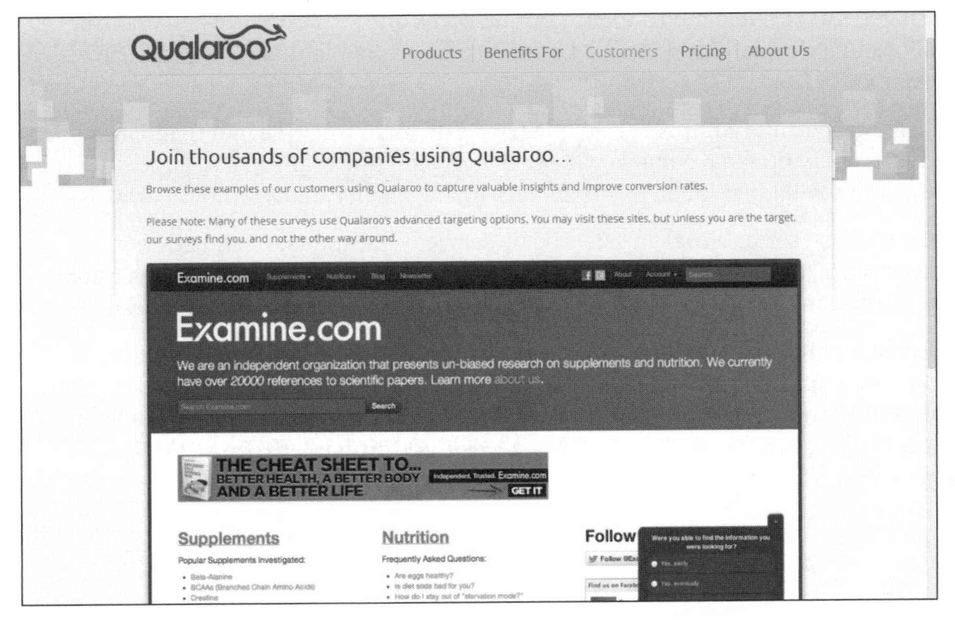

Figura 12.20. Qualaroo nos permite realizar encuestas a nuestros clientes.

MEJORANDO LA USABILIDAD DE NUESTRA WEB

Todos los indicadores anteriores nos permiten detectar la existencia de problemas en la definición del precio de un determinado artículo, o de un proceso de negocio. Incluso es posible identificar que no estamos tratando correctamente a nuestros clientes.

Pero ¿qué ocurre si el problema es que el cliente no encuentra nuestros productos de forma sencilla en la web? ¿O que le resulta muy compleja la navegación a través de alguno de los apartados de nuestra tienda?

Estos aspectos de usabilidad y diseño, son críticos en una página web, ya que el interfaz de usuario permite que el proceso de compra de nuestros clientes sea sencillo o se pueda convertir en un auténtico tormento.

Existen herramientas que nos pueden ayudar a analizar el grado de eficacia de nuestro diseño y orientarnos en qué puntos de nuestra navegación deberíamos realizar modificaciones.

Estas aplicaciones utilizan una técnica denominada "mapa de calor web" que consiste en realizar una representación gráfica de nuestra página web, en la que se resaltan con diferentes colores algunas zonas en función del criterio que hayamos definido. El color rojo representa al más cálido (mayor número de sucesos del evento) mientras que el azul es el más frío (menor número de sucesos).

En general se suele medir el número de veces que se ha pasado con el ratón sobre una determinada zona, o cuando se ha realizado una pulsación con el mismo.

Esto nos permite comprobar en qué partes de un anuncio se han fijado más nuestros clientes, así como la ruta de navegación que realizan a lo largo de nuestra tienda, y si dicha navegación es lineal o deberíamos simplificarla.

Como suele ser habitual en este tipo de servicios de análisis estadísticos avanzados, en general todas las herramientas disponibles poseen una versión gratuita con características limitadas y otros planes de pago, más avanzados.

Probablemente Clickdensity y Crazyegg sean los servicios más populares, ambos disponen de un período de prueba gratuito de 30 días, y Clickdensity ofrece además un plan gratuito mensual que realiza seguimientos de hasta 5.000 clics, lo que puede cubrir las necesidades iniciales de una tienda pequeña.

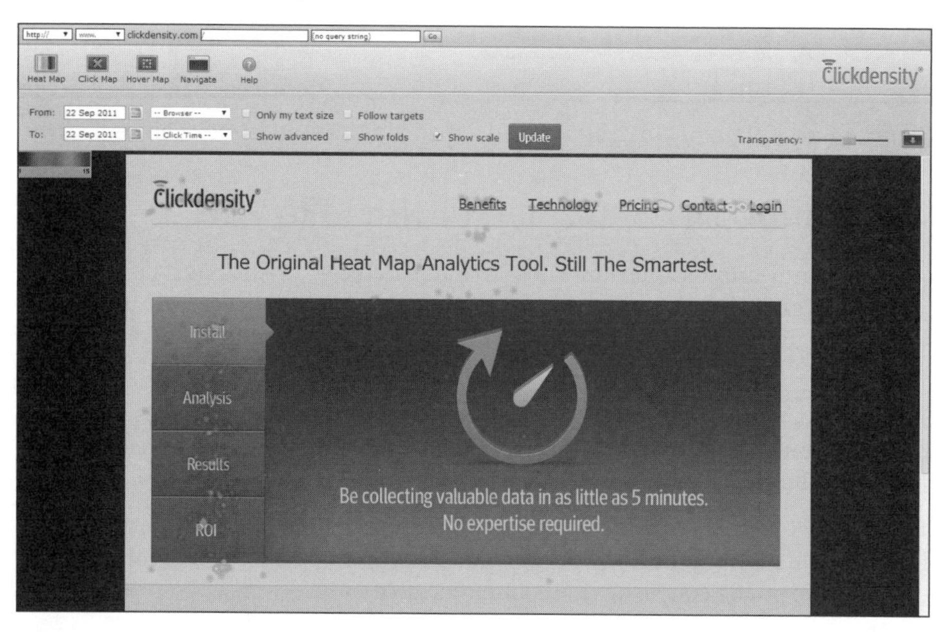

Figura 12.21. Clickdensity ofrece un análisis del nivel de usabilidad de nuestra tienda.

Otra aproximación interesante a este tipo de problemas con el diseño de nuestra navegación, es el que utiliza la herramienta Mouseflow. Una vez instalado un pequeño código en nuestra tienda, se envía cada 10 segundos información acerca de la actividad que el cliente está realizando en nuestra página web (datos identificadores de la conexión, movimientos del ratón, clics que ha realizado, *scroll* y pulsaciones de teclas que el cliente haya realizado). A partir de esta información, el servicio genera una simulación en video de la sesión que ha mantenido el cliente en nuestra web, lo que nos permite analizar de una forma visual la actividad de nuestros usuarios.

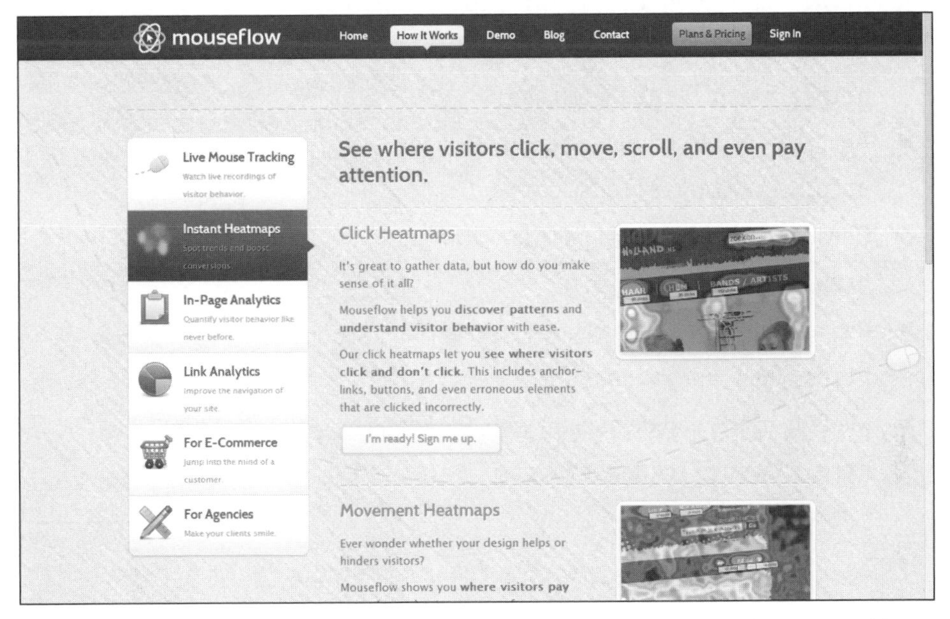

Figura 12.22. Mouseflow es otra alternativa que facilita videos de la navegación de nuestros clientes.

A lo largo de la sesión del usuario, en ningún caso se recogen datos personales del cliente, por lo que las sesiones grabadas son totalmente anónimas.

Como podemos ver, la cantidad de información y estadísticas que es posible recoger con estas nuevas herramientas en Internet es muy potente, pero no debemos dejarnos llevar por la tecnología y olvidarnos de que lo que estamos gestionando es una empresa.

Para conseguir obtener los resultados que nos hayamos fijado, debemos tener en cuenta todas las perspectivas de nuestra empresa, y utilizar todas aquellas herramientas e indicadores tanto *on-line* como *off-line* que nos permitan realizar un seguimiento de nuestro grado de consecución de objetivos.

Si conseguimos que nuestros equipos (ya sean de una persona o de doscientas) cumplan con nuestros objetivos estratégicos, seguro que obtenemos el éxito con nuestra tienda *on-line*.

Para saber más:

- Sistema de seguimiento, Google Analytics:
  `http://www.google.com/intl/es/analytics/`
- Un sistema alternativo, HiStats:
  `http://www.histats.com/es/`
- Analizar nuestra competencia, BuySellads:
  `http://www.buysellads.com`
- Consultar una página del pasado, Archive:
  `http://www.archive.org`
- Realizar encuestas a los clientes, Qualaroo:
  `http://www.qualaroo.com/`
- Medir la usabilidad de nuestra web, Clickdensity:
  `http://www.clickdensity.com/`

Parte III

Desarrollo del negocio

"TODO ES MUY DIFÍCIL ANTES DE SER SENCILLO."

Thomas Fuller. Historiador y capellán del Rey de Inglaterra

13. Uff... vaya lío... Simplificando al máximo

En este capítulo aprenderemos:

- Ideas para seleccionar un producto de éxito en Internet.
- Métodos para disponer de artículos que vender on-line en pocos minutos.
- Sistemas para simplificar la gestión de nuestra logística.
- En qué consiste una página de aterrizaje (*landing page*) y cómo nos puede ayudar a vender.

En todas las organizaciones, en la vida, en la familia, la gente que nos rodea, todos conocemos personas que cuando les presentas un nuevo proyecto, una idea, una propuesta siempre están dispuestos a explicarnos sus fallos, los inconvenientes que te puedes encontrar, lo difícil que va a ser y la de competidores que ya están cubriendo ese hueco de mercado y que no nos van a permitir lanzar nuestro proyecto...

Este tipo de personas, a las que me gusta llamar con cariño los "señores del no" han existido desde el comienzo de los tiempos...

Me imagino la conversación entre dos hombres de las cavernas:

- ¿Ir a cazar dinosaurios hoy? Uff, salir de la cueva con el frío que hace... si hay que ir se va, pero ir pá ná es tontería...
- Que sí, hombre anímate, ponte las pieles y salimos a cazar y tendremos comida para meses, ¿te imaginas?
- Ummm...demasiado difícil, no somos capaces. No lo veo.

En Internet pasa exactamente lo mismo, los "señores del no" campan a sus anchas, explicando los problemas de comenzar, que si es muy complicado, que si vaya lío la logística, el papeleo de la facturación, que si los competidores ya llevan años y no hay huecos para nadie...

Tonterías. Es miedo a empezar, a tomar riesgos, a dar el paso y tomar el mando de nuestra propia vida. Hay que asumir la responsabilidad de fijarnos objetivos ambiciosos e ilusionantes y tener que enfrentarnos a los problemas que nos vayan surgiendo.

EMPECEMOS CON UN SOLO PRODUCTO

Desde que se lanzó la primera edición de "Vender en Internet" muchos lectores nos han contactado para trasladarnos su preocupación por lo aparentemente complicado que parecía lanzar una tienda.

- ¿No habría una solución más simple?, nos preguntan.
- "Yo quiero empezar, probar y sentirme cómodo antes de lanzar una tienda"
- ¿Cómo podría empezar de una manera más sencilla?

Para todos ellos nuestra recomendación es comenzar por la versión más simple de venta *on-line*: **vender un único producto**.

¿ES POSIBLE HACER DINERO VENDIENDO UN SOLO PRODUCTO?

El mundo de los negocios está lleno de casos de éxito de personas que han hecho dinero vendiendo un único producto, podemos recordar la "power balance", el videojuego para móviles "angry birds", la venta de caramelos con palito...

Por supuesto no podemos olvidar ejemplos en el mercado editorial, con libros como "Harry Potter" que ha vendido millones de copias en todo el mundo y ha permitido crear todo un imperio económico a su alrededor, explotando la marca en muchos otros productos relacionados como juegos, películas de cine o prendas de vestir. Prácticamente todos los productos que podamos imaginar han sido adaptados o rediseñados incluyendo su logotipo.

CÓMO CREAR UN PRODUCTO DE ÉXITO

En general, las personas tendemos a ser negativas sobre nuestras capacidades. Siempre pesamos que la persona que inventó o imaginó un producto de éxito tenía algún tipo de don especial, una visión extraordinaria o una capacidad productiva, o en su defecto, acceso a alguna fábrica o dinero para montar una.

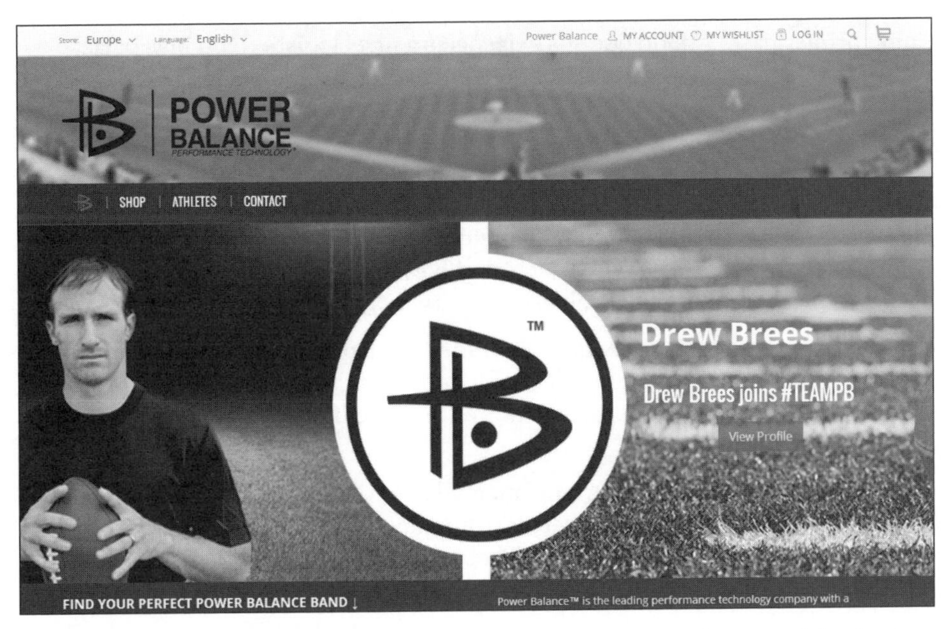

Figura 13.1. Hay múltiples ejemplos de productos únicos que han vendido cientos de miles de unidades, como la Power Balance.

En general, esto no es así, ni las personas que encuentran productos de éxito son de otro planeta, ni tienen poderes sobrehumanos que les permiten visualizar el futuro. Simplemente supieron estar en el momento adecuado, en el lugar adecuado con la idea correcta.

Y para ello, lo primero que uno debe hacer es moverse, intentarlo una y otra vez hasta afinar la idea y acabar encontrando la idea feliz que conecte con nuestro público objetivo, e ir mejorando nuestro producto progresivamente hasta convertirlo en un éxito de ventas masivo.

Aunque garantizar el éxito es imposible, lo que sí que podemos hacer es definir un proceso de trabajo que nos permita seleccionar, gestionar y probar productos que vender con un bajo nivel de riesgo, sin grandes inversiones económicas.

A este objetivo vamos a dedicar este capítulo, en primer lugar debemos seleccionar el tipo de producto que deseamos vender, bien un producto digital o un producto físico. Los productos digitales poseen la ventaja de ser más sencillos de conseguir y elaborar, implican una logística mínima, en ocasiones incluso nula, y permiten ofrecer inmediatez a los clientes. Por otro lado, los productos físicos son más sencillos de comunicar a nuestros clientes, transmitiendo sus características tangibles y son más difíciles de copiar o piratear. Además, si conseguimos diferenciar nuestra oferta, lograremos que los clientes sean más fieles a la hora de comprar este tipo de artículos que no son capaces de encontrar en la competencia.

Como primer paso, y dado que sus exigencias a nivel logístico son más bajas, vamos a comenzar con lo más sencillo: Los productos digitales.

PRODUCTOS DIGITALES

Si no nos sentimos cómodos empaquetando, poniendo etiquetas y gestionando empresas de transporte, los productos digitales nos ofrecen una alternativa barata de producir y muy escalable.

Este tipo de productos son bastante comunes en otros mercados más avanzados a nivel digital, como el estadounidense, donde muchos productos virtuales como los eBooks presentan ventas millonarias a través de Internet, suponiendo ya el 20% del mercado.

En España, con una cuota del 3% del mercado, todavía existe un enorme potencial de crecimiento en un mercado que, sin duda, presentará un crecimiento exponencial en los próximos años con la proliferación de nuevos dispositivos tecnológicos donde es muy cómodo leer nuestros libros preferidos.

Nuestro primer producto digital

Si tenemos una pasión, algo que nos guste y que nos haga disfrutar y que nos permita "conectar" y "enamorar" a otros, transmitiendo nuestra pasión por ese tema, podemos aprovechar para crear nosotros mismos nuestros contenidos digitales.

Existen una amplia variedad de contenidos que podemos generar, desde guías, manuales y libros electrónicos hasta aplicaciones interactivas vendidas a través de los marketplaces móviles y que ofrecen contenidos avanzados como audio, animaciones, videos o infografías a todo color.

Lógicamente debemos cuidar el contenido, que esté bien escrito, que no tenga faltas de ortografía y, sobre todo, que el mensaje llegue a los lectores y estos lo entiendan con facilidad.

Siendo el contenido importante, muchas veces nos encontramos con contenidos digitales (incluso alguno de ellos lanzado por grandes empresas) cuyo interior ofrece un aspecto descuidado, no más trabajado que un documento de Microsoft Word que hubiera sido maquetado entre varias personas diferentes.

La imagen de nuestro eBook proyecta nuestra propia imagen, por ello debemos realizar una maquetación profesional que transmita la alta calidad de nuestro trabajo y lo expertos que somos en ese tema en concreto.

En el mercado hay muchas herramientas para obtener una maquetación profesional, hasta hace poco la gente solía utilizar un procesador de textos cualquiera para generar el contenido y posteriormente utilizaban alguna herramienta de maquetación (como Adobe InDesign) para maquetar el contenido utilizando alguna de las plantillas disponibles en el mercado en sitios como indesignsecrets, stockindesign o stocklayouts. Posteriormente se desarrollaban las imágenes en herramientas como Photoshop o Illustrator (para gráficos vectoriales) y se integraban dentro del diseño.

Si eres de los que te gustan las herramientas sencillas de manejar, pero que ofrezcan un aspecto impoluto, iBooks Author es, sin duda, la aplicación a tener en cuenta.

Como siempre, Apple ofrece un entorno de trabajo super amigable en el que únicamente deberemos elegir una plantilla, arrastrar los contenidos desde nuestro escritorio, adaptar la maquetación y ¡listo! un eBook de calidad profesional disponible para ser descargado en PDF y comunicado a nuestros clientes.

La única limitación de esta herramienta es que solamente funciona en un dispositivo Apple y en caso de querer comercializar nuestros contenidos en formato iBooks debemos hacerlo a través de iTunes, pero la verdad es que esas limitaciones no suponen nada en comparación con la potencia que ofrecen al usuario.

Figura 13.2. iBooks Author permite dar a nuestros eBooks un aspecto profesional.

Si escribir no es lo tuyo, o simplemente no tienes tiempo suficiente, siempre puedes pagar para que alguien escriba los textos por ti.

En Internet existen múltiples iniciativas como TextMaster que ofrecen servicios de generación de contenidos a unos precios realmente competitivos y con unas condiciones de cesión de contenidos que nos permitirán comercializarlos posteriormente en la forma en la que deseemos.

Este dinero invertido en la escritura de estos artículos, se recupera en el medio plazo gracias a las visitas que nos atraerán de forma gratuita de potenciales clientes y de la base de datos que, estos contenidos nos ayudarán a realizar. Visitas que, si no contamos con este tráfico o base de datos, deberíamos atraer utilizando campañas de publicidad *on-line* y pagando por cada cliente que llegase a través de esos anuncios.

Por supuesto en formato digital, además de eBooks, existen muchos otros tipos de contenidos que poder ofrecer a nuestros clientes, desde contenidos de diseño gráfico como logotipos, plantillas de páginas web para Internet, hasta programas de software descargables a través de la red.

¿Necesito un producto rápidamente? Bienvenido a las redes de afiliación.

Para aquellas personas que no quieren complicarse la vida y lo que desean es centrarse únicamente en captar clientes a través de Internet y vender los productos de un tercero, existen empresas denominadas redes de afiliación, que ponen en contacto empresas que ofrecen productos disponibles para vender en Internet, con profesionales interesados en comercializar esos artículos. La gran diferencia con respecto a otros modelos, es que las comisiones que se pagan a los vendedores están asociadas a que los clientes hayan realizado una acción concreta (bien una venta realizada, una visita o un registro).

Existen muchas empresas ofreciendo este tipo de servicios, pero algunas de las más importantes son ClickBank, Zanox y TradeDoubler

Cómo seleccionar una red de afiliación

En los primeros años de Internet, era muy complejo encontrar redes de afiliación que tuvieran un catálogo amplio de productos, que ofreciesen elementos de marketing de calidad a sus vendedores y, lo peor de todo, que realmente pagasen. Sin embargo, actualmente la situación ha cambiado totalmente y los vendedores podemos elegir con qué tipo de red deseamos trabajar o, incluso, decidir trabajar con varias de forma simultánea.

Para decidir cuál es la empresa de afiliación que más puede adaptarse a nuestras necesidades debemos valorar algunos aspectos que pueden afectar a nuestra relación de negocios, entre ellos:

- **El importe de la comisión:** Uno de los aspectos más importantes es qué red nos ofrece una mayor rentabilidad ante un mismo nivel de esfuerzo. Debemos tener muy presente que una diferencia de importe en nuestra comisión aparentemente pequeña, pero aplicada sobre un volumen muy grande puede ser la diferencia entre un negocio rentable o un fracaso sin precedentes.
- **La tarea requerida al usuario:** No es el mismo esfuerzo el que debe realizar el usuario para realizar una visita, que para dar sus datos y registrarse en una página web o que para pagar y realizar una compra en una tienda *on-line*. Debemos siempre tener una valoración propia, fruto de nuestro análisis, sobre lo difícil que puede ser atraer al cliente a cumplir dicho objetivo.
- **Material publicitario:** Un buen material publicitario, que el anunciante debe poner a nuestra disposición, siempre es una gran ayuda a la hora de conseguir seducir a los clientes para que actúen acorde a nuestros objetivos. Hay que analizar si estos materiales son coherentes con el público al que tenemos planificado comunicar la oferta y si es posible adaptarlos de alguna manera para incrementar su efectividad en nuestro nicho.
- **Las normas:** Cada campaña posee sus propias normas y límites a la hora de poder realizar ciertas actividades de marketing *on-line*. Es importante analizar estas políticas para comprender qué acciones vamos a poder lanzar y cuáles de ellas están limitadas o incluso prohibidas.

Una vez hemos seleccionado la red de afiliación con la que deseamos trabajar, y aquellas ofertas que más se adaptan a nuestro público objetivo y esquema de comisiones, debemos comenzar con nuestra campaña de marketing *on-line*, definiendo nuestra planificación de acciones comerciales enfocadas al objetivo que la empresa afiliada desea lograr. El objetivo final es que nuestros costes de comunicación sean menores que los ingresos que obtenemos de la red de afiliación por ello, cuanto más afines sean las ofertas a nuestro público objetivo, más sencillo será obtener unos buenos resultados comerciales.

Ejemplo: Cómo dase de alta en ClickBank

Darse de alta en una red de afiliación es muy sencillo, únicamente debemos seguir los siguientes pasos:

1. En el menú superior, pulsamos sobre la opción "registrarse", que nos lleva a un formulario donde nos solicitan nuestros datos personales, un nombre de usuario y contraseña, así como aceptar las condiciones del contrato.

2. Debemos indicar si vamos a actuar como afiliado, es decir vamos proveer productos para que otras personas los comercialicen, o vamos a actuar como vendedores.
3. Nos solicitan completar una encuesta voluntaria, para perfilarnos como usuarios de la red.
4. Una vez registrados como vendedores, nos dan acceso a su base de ofertas disponibles para comercializar.

A partir de este momento ya podemos seleccionar nuestro primer producto digital, estudiar sus condiciones y comenzar a venderlo a cambio de una comisión. De esta forma nos podemos centrar en los aspectos comerciales y de desarrollo de negocio de Internet, sin tener que preocuparnos de crear un producto que vender.

Figura 13.3. Clickbank nos ofrece la posibilidad de vender productos digitales en pocos minutos.

Lugares donde comercializar nuestros productos digitales

Si en vez de desear comercializar productos, nuestro fuerte es desarrollarlos (diseñadores que preparan plantillas web, escritores que ofrecen guías y manuales de una determinada tecnología, músicos y creativos que preparan sus propias obras) Internet nos ofrece algunos mercados donde poder poner a la venta nuestras creaciones.

Figura 13.4. iTunes ofrece un canal de distribución a los creadores y artistas donde vender sus productos.

Existen multitud de ellas, pero por su volumen y grado de éxito económico que han supuesto para algunos de sus afiliados podríamos destacar las siguientes:

- **ThemeForest:** Es una página que está enfocada en la venta de plantillas y diseños web tanto a programadores, como a usuarios sin conocimientos informáticos y que desean una solución sencilla y barata que les permita potenciar su presencia *on-line*. Algunos de los creadores que comercializan en Themeforest sus productos han superado el millón de euros de facturación, que no está nada mal si tenemos en cuenta que existen casos en los que tan solo se comercializaba un único producto.
- **Amazon:** El lugar perfecto para que los escritores comercialicen sus guías, novelas y libros en formato digital. Al ser una tienda *on-line* que dispone de un nivel tan alto de tráfico, ofrece muchísimas oportunidades a sus escritores para que sus libros sean vistos y adquiridos por potenciales clientes.

- **iTunes:** Una auténtica revolución para el mercado musical, la venta de productos a través de este tipo de mercados ha permitido que pequeñas bandas de música que, hace pocos años no hubieran podido llegar al mercado sin ayuda de una distribuidora potente, puedan salir adelante con mayor control sobre los diferentes aspectos de su producción musical.

En todos los casos anteriores, existen ejemplos de éxitos notables, con ventas que superan los millones de euros. Incluso en aquellos casos en los que, debido a haber fijado un precio muy reducido por el producto las cifras no son millonarias, sí lo es el grado de alcance, el impacto sobre una audiencia inmensa que reconoce la obra y a su autor, generándole negocios complementarios vía conferencias, charlas o cursos de formación.

PRODUCTOS FÍSICOS

Como explicábamos anteriormente, además de los productos digitales siempre existe la alternativa de vender productos físicos. En general, a la hora de comenzar a vender en Internet, los productos físicos dan más miedo a los vendedores que los productos digitales.

Aspectos como la logística, la manipulación de productos o la negociación con proveedores son una primera barrera de entrada para todas aquellas personas que están planteándose comenzar a vender en Internet.

No todos los productos se comercializan igual, por eso el paso inicial muy importante que debemos aclarar es:

- ¿a qué nicho de mercado nos queremos dirigir?
- ¿Es este mercado lo suficientemente grande y nuestro producto está bien enfocado al segmento?

Imaginemos que deseamos enfocarnos en gente activa, deportistas que necesitan refuerzos vitamínicos para rendir más en su deporte favorito. Para ello debemos analizar tanto el segmento, como el producto, este análisis nos obliga a encontrar respuestas para preguntas como las siguientes:

Análisis del segmento:

1. ¿Cuántas personas de ese perfil hay en España?
2. ¿Se conectan a Internet de forma recurrente?
3. ¿Son potenciales compradores?

Análisis del producto:

1. ¿Está el producto orientado al nicho?

2. ¿Le solucionamos un problema que ellos hayan detectado?
3. ¿Es un producto competitivo en calidad y precio con respecto a los que ofrece la competencia?

Encontrando un producto de éxito

El éxito es un concepto muy difícil de valorar, para algunos vender 4.000 unidades de un producto en un año y obtener 10 Euros por cada venta puede suponer un éxito, mientras que otras personas podrían considerar que por menos de 1 millón de unidades no merece la pena "mancharse las manos".

Conseguir un producto de éxito como en este segundo caso, con ventas de millones de unidades, a nivel internacional es algo muy complejo y que exige un nivel de inversión publicitaria y de infraestructura que asumimos no forma parte de la inmensa mayoría de lectores de este libro.

Sin embargo, conseguir ventas de 100.000 Euros es más una cuestión de proceso y de perseverancia, que nos permitirá ir mejorando el modelo, dejar de comercializar aquellos productos que no se tienen aceptación por parte de nuestros usuarios y potenciar aquellos que gustan a los clientes.

Características básicas de un producto adecuado para la venta

No todos los productos son adecuados para la venta a través de Internet, algunos artículos como los productos de alimentación o peligrosos exigen un tratamiento muy específico, y unas condiciones de conservación que, con total seguridad, no cumpliremos en una primera fase por lo que es mejor orientarnos a productos más adecuados. Las características básicas que debe tener un producto fisíco para que pueda ser utilizado en un modelo de este tipo son las siguientes:

- **De pequeñas dimensiones:** Aunque los productos individualmente parezcan pequeños, cuando almacenamos una gran cantidad de ellos, las necesidades de espacio se disparan, así como aumenta el riesgo de que pueda haber un percance si no están situados en una ubicación adecuada.
- **Peso ligero:** El peso del producto afecta tanto a la complejidad de su manipulación, como a los costes asociados a su transporte, por lo que debemos intentar seleccionar productos que posean un peso bajo.
- **Precio entre 10 y 150 Euros:** El precio es un atributo muy importante, ya que a mayor precio nuestro margen en términos absolutos es mayor. Si vendemos productos muy baratos necesitaríamos cerrar miles de operaciones para que nos resulte rentable. Pero por otro lado, si

escogemos productos de un nivel de precio muy alto y finalmente no los vendemos, corremos el riesgo de perder muchísimo dinero en un stock sin ninguna utilidad.

- **Márgenes amplios:** Aunque sea algo bastante obvio, no debemos dejar de repetirlo. Siempre que haya dos opciones similares, debemos coger aquella que nos proporcione un margen más elevado. Un margen mayor nos permite tener más capacidad para cometer errores y nos ofrece más posibilidades a la hora de comunicar nuestros productos.
- **Atractivos en un nicho de mercado:** Un error habitual es pensar que nuestros productos deben complacer a todo el mundo. No es necesario, simplemente debemos conseguir que un nicho de mercado lo suficientemente grande a nivel comercial sea atraído por nuestros productos. Recordemos que nosotros no disponemos de dinero suficiente para hacer comunicaciones masivas por lo que lo que nos interesa es que a los clientes a los que comuniquemos compren nuestros productos.
- **Consumo recurrente:** Captar un cliente y obtener sus datos es mucho más caro que fidelizarle, por ello debemos priorizar productos que fomenten el consumo recurrente por parte de los clientes. Ejemplos de productos cuyo consumo se realiza de forma regular a lo largo del año serían cremas, lentillas o ropa interior.

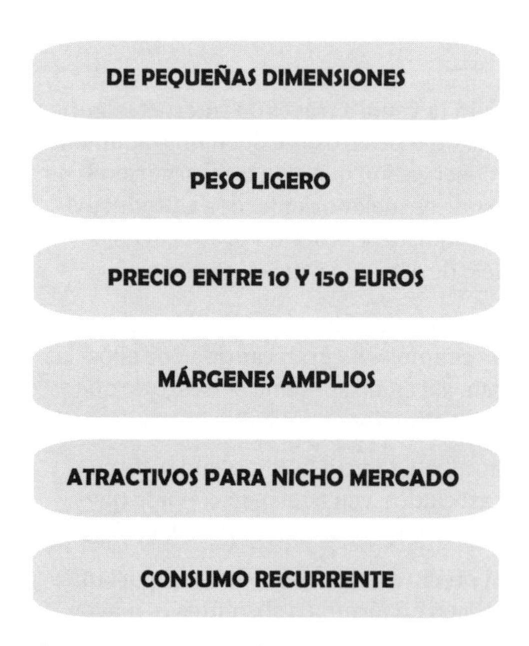

Figura 13.5. Características básicas de un producto adecuado para ser vendido en Internet.

Una vez hemos definido el segmento al que nos queremos dirigir y las características básicas que debe cumplir nuestro producto ya estamos listos para comenzar a buscar un producto que satisfaga las condiciones que hemos definido.

A la hora de encontrar este producto nos podemos plantear dos escenarios:

- Desarrollarlo nosotros mismos.
- Adquirirlo de un proveedor externo para posteriormente comercializarlo.

Hazlo tú mismo

Siempre me ha sorprendido la cantidad de personas que hay a nuestro alrededor con habilidades creativas, que son capaces de transformar ideas en productos acabados y por las que otras personas están dispuestas a pagar.

Se me ocurren muchos ejemplos, desde la artista que recibe dibujos hechos a mano por niños y en los que representan a sus juguetes imaginarios ideales, y que la artista convierte en muñeco real que le envía de vuelta por correo, hasta la repostera que, con todo el cariño, prepara galletas y tartas personalizadas para fiestas de niños y mayores.

Muchas personas ya venden sus productos hechos a mano a través de mercados *on-line* como Etsy, que pone en contacto a clientes y artesanos, facilitándoles la comercialización y venta de sus productos.

Los ejemplos podrían seguir hasta el infinito pero creo que la idea está clara, todos tenemos algo que nos hace especiales, todos podemos ofrecer un servicio por el que los demás estarían dispuestos a pagar, así que reflexionemos un momento, ¿qué puedo ofrecer yo de valor a mis clientes?

Seguro que, si reflexionamos de verdad, se nos ocurren varias ideas de servicios y productos que podamos ofrecer y por los que los clientes estarían dispuestos a pagar con gusto.

Consigue un Proveedor

No siempre desarrollar nosotros mismos los productos a vender es la mejor opción. En muchas ocasiones necesitamos un mayor volumen de productos y no deseamos que nuestra capacidad productiva afecte a nuestro negocio. En este tipo de casos, uno de los primeros problemas que nos encontramos es conseguir un proveedor que sea capaz de ofrecernos productos a unos precios razonables.

A la hora de vender productos en Internet, los proveedores chinos se han convertido en nuestros aliados. Desde hace años, China es considerada, con total merecimiento, como "la fábrica del mundo".

No solo es que sean capaces de desarrollar todo tipo de productos, sino que además se ha venido produciendo una mejora progresiva de la calidad de los productos que ofrecen porque además de grandes fabricantes, están demostrando una impresionante capacidad de aprendizaje.

Figura 13.6. Los proveedores chinos gozan de gran popularidad al ofrecer productos a muy buen precio.

Siendo justos, debemos reconocer que los proveedores chinos también poseen algunos aspectos negativos. Los plazos (el conocido como lead time, o tiempo desde que se hace la solicitud del pedido hasta que finalmente se sirve) son muy amplios, ya que para mantener un precio bajo es necesario realizar los envíos por barco (mucho más barato) y únicamente enviar por avión aquellos pedidos más urgentes o cuando se tiene un riesgo elevado de producir roturas de stock.

Pero parece que el mercado chino ya ha pensado en cómo solucionar este problema y están desarrollando el transporte por tren conectando Europa con China en un plazo mucho menor al equivalente por vía marítima. Estos ferrocarriles que conectan China con Polonia y Alemania, recorren más de 10.000 kilómetros en unos 15 días, lo que supone reducir en 20 días el trayecto en barco equivalente.

Figura 13.7. Cobo Calleja acerca los proveedores chinos a los comercios españoles.

Sin duda, este tipo de infraestructuras mejorarán el servicio a los clientes de los productos chinos y, a su vez, supondrán una oportunidad para aquellas empresas Europeas que vendan sus productos al mercado asiático ya que tendrán una vía logística muy rápida y muy barata.

Otro problema que, cuando comienzas a trabajar con China a la gente le llama la atención es el efecto "año nuevo Chino". Esta fiesta se celebra todos los años, entre finales de Enero y mediados de Febrero, de acuerdo al calendario lunar. El período vacacional suele durar desde las dos semanas anteriores hasta las dos posteriores al año nuevo lunar. Durante esos días se produce una bajada radical de la actividad laboral en los proveedores chinos, por lo que es necesario tenerlo en cuenta y adaptar nuestras planificaciones solicitando productos con suficiente antelación para evitar roturas de stock durante esa época del año.

A pesar de todos los desarrollos de infraestructuras que se están desarrollando y que están permitiendo reducir las distancias entre China y Europa a pocas semanas, muchos vendedores piensan, no sin mucha razón, que los proveedores chinos se encuentran demasiado lejos y que eso puede afectar a la calidad del servicio. Para todos ellos, lo ideal sería traer a los proveedores chinos a España pero ¿y si eso ya hubiera ocurrido? Resulta que el Polígono industrial Cobo Calleja, ubicado en el municipio madrileño de Fuenlabrada, reúne la mayor concentración de negocios de importación mayorista de productos de china de

Europa. Esto representa una oportunidad única de analizar, de primera mano, productos manufacturados en china sin tener que desplazarnos físicamente miles de kilómetros. Estas empresas suelen vender en grandes cantidades, aunque ya han surgido empresas distribuidores que se encargan de guiarte por el recinto, ponerte en contacto con los distribuidores adecuados e, incluso, conseguir pequeñas tiradas de productos, actuando como un intermediario.

La importancia de la diferenciación

Uno de los problemas de los productos de estas fábricas chinas es que son todos bastante similares, por lo que transmiten un bajo valor a los clientes, que los perciben como de "baja calidad" y "baratos". Nuestro mérito como vendedores, lo que podríamos denominar "el arte", consiste en coger esos elementos básicos y dotarlos de una personalización, de un valor añadido que los diferencie y aumente el valor que los clientes perciben y por tanto el precio que están dispuestos a pagar por ellos.

Hay muchas técnicas para tratar de aumentar el valor percibido de un producto, algunas de las más comunes son:

- Añadirle nuestra marca
- Paquetizar productos

Añadirle nuestra marca

Mucha gente desconoce que, una gran cantidad de los productos que adquiere a las grandes marcas, han sido fabricados en China y que en España únicamente se les ha añadido la marca comercial.

En algunas ocasiones el diseño proviene de la empresa Española y, en otros casos, ni tan siquiera el diseño es propio sino que son productos diseñados y producidos en China para diferentes marcas y luego son ellas las que se encargan de comercializarlos.

En Internet se dan ambas situaciones, aquellas personas que diseñan el producto y luego lo envían a fábricas chinas para que produzcan un número elevado de artículos a precio asequible y aquellos clientes que adquieren los productos ya producidos en fábricas chinas y a los que añaden su marca para diferenciarlos de los de la competencia (marca privada).

Nuestras ventas dependerán en gran medida del valor que seamos capaces de aportar al artículo añadiéndole nuestro logotipo, imagen y etiquetado atractivo. Además debemos proporcionarle un envoltorio que atraiga a nuestros clientes y un folleto explicativo que describa las ventajas del producto, lo que nos permitirá fidelizar a los clientes y favorecer la comunicación boca a boca y la recomendación de nuestra marca.

Paquetizar productos

En nuestro objetivo de lograr que el cliente no pueda encontrar productos similares a los que nosotros comercializamos en el mercado, una técnica muy efectiva es crear paquetes exclusivos, combinaciones de artículos que únicamente nosotros podamos poner en el mercado.

Imaginemos el caso de un aparato electrónico, como por ejemplo un móvil procedente de china, probablemente el cliente pueda encontrar ese mismo modelo en cientos de proveedores, por lo que una sencilla búsqueda en Internet le permitirá comparar fácilmente entre los precios disponibles y optará, con casi total seguridad, por la opción más barata.

Sin embargo, si el móvil lo vendemos de forma conjunta a una funda de diseño exclusivo que únicamente pueda ser comercializada por nuestra marca, el cliente tendrá muchas dificultades para comparar con la competencia, ya que nuestra oferta le ofrece un valor adicional.

Este tipo de técnicas, aunque sencillas, son muy efectivas y nos permiten poner en valor productos que, de otra manera, al provenir de proveedores chinos, tendrían un bajo valor percibido para nuestros clientes.

La logística

Uno de los principales inconvenientes de trabajar con productos físicos es su gestión logística. Disponer de stock suficiente del producto o productos que vayamos a vender, almacenarlos en una ubicación que reúna unas características adecuadas para su conservación y fácil manipulación, controlar el acceso, los accidentes y los "extravíos" que se puedan producir. Todo ello, sin olvidar el transporte desde el origen hasta el domicilio del cliente, además de gestionar y solucionar todos los problemas que puedan surgir en la entrega, desde el cliente que nunca se encuentra en su domicilio, el pedido que llega roto o deteriorado, o la pobre anciana que vive en un sexto piso sin ascensor y el transportista le deja la nevera en su portal y le da indicaciones sobre cómo debería ella misma subirla a su domicilio.

Para destacar sobre la competencia, las tiendas *on-line* deben diferenciarse a la hora de ofrecer una atención al cliente exquisita y solucionar estos problemas de forma ágil y rápida.

Dropshipping en España

En otros países de nuestro entorno, es muy habitual encontrarnos con modelos de "dropshipping", que básicamente consisten en que nosotros recogemos el pedido de nuestro cliente y se lo trasladamos al proveedor que se encarga de preparar el pedido y enviárselo al cliente en nuestro nombre. Para el cliente es transparente y él cree que ha sido nuestra empresa la que ha gestionado el pedido de principio a fin y en ningún caso es consciente de que una parte de nuestro proceso ha sido externalizado.

En España, gracias a la crisis, muchos proveedores que anteriormente eran contrarios a adoptar modelos de este tipo han ido acogiendo el sistema y cada vez es más habitual encontrar proveedores de calidad en modalidad "dropshipping" en casi todos los sectores. La principal ventaja de un esquema de este tipo es la rapidez y amplitud de catálogo que nos pueden ofrecer. Además en un primer momento, en el que desconocemos cuánto vamos a vender de cada artículo sería un riesgo enorme acumular stock y arriesgarnos a que finalmente no consigamos venderlo.

En este modelo únicamente pagamos por aquellos productos que efectivamente hemos vendido, por lo que nuestro riesgo es mucho menor. A cambio, el proveedor nos exige un precio superior por artículo ya que está realizando una serie de tareas como el almacenamiento, o el empaquetado cuyos costes nos debe trasladar.

En España, existen herramientas como Openlazarus, que nos permiten dar de alta nuestra tienda *on-line*, directamente conectada con un dropshipper por un precio muy ajustado. Los proveedores con los que trabajan son algunos de los más reconocidos y con mayor experiencia en este tipo de modelo por lo que ofrecen un alto nivel de calidad y confiabilidad. El listado de mayoristas, está disponible en su página web, en la dirección de Internet "`http://www.openlazarus.com/partners/partners-mayoristas`"

Figura 13.8. OpenLazarus facilita la creación de tiendas *on-line* dropshipping, simplificando la gestión del stock.

Si nuestra intención es vender en algún sector aún no cubierto por openlazarus, la mejor opción es negociar directamente con el proveedor y acordar unas buenas condiciones comerciales para un modelo de dropshipping. En la página web proveedores.com encontraremos listados de empresas que pueden ofrecernos sus productos en esta modalidad.

Otras formas de gestionar nuestro stock: Amazon.

Un modelo de dropshipping nos obliga a comercializar los productos que ofrecen los proveedores dentro de su catálogo, lo que no es de mucha ayuda ni compatible con el hecho de vender productos que hayamos adquirido a proveedores chinos, en el polígono Cobo Calleja, o que hayamos comprado a proveedores nacionales.

En estos casos, lo que necesitamos es una empresa que se encargue de todos los aspectos relacionados con la logística, desde recibir el producto desde nuestro proveedor, pasando por almacenarlo y hacérselo llegar al cliente cuando formalice su compra.

Precisamente ese es el servicio que la empresa Amazon ofrece a través de "logística de Amazon" y que además de comercializar los productos a toda la Unión Europea, ofrece su servicio de atención al cliente en el idioma local de cada país donde se realice la venta. Los pagos se realizan en un esquema de pago por uso.

Figura 13.9. Amazon permite utilizar su sistema de logística a los comercios adheridos a su programa.

Muchos vendedores de Internet lo están utilizando de la siguiente manera:

1. Realizan el pedido normalmente a su proveedor que, por lo general, suele ser un proveedor chino de productos a bajo precio.
2. Le comunican al proveedor que entregue los productos directamente en los almacenes de Amazon, donde estos los reciben y los clasifican.
3. Cuando el cliente recibe un pedido, le indica a Amazon donde debe entregarlo y ellos gestionan la logística en su nombre.
4. Además, los proveedores suelen comercializar sus productos también en la propia página de Amazon, por lo que poseen la ventaja de poder aprovechar el posicionamiento e integración de datos de ambas plataformas.

Esta solución es tan potente, que incluso tiendas tradicionales están trasladando una parte de su stock a los almacenes de Amazon para que sean estos los que se encarguen de la logística de su tienda *on-line*. Esto les ha permitido poder lanzar un nuevo canal de venta a través de Internet sin tener que perder el foco de su actividad diaria en la tienda, ni tener que modificar los procesos ni tareas de su personal actual.

¿REALMENTE HACE FALTA CREAR UNA TIENDA *ON-LINE* PARA VENDER UN SOLO PRODUCTO?

Cuando simplificamos al máximo nuestro método para comenzar a vender en Internet, decidimos tomar la decisión de vender un único producto. A diferencia del planteamiento inicial de este libro, donde siempre hemos planteado utilizar herramientas que nos permitan crear una tienda *on-line* con un catálogo extenso, diferentes formas de pago y gestión centralizada de clientes, esta versión más simplificada no exige, obligatoriamente, que utilicemos sistemas tan sofisticados, sino que podríamos utilizar versiones más simples de tienda *on-line*.

De las diferentes opciones disponibles, podemos destacar por su sencillez y gran potencia, dos:

- Tiendas monoproducto
- Landing page

Tiendas monoproducto

Al igual que existen múltiples herramientas *on-line* para la creación de tiendas en Internet de una forma sencilla, en los últimos años han ido apareciendo nuevos servicios especializados en la venta de un único producto como tinytien, en tan solo 10 minutos y por 69 euros al año nos permite crear una tienda monoproducto, que explica sus características y admite pagos a través de la pasarela de pagos de PayPal.

Estas herramientas permiten la selección de una plantilla de diseño adaptada al sector y producto que vayamos a comercializar, así como diferentes alternativas para mostrar el precio de nuestros productos. Son, sin duda, una alternativa más rápida y sencilla para comenzar que tener que configurar una tienda *on-line* en Magento o Prestashop.

Las landing page

En marketing digital llamamos "*landing page*", también conocidas como páginas de aterrizaje, a las webs que se muestran al usuario al hacer clic sobre un anuncio *on-line* o sobre un enlace de resultado de búsqueda.

Este tipo de página lo que pretende es que el mensaje que se muestre al cliente sea lo más coherente posible a nivel de comunicación con el anuncio que se le ha mostrado para, de esa forma, conseguir que realice la acción que deseemos que, por lo general, suele ser o bien comprar un artículo o registrarse en nuestra base de datos.

Las landing page son una gran alternativa para comunicar un único producto, pudiendo integrar en ellas un medio de pago que nos permita formalizar la compra del producto que se esté anunciando. Es habitual que esta integración se realice utilizando un simple botón de PayPal, lo que permite que cualquier persona, incluso sin conocimientos técnicos pueda desarrollar una landing page básica.

Figura 13.10. Las landing pages ofrecen la posibilidad de vender productos sin necesidad de disponer de una tienda *on-line*.

A lo largo del próximo capítulo describiremos las diferentes técnicas que podemos utilizar para optimizar nuestra página de landing y conseguir incrementar el porcentaje de ventas que nos proporcionan.

Como podemos comprobar, aunque a primera vista vender en Internet puede parecer muy complicado, existen diversas alternativas que nos permiten ir acomodando nuestro grado de adopción de nuevas tecnologías a nuestra capacidad y ritmo de aprendizaje.

Por ello, no debemos desanimarnos ya que, lo que hoy parece realmente complicado, con un poco de trabajo y más experiencia en unos pocos meses nos parecerá tan sencillo como gatear o comer con cuchara, dos actividades que, sin duda, a todos nos costó muchísimo trabajo aprender y que sin embargo hoy desarrollamos de manera natural.

Para saber más:

- Ejemplo de éxito monoproducto, Power Balance:

  `http://www.powerbalance.de`

- Plantillas de InDesign, indesignsecrets:

  `http://indesignsecrets.com/`

- Creación de eBooks, iBooks Author:

  `http://www.apple.com/es/ibooks-author/`

- Redes de afiliados, Clickbank:

  `http://www.clickbank.com`

- Venta de productos artesanos, Etsy:

  `http://www.etsy.com`

- Crear tiendas en dropshipping, Openlazarus:

  `http://www.openlazarus.com`

- Externalizar la logística, Amazon:

  `http://services.amazon.es/servicios/logistica-de-amazon/funciones-y-ventajas.html`

- Recomendaciones de Google para diseñar Landings:

  `https://support.google.`

"HAY ÚNICAMENTE UN JEFE: EL CLIENTE. Y ESTE PUEDE DESPEDIR A TODO EL MUNDO EN LA EMPRESA, DESDE EL PRESIDENTE HASTA EL DE MÁS ABAJO, SIMPLEMENTE GASTANDO SU DINERO EN OTRA PARTE."

Sam Walton. Empresario y fundador de Wal-Mart

14. ¿Qué estoy haciendo mal?

En este capítulo aprenderemos:

- Métodos para analizar los errores cometidos en nuestra tienda on-line.
- La forma de optimizar los orígenes de nuestro tráfico web.
- Herramientas para crear páginas landing que obtengan ventas.
- Aspectos de mejora en el proceso de compra de nuestra tienda.

En ocasiones ocurre que, después de haber montado nuestra tienda *on-line* con mucha ilusión, nos damos cuenta de que no está vendiendo al ritmo que nos gustaría. En ese momento nos asaltan cientos de preguntas, de miedos, de incertidumbres: ¿por qué no estoy vendiendo?, ¿qué estaré haciendo mal?, ¿quizá es que no valgo para vender a través de Internet?

Antes de comenzar a dramatizar, lo primero que debemos hacer es relajarnos y tratar de analizar, desde un punto lo más objetivo y autocrítico posible, los motivos por los cuales no estamos vendiendo.

El primer paso es comprobar en cuál de estas situaciones nos encontramos:

1) Partimos de unas expectativas iniciales excesivamente altas, con unos objetivos de ventas imposibles de cumplir.
2) No hemos realizado correctamente nuestro trabajo, pensamos que por el hecho de tener una página web y no hacer nada con ella, los clientes se iban a volver locos y nos iban a empezar a comprar, pero hemos comprobado que no ha sido así.
3) A pesar de haber realizado parte de las labores de promoción que aparecen en el libro, estas acciones no han sido suficientes y pocos clientes potenciales conocen aún nuestra tienda en Internet.

4) Hemos seguido todos los pasos que se muestran en este libro y, sin embargo, no estamos consiguiendo los objetivos medibles y alcanzables que nos habíamos planteado inicialmente.

Si nos encontramos en este último caso, lo que tenemos que hacer es comenzar a refinar nuestra tienda *on-line*. Para ello, debemos comenzar un proceso de revisión muy analítico y empezar a verificar cada uno de los aspectos que puedan estar afectando a nuestros resultados.

ANALIZANDO TODOS LOS ASPECTOS DE NUESTRO MARKETING MIX DE SERVICIOS

Empezamos por analizar las 7 P's. Si en el marketing mix de productos teníamos las 4 P's (producto, precio, promoción y distribución) en el marketing de servicios tenemos 3 P's adicionales: La presentación (del inglés *Physical evidence*), los procesos y las personas.

Tenemos que analizar estos 7 aspectos y por eso vamos a explicar cada uno de ellos para determinar qué deberíamos analizar en cada uno de los puntos:

- **Producto:** El producto incluye tanto los elementos tangibles como intangibles que estamos ofreciendo al mercado. Debemos revisar sus características, aceptación por parte del mercado al que nos estamos dirigiendo, situación dentro de su ciclo de vida y decidir si se adapta o no al catálogo ideal de productos de nuestra tienda *on-line*.
- **Precio:** Se corresponde con el importe económico asociado a la transacción de compra-venta del producto. Nos implica revisar los precios de nuestros productos y servicios con respecto a nuestros costes, los ofrecidos por la competencia y el valor percibido por nuestros clientes. Dentro de este apartado debemos revisar los medios de pago que aceptamos y las condiciones económicas que ofrecemos al cliente en cada uno de ellos.
- **Promoción:** Su finalidad es comunicar información sobre nuestra tienda para atraer clientes interesados que acaben comprando nuestros productos. Debemos revisar todas nuestras acciones comerciales y de comunicación para identificar puntos de mejora que nos permitan alcanzar nuestros objetivos de venta.
- **Distribución:** Se puede resumir como lograr que el producto esté en el lugar preciso, en el momento justo y en buenas condiciones de conservación. Este aspecto es crítico en la venta a través de Internet, donde el cliente recibe físicamente el producto en su domicilio, muchas veces sin haberlo visto con anterioridad. Una logística lenta o con mal servicio puede arruinar un negocio *on-line*, ya que los clientes no perdonan una mala distribución.

- **Presentación:** Ayuda a hacer tangible el producto, englobando aspectos como los edificios donde se presta el servicio, la papelería asociada (folletos, tarjetas o documentación asociada) y el envoltorio de un producto, entre otros.
- **Procesos:** Incluye todas las etapas asociadas a la prestación del servicio, desde la atención al cliente, hasta la gestión de rutas logísticas. Debemos supervisar, protocolizar y revisar cada uno de nuestros procesos para comprobar que son eficientes y cómodos para nuestros clientes.
- **Personas:** Son el punto de contacto con nuestros clientes y por este motivo deben representar la imagen de empresa que queremos transmitir. Empresas como Zappos han triunfado en la venta *on-line* apoyándose en un buen equipo de atención al cliente que les ha diferenciado de la competencia.

Figura 14.1. Las 7 P's del marketing de servicios.

ANALIZANDO NUESTROS FLUJOS DE TRÁFICO

Una vez analizadas las 7P's, debemos tratar de comprender qué tipo de clientes estamos atrayendo a nuestra tienda *on-line*, y cuáles son los orígenes de este flujo de visitantes.

El proceso en una tienda de Internet no dista mucho del que realizamos en una tienda física. Nosotros promocionamos nuestra tienda, de los potenciales clientes a los que hemos realizado nuestra comunicación llegan a entrar a la tienda un porcentaje menor y una parte aún menor de estos clientes son los que acaban comprando algún producto.

Muchas personas creen que por el mero hecho de tener un tráfico elevado esto ya es suficiente para vender y, sin embargo no es cierto. Tener mucho volumen de visitas no significa necesariamente que ese tráfico este bien segmentado o interesado en los productos que ofrecemos en nuestra tienda.

Imaginemos una autopista por la que pasan muchísimos coches y nosotros ponemos un puesto de venta de perritos calientes en el arcén, por el hecho de que pasen muchos coches por esa autovía no quiere decir que yo vaya a vender más. De hecho, en este ejemplo, lo más probable es que no venda nada, ya que esa gente no está interesada en ese momento en comprar ninguno de los productos que yo ofrezco y, aunque lo estuviera, el proceso de venta es tan difícil de realizar que es improbable que nadie se pare en el arcén, haga una compra y continúe su marcha.

Para comprender cuál es el tipo de visitante que estamos atrayendo y si está o no perfilado e interesado en mis productos, es necesario analizar el origen del tráfico de usuarios de nuestra tienda *on-line*.

Figura 14.2. Embudo de conversión de nuestra tienda (física u *on-line*).

Fuentes de tráfico

Debemos hacer un análisis de las fuentes del tráfico que estamos teniendo. Las fuentes de tráfico pueden ser las siguientes:

- **Automático:** Este tipo de tráfico es, probablemente, el que más le llama la atención a las personas sin experiencia previa en Internet. Es un tráfico que se genera a partir de programas informáticos denominados "arañas" o "scrapers" y que puede provenir de sistemas como buscadores tipo Google o Bing que, en su proceso de identificar y clasificar las webs de Internet visitan las páginas de las diferentes tiendas *on-line* para añadirlas como resultados a sus buscadores. También pueden proceder de competidores que hayan desarrollado programas para obtener datos de nuestra tienda *on-line* como precios o palabras clave de indexación en buscadores. En cualquier caso este tipo de tráfico lo debemos obviar, ya que, al tratarse de tráfico no humano, nunca se convertirá en una venta en nuestra tienda *on-line*.

- **Hackers:** Aunque resulte sorprendente, desde el momento en el que publicamos nuestra página en Internet, los hackers, normalmente a través de sistemas automatizados, comienzan a intentar acceder a los sistemas de administración de nuestra tienda e intentar averiguar datos de usuarios y claves de acceso. En un caso concreto, un cliente nos llamó muy contento para mostrarnos el aumento increíble que había tenido de tráfico en su web y, cuando lo sometimos a un análisis serio, comprobamos cómo una gran parte de ese crecimiento se había debido a un intento de acceso no autorizado en las horas anteriores. En general, un cambio de volumen de tráfico, sin una razón a nivel de comunicación que lo explique, debe hacernos sospechar que algo raro está ocurriendo, por lo que deberemos ajustar los niveles de seguridad de la herramienta de comercio electrónico que estemos utilizando.

- **Buscadores:** Como comentábamos anteriormente, los buscadores indexan el contenido de nuestra página web y de los artículos de nuestro catálogo, por lo que cuando la gente busca por palabras clave relacionadas con nuestra tienda aparecemos en los resultados de búsquedas y cuando los clientes hacen clic sobre nuestro resultado aparecen en nuestra tienda. En España el buscador más importante es Google con más del 95% de las búsquedas totales, por lo que debemos intentar ser lo más amigables posibles para este buscador. Lógicamente cuanto mejor indexado tengamos nuestro catálogo, más palabras clave estarán relacionadas con nuestra tienda y más clientes podrán llegar a través de esta vía a nuestra tienda.

  Este tráfico tiene unas características especiales, ya que al tratarse de clientes que han buscado el nombre de un producto en un buscador de Internet, por un lado se asume que son personas que están buscando un producto concreto, por lo que están interesadas en adquirirlo y cuando lleguen a nuestra tienda serán clientes muy perfilados para la compra, pero por otro lado, tenemos que asumir que son clientes que están comparando entre varias tiendas *on-line* por lo que serán más sensibles al precio y a la facilidad del proceso de compra *on-line* entre diferentes tiendas.

- **Tráfico directo:** Los usuarios escriben en la barra de direcciones de su navegador directamente el nombre de nuestra tienda *on-line*. Este tráfico en general está relacionado con campañas de marketing *off-line*, un caso muy actual podría ser el de "1and1" que ha realizado una agresiva campaña de comunicación en TV, por lo que mucha gente está accediendo vía tráfico directo a su web porque van a buscar en su navegador la dirección web que están comunicando en sus anuncios. Lo habitual es que este tipo de tráfico no sea muy elevado, salvo que hagamos actividades locales como buzoneos, boca-oreja, comunicación en nuestra tienda física en la que incluyamos la dirección web en nuestros folletos o en material entregable a los clientes como tarjetas de visita o bolsas.

- **Otras páginas webs:** Páginas que nos enlacen por algún motivo, bien porque estén relacionadas con nuestro sector y por lo tanto hablen de alguna noticia que hayamos publicado en la sección de noticias de nuestra tienda (en el caso de que además de productos también ofrezcamos contenidos) o bien porque puedan enlazar con algún producto específico de nuestro catálogo ya sea porque ofrecemos buenas características, o porque es un producto exclusivo que únicamente es posible encontrar en nuestra tienda o porque el precio es espectacular y están comunicando la oportunidad a sus usuarios.
- **Directorios de productos:** En general suelen ser de aparición voluntaria, es decir somos nosotros los que les ofrecemos nuestro catálogo para su publicación. Un ejemplo de este tipo de servicio es Google Shopping, que permite a los clientes comparar de una forma sencilla multitud de productos, ver en qué tienda *on-line* están disponibles y a qué precios y decidir a cuál de esas tiendas acudir.

  Una estrategia que están siguiendo algunas tiendas es publicar sus productos con un precio muy bajo aunque posteriormente no posean stock de ese producto. De esa forma obtienen visitas de potenciales clientes que, a pesar de que no puedan comprar ese producto, es posible ofrecerles algún artículo relacionado, alternativo o en venta cruzada y que acaben comprando alguno de los artículos de la tienda.
- **Redes sociales:** algunas de las más conocidas como Facebook, Twitter, Pinterest u otras de video como Youtube y Vimeo están centralizando un gran porcentaje del tráfico de Internet, por lo que su importancia a la hora de atraer clientes a nuestra tienda *on-line* ha crecido a lo largo de los últimos años. La gente inicia la conversación en las Redes Sociales pero posteriormente acaba en la tienda y formaliza una compra. Siendo cierto que la predisposición de los clientes a comprar cuando están en modo de "interacción social" no es tan favorable como cuando un cliente está en modo de "búsqueda" (introduciendo el nombre de un producto en un buscador, por ejemplo) sí que se ha demostrado que las recomendaciones por parte de amigos sobre un producto o tienda concreta son una fórmula muy potente para potenciar la compra ya que ofrecen seguridad a los clientes. Por su rápido crecimiento este tipo de tráfico es cada vez más importante y no debemos pasarlo por alto.

- **Campañas de emails:** Mensajes de correo electrónico que mandamos a nuestra base de datos de clientes o usuarios con enlaces a nuestra tienda. Dentro de nuestra base de datos podemos tener a potenciales clientes perfilados como personas interesadas en nuestros productos, clientes que ya hayan realizado compras en nuestra tienda o usuarios que se hayan dado de alta en nuestro boletín de noticias para recibir ofertas y descuentos sobre nuestros productos.

  A estos clientes les enviamos mensajes con un enlace a nuestra tienda y tras consultar nuestros productos, finalizan realizando alguna compra.

- **Publicidad:** Este tráfico incluye todo tipo de acciones promocionales que podamos hacer como banners en diferentes páginas webs o campañas de Google Adwords que podamos realizar para que nos traigan clientes.

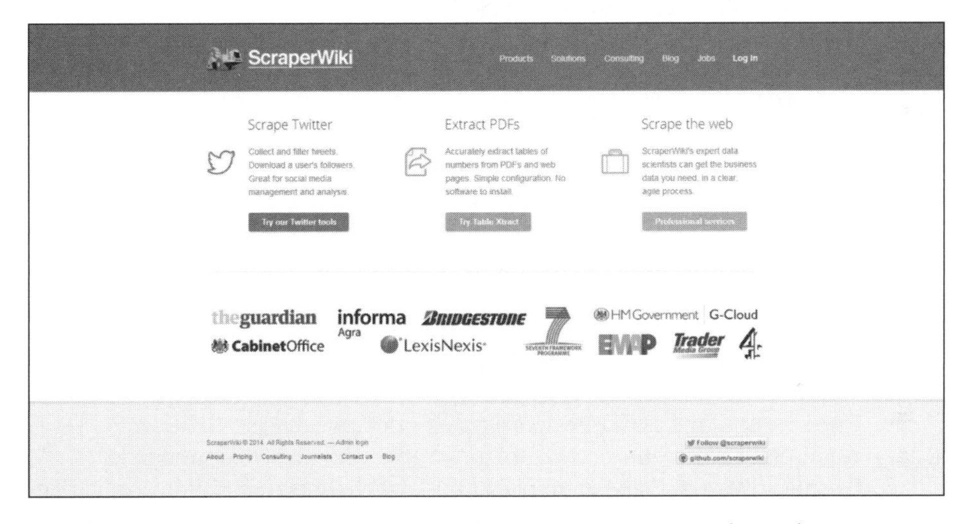

Figura 14.3. Scraperwiki nos permite crear arañas que extraen datos de otras páginas web de forma gratuita.

MEJORANDO NUESTROS RATIOS DE CONVERSIÓN

La mayor parte de los responsables de tiendas *on-line* están invirtiendo muchísimo dinero en campañas de publicidad, pero no están pensando en cómo mejorar su ratio de conversión, es decir, se preocupan en cómo traer mayor flujo de tráfico y gente a su tienda pero muchas veces no analizan que esa gente esté más segmentada. No queremos tener más gente sino más personas que compren y realicen pedidos de más alto valor.

Porque al final, para que nosotros tengamos una cifra de ventas potente no solo nos debemos fijar en cuánta gente viene a nuestra tienda, sino cuánta gente acaba comprando, cuál es el importe medio de ese pedido y cuál es el margen que nosotros obtenemos de media por cada pedido.

Por ello, actualmente la tendencia es hablar cada vez más de la Optimización de la Tasa de Conversión o en inglés CRO (*Conversion Rate Optimization*).

Para hablar sobre la optimización de la tasa de conversión debemos centrarnos en aquellos aspectos más susceptibles de ser mejorados, como son:

- Las landings
- Los emailing
- El proceso de compra
- La recuperación de carritos abandonados
- Optimizaciones generales en nuestra tienda

Las landings

Como explicamos en el capítulo anterior, las páginas de landing nos ofrecen una interesante oportunidad para vender productos y atraer clientes a nuestra tienda *on-line*.

Sin embargo, no todas las páginas de landing consiguen el mismo porcentaje de conversión (en el caso de una tienda *on-line* monoproducto medido como número de ventas). Para lograr crear una página que realmente convierta, debemos tener en cuenta los siguientes aspectos de la misma:

- **Cabecera:** El mensaje que aparezca en nuestra cabecera debe ser comercial y coherente con el que mostramos en nuestro anuncio de Google adwords. Esto permitirá a nuestros clientes una rápida asociación entre su búsqueda y la información que les estamos mostrando.
- **Descripciones y mensajes:** Lo bueno, si breve, dos veces buenos. Debemos ir al grano y transmitir las ventajas de nuestro producto con respecto a la competencia, así como los motivos por los que deben comprar en nuestra tienda. Todos los mensajes deben ser revisados, siempre que sea posible, por una segunda persona, para comprobar que no tengan faltas de ortografía o gramaticales y que el mensaje que se desea transmitir sea fácilmente comprensible.
- **Testimonios:** No hay nada que aporte más tranquilidad a un cliente que comprobar que otros clientes han quedado satisfechos con el producto que desean adquirir. En algunos casos, como los artículos

de parafarmacia, el hecho de que aparezca un médico recomendando un producto aporta seguridad a los potenciales compradores, lo que incrementa sustancialmente el número de ventas.

- **Indicadores de confianza:** Con ellos comunicamos al cliente que nuestra tienda *on-line* es segura, incluye las imágenes de los medios de pago que aceptamos, así como los sellos de calidad y certificados de seguridad que hayamos obtenido.
- **Mensaje de acción:** Se utiliza para indicar al cliente cuál es el siguiente paso que debe realizar en nuestra landing. Nuestra obligación es ponérselo fácil, que no tenga que pensar demasiado. Si lo que tiene que hacer es pulsar sobre un botón, lo mejor es indicárselo claramente.
- **Botones:** El botón de acción debe visualizarse claramente. Hay estudios que indican que, si después de poner un filtro borroso sobre nuestra página web no es posible distinguir nuestro botón de acción, es necesario rediseñarlo ya que no destaca lo suficiente.
- **Imágenes de producto:** Siempre es recomendable incluir contenidos multimedia que hagan destacar las virtudes de los productos que deseamos vender, y que expliquen de una forma clara las ventajas para el cliente.
- **Línea de visión:** Los mensajes que deseamos comunicar deben mostrarse en la pantalla sobre lo que denominamos "línea de visión". La altura a la que situamos este punto depende de la resolución de la pantalla de nuestros clientes por lo que debemos tener en cuenta este aspecto a la hora de diseñar nuestra página landing.

Figura 14.4. Figura 14.4. Themeforest ofrece la posibilidad de adquirir diseños de landing optimizados para conseguir ventas por menos de 20 euros.

- **Enlaces:** En ocasiones, los diseñadores de landings repiten las cabeceras de su web conteniendo enlaces a otras secciones de la tienda. Debemos tener en cuenta que una landing se muestra al cliente en un momento del proceso en el que el objetivo es cerrar la operación y por ese motivo no debemos despistarle, debemos eliminar los enlaces a otras partes de la web y dejarle únicamente libertad para pulsar sobre el botón de acción.
- **Revisiones:** Conseguir que una landing mejore su ratio de conversión de visitas en ventas es un proceso permanente. Debemos probar incluyendo pequeñas modificaciones en nuestras landings y observar qué efectos producen estos cambios en el comportamiento de nuestros clientes.

Pasos para preparar nuestra primera Landing page

A la hora de diseñar una página web, una landing o cualquier otro soporte pensando en incrementar la conversión debemos ponernos en la piel de nuestros clientes.

Por ello, debemos analizar cuál va a ser la resolución de pantalla más común que nuestros potenciales clientes van a utilizar, y el tipo de navegador con el que pueden abrir nuestra página, para asegurarnos que todo les va a funcionar correctamente y que no va a romperse el diseño de la maquetación en su versión de navegador o en la resolución de su equipo. Diseñar una buena Landing, que nos permita incrementar las ventas gracias a ella, como hemos visto, es muy importante. Por ello, al comienzo es habitual que intentemos inspirarnos en casos de éxito probado, para maximizar nuestra probabilidad de éxito.

Los pasos que debemos seguir a la hora de crear nuestra primera landing de éxito son los siguientes:

1. **Adaptarnos a la resolución de pantalla de nuestros clientes**
2. **Diseñar nuestra primera landing inspirándonos en casos de éxito**

Adaptarnos a la resolución de pantalla de nuestros clientes

La resolución y los navegadores más comunes son aspectos que evolucionan a lo largo del tiempo, y cada vez más rápidamente, por lo que para asegurarnos de que cubrimos un porcentaje importante de nuestro público objetivo debemos seguir los siguientes pasos:

1. Determinar la resolución más común: esta información podemos consultarla en la página web `http://www.w3schools.com/browsers/browsers_display.asp`, donde encontraremos el porcentaje actual de clientes que utilizan las diferentes resoluciones. Debemos seleccionar una resolución que cubra un amplio porcentaje, recomendamos que no sea menor del 75%, salvo que nuestro nicho por sus características pueda disponer de equipos más avanzados.

2. Los navegadores más utilizados: Esta información, disponible en la página http://www.w3schools.com/browsers/browsers_stats.asp, nos permite conocer el porcentaje de usuarios que utiliza cada uno de los diferentes tipos de navegadores. Es importante tener esto en cuenta ya que muchas veces, los perfiles muy técnicos se encuentran cómodos desarrollando contenidos para navegadores más modernos pero no tienen en cuenta que las funcionalidades sean compatibles con las versiones antiguas de Microsoft Explorer que muchos clientes siguen utilizando. Por ello, siempre debemos hacer pruebas en este tipo de navegadores para asegurarnos que todo funciona correctamente.

Diseñar nuestra primera landing inspirándonos en casos de éxito

Una vez que hemos preparado nuestro entorno de trabajo asegurando que la Landing page en la que trabajamos sea visible por la mayor cantidad de usuarios posible, debemos comenzar a trabajar en el diseño de nuestra landing.

Disponemos de varias alternativas para poder desarrollar nuestra propia página de Landing:

- **Desarrollarla nosotros mismos:** Una landing no es más que una página HTML por lo que, si somos capaces de manejarnos con este tipo de tecnologías, podemos animarnos y crearla nosotros mismos siguiendo alguno de los casos de éxito de landings que existen en Internet. En el caso de que no seamos expertos, siempre podemos externalizar estos desarrollos a un desarrollador freelance o a empresas como milandingpage.com que ofrecen la posibilidad de desarrollar una landing a medida por menos de 300€.
- **Descargarnos una plantilla gratuita:** Hace no muchos años era complicado descargarse de manera gratuita plantillas de buena calidad para la creación de páginas de *landing*. Sin embargo, el mundo de Internet y el comercio electrónico ha evolucionado mucho y ahora existen páginas como leadpages que mantienen un listado de máxima calidad y totalmente gratis para que podamos usarlo como queramos. Podemos obtenerlo en la siguiente dirección de Internet: "http://blog.leadpages.net/the-ultimate-list-of-free-landing-page-templates/"
- **Comprar una landing ya diseñada:** En mercados de plantillas como Themeforest, es posible encontrar por un precio inferior a los 20 Euros landings optimizadas para obtener ventas. Una vez descargada debemos personalizarla a nuestro gusto con las imágenes de los artículos que vayamos a comercializar.
- **Utilizar herramientas on-line para el desarrollo de webs y landings:** En los últimos años han ido surgiendo en Internet nuevas herramientas para la creación de Landings sin necesidad de tener conocimientos

informáticos. Algunas de las aplicaciones más conocidas son Unbounce, Kickofflabs o Instapage. Hay incluso personas que utilizan editores *on-line* gratuitos de páginas web como Wix, para la creación de sus páginas web.

Los emailings

Las campañas de correos electrónicos, permiten una comunicación directa con nuestros clientes, enviarles descuentos, noticias y ofertas personalizadas periódicamente, lo que posibilita incrementar el número de compras que realizan en nuestra tienda *on-line*.

Dentro de los emails que mandamos existen dos tipos principales:

- **Transaccionales:** Son aquellos que se mandan a los clientes a lo largo de determinados puntos en un proceso de compra, donde se les informa de algo relacionado con su pedido. Algunos ejemplos podrían ser emails que comuniquen eventos como "pedido en marcha", "pedido enviado", "no disponemos de stock de un artículo" o "pago recibido correctamente".
- **Masivos:** Son emails que se envían a grandes grupos de clientes que cumplen un determinado perfil, y cuyo contenido en general es muy similar en todos los emails enviados. Algunos ejemplos pueden ser los boletines de noticias que mandamos periódicamente a todos los clientes, o los emails de recuperación de procesos de compra abandonados.

Los mensajes transaccionales, que se envían de forma individualizada a los clientes, no tienen nada que ver y no deben tratarse de la misma forma que los mensajes masivos.

El motivo es sencillo de comprender, las grandes empresas que ofrecen servicios de cuentas de email a sus clientes como Google, Outlook, Yahoo mail y muchas otras, están muy comprometidas con reducir el correo no deseado que se genera en Internet, bloqueando y filtrando su recepción por parte de sus clientes.

Por esta razón, a la hora de realizar envíos de emails masivos debemos tener mucho cuidado para no ser clasificados como "Spammers" es decir, ser considerado como una empresa que envían correo publicitario no deseado a los clientes de email. Ser marcado como "Spammer", lo que se denomina "entrar en listas negras" significa que las empresas de servicios de email filtrarán los correos que enviemos y los clasificarán dentro de la carpeta de "Basura" de nuestros clientes.

Estas empresas utilizan muchos parámetros para identificar correos no deseados, entre ellos:

- Gran volumen de emails
- Gran velocidad de envíos

- Palabras clave "prohibidas" dentro del asunto de los emails, como "gratis", "gana dinero" o "sexo".
- Dirección de Internet de origen de los envíos incluida en listas negras
- Porcentaje de clientes que han marcado nuestros emails como "correo no deseado"
- Número elevado de correos enviados con dirección incorrecta o que producen "rebote" del email

El resumen es que debemos ser muy cuidadosos con la forma en la que enviamos este tipo de emails masivos. Hay múltiples soluciones, para volúmenes bajos de envío servicios como Mailchimp (del que ya hablamos en capítulos anteriores) puede ser una buena solución, y cuando ese volumen crece podemos valorar el servicio que ofrece Amazon denominado SES, o incluso contratar una empresa externa que gestione este tipo de envíos y se preocupe de optimizar los envíos y asegurar que nuestro dominio no entra en listas negras.

Algunos de los indicadores que debemos medir en nuestras campañas de email

Para saber si los emails que estamos enviando están cumpliendo con sus objetivos, debemos ser capaces de medir algunos de los indicadores más importantes, entre ellos:

- Número total de e-mails enviados
- Porcentaje de e-mails devueltos por los servidores (problemas con las direcciones que nos han dado, el email mal informado, caducado o dado de baja, debemos marcar a estos clientes en la base de datos para no continuar mandándoles emails)
- Porcentaje de emails que nuestros clientes han abierto y que podemos considerar leídos
- Porcentaje de clientes que han hecho clic sobre alguno de los enlaces de esos emails. Debemos utilizar los contenidos sobre los que hacen clic para perfilar a los clientes, si mandamos un boletín de noticias de deportes y el cliente hace clic sobre temas relacionados con la nieve o el snowboard, puede ser interesante clasificarle para enviarle una oferta en la campaña de ski.
- Porcentaje de personas que, tras hacer clic, ha finalizado una compra en la tienda.

Si medimos todos esos indicadores disponemos de todo el flujo de ese cliente, desde que le mandamos el email, hasta que finalmente hace algo con nosotros en la tienda y podemos saber cuál es nuestro ratio de éxito real de los emails que estamos enviando.

Nota: Para calcular si nuestra campaña de emailing ha sido o no un éxito debemos relacionarla con el número de ventas que haya sido capaz de atraer. La fórmula orientativa podría ser similar a esta:

> **Compras provenientes de nuestro emailing =** Número de emails enviados * Porcentaje de emails abiertos * Porcentaje de clics * Porcentaje de compras realizadas.
>
> **Resultado de la campaña =** (Compras provenientes de nuestro emailing * beneficio por cada producto) – costes de la campaña de emailing.

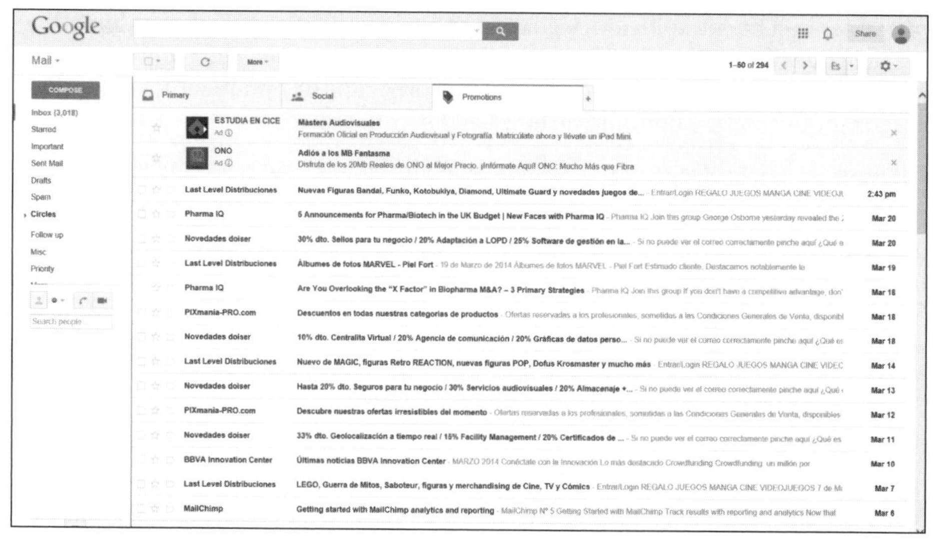

Figura 14.5. Google clasifica los emails en pestañas en función de su contenido, agrupando todas las promociones en una única pestaña.

Cómo diseñar un email que convierte

Para entender la importancia de diseñar un buen email, debemos comprender que, de media, un cliente dedica 12 segundos a leer un email, por eso es tan importante que le atraigamos con un buen diseño, ya que no dispondremos de más de 3 segundos para poder captar su atención.

Además, por primera vez este año, ya se leen más emails a través del teléfono móvil que a través de los PCs de escritorio, por lo que es muy importante que el diseño de nuestro correo electrónico esté adaptado a los teléfonos móviles y que la tienda a la que incluyamos enlaces tenga una versión amigable a los dispositivos móviles, ya que sino perderíamos todo el tráfico y las potenciales ventas que nos hubieran llegado de clientes que hubieran hecho clic en ese email.

Para lograr crear un email que obtenga ventas, debemos tener en cuenta los siguientes aspectos:

- **Campo "Origen del mensaje"** (en inglés *"From"*)**:** En este campo indicamos el nombre de nuestra empresa o la marca que deseamos comunicar. En ocasiones, algunas empresas tratan de personalizar más la comunicación indicando un nombre del responsable que lo envía. Lógicamente estas comunicaciones están automatizadas pero, aunque resulte sorprendente, se tiende a pensar que ha sido la persona que aparece como origen del correo la que lo ha escrito manualmente.

- **Dirección de email del campo "origen del mensaje":** Este email debe ser reconocible y, en general, es positivo que pueda ser un buzón activo y monitorizado. De esta forma si algún cliente contesta, se puede mantener una conversación con él y comprender qué aspectos podemos mejorar en nuestra tienda *on-line*.

- **Campo "Destinatario del mensaje"** (en inglés *"To"*)**:** Debemos intentar que sea lo más personalizado posible y mostrar el nombre y apellidos reales de nuestro cliente. Cuando la calidad de la Base de Datos es mala, es posible que no dispongamos de este tipo de información, lo que reducirá mucho la tasa de apertura.

- **Asunto del mensaje** (en inglés "*Subject*")**:** El asunto toma especial relevancia cuando el cliente no está habituado a recibir nuestros correos electrónicos. Debemos transmitir una imagen profesional, evitando ciertas palabras gancho o que nos puedan ser filtrados como "*spammers*".

  Últimamente se han puesto de moda incluir caracteres de texto especiales que representan imágenes (corazones, sobres, aviones). Se han realizado múltiples estudios pero no hay resultados concluyentes acerca de que incrementen el ratio de apertura de los emails por lo que probablemente dependa más del tipo de campaña y de nuestro nicho de mercado, que del propio asunto del mensaje que enviemos.

- **Enlace a la versión web:** Es posible que nuestro email no se visualice correctamente en algunos clientes de correo, por ello es conveniente ofrecer un enlace a la versión de nuestro boletín de noticias a través del navegador, para que el cliente pueda visualizarlo sin problemas.

- **Texto resumen del mensaje:** Algunos navegadores muestran una previsualización del contenido del mensaje a los clientes (aproximadamente unos 100 caracteres). Como se extraen de las primeras líneas de nuestro mensaje es muy importante revisar con especial atención y optimizar esos primeros párrafos del email.

- **Diseño del email:** En el diseño de nuestro email, la "caja de Johnson" se corresponde con una superficie rectangular que contiene el mensaje más importante de nuestro correo electrónico, en general se asocia con un rectángulo de unos 400x300 pixeles comenzando desde la esquina superior izquierda de nuestro email. Le pusieron ese nombre en honor a Frank Johnson que popularizó su uso. En este espacio es muy importante incluir un mensaje que atraiga la atención del usuario y le haga continuar su lectura.
- **Mensajes y descripciones:** Los mensajes deben ser claros, concisos y gramaticalmente correctos. Debemos tratar de destacar aquellas partes importantes del mensaje con negrita y listados de puntos, para facilitar su lectura. Con el objetivo de evitar problemas de incompatibilidades debemos tratar de utilizar las fuentes de texto más habituales de Internet como Arial o Times New Roman y utilizar un tamaño de fuente adecuado (se recomiendo que nunca sea inferior a 14px en el cuerpo del mensaje y 22px en los títulos).
- **Imágenes:** Debemos tener especial cuidado con la calidad de las imágenes que se incluyen en el mensaje, así como mantener unas proporciones adecuadas para evitar que se deformen al ser visualizadas en los correos de nuestros usuarios. Nuestros usuarios no van a tener siempre activada la opción de visualizar las imágenes, por lo que es importante que diseñemos una versión alternativa únicamente en texto, y comprobar que el mensaje que reciben, aún sin imágenes, es correcto y completo.
- **Diseño adaptado a dispositivos móviles:** Este aspecto es cada vez más importante y debemos tenerlo en cuenta, ya que actualmente se abren más emails a través del móvil que a través de los PCs de escritorio. Esto provoca que si nuestro email no se visualiza correctamente o bien dirige a una tienda que no disponga de versión móvil, nuestras campañas de correos electrónicos pierdan parte de su efectividad.

El tamaño y la resolución

Al igual que en el caso de las landing, a nivel de diseño debemos tener en cuenta que las herramientas de lectura de emails poseen unas limitaciones de tamaño y resolución que hacen que debamos adaptar el tamaño de nuestros mensajes para que se puedan visualizar de forma correcta. En general se recomienda que la anchura de nuestro email no sea superior a 650px (para versiones adaptadas a móviles se habla de anchuras inferiores a 500px).

Lo ideal es que el diseño de nuestro correo electrónico sea adaptable a dispositivos móviles (también conocido como diseño "*responsive*") lo que permitirá que, independientemente de la resolución o del dispositivo donde nuestros clientes estén leyendo su email, puedan visualizarlo sin problemas.

El proceso de compra

Este proceso también denominado "proceso de checkout", junto con el proceso de incluir productos en la cesta de la compra, es uno de los momentos más delicados.

A lo largo de este proceso debemos solicitar información a nuestros clientes, definir en qué momento solicitársela y de qué manera para que el cliente se sienta cómodo, formalice la compra con nosotros y no se marche a otra tienda *on-line*.

Tenemos que entender que, cuando un potencial cliente está buscando un producto determinado en Internet, éste suele obtener como resultado un listado de tiendas donde se vende ese producto.

Por norma general, el cliente va a abrir varios de los resultados de forma simultánea, esto implica que puede realizar la evaluación del producto comparando en diferentes webs al mismo tiempo y analizando múltiples atributos como:

- Precio
- Aspecto
- Tranquilidad, seguridad y seriedad que transmite la página
- Si el producto que yo deseo se corresponde con lo que me ofrece la tienda

Figura 14.6. Rejoiner ofrece una auditoría 100% gratuita sobre nuestro proceso de checkout.

Las tiendas que convenzan al cliente van a provocar que añada el producto al carrito y avance en el proceso de checkout. Es decir, en general, podemos tener clientes que estén realizando dos procesos de compra en paralelo con lo cual el proceso de compra que sea más sencillo de completar es el que tiene más posibilidades de acabar formalizando la venta, salvo que alguno de los atributos anteriores sea muy elevado o que el cliente esté fidelizado a alguna de esas tiendas.

Optimización de nuestro proceso de venta

Debemos intentar que nuestro proceso de venta sea más fácil, más cómodo, que exija menos datos, que ofrezca la misma percepción de seguridad, etc.

Simplificando, podemos afirmar que el proceso de compra está dividido, en términos generales, de la siguiente manera:

- **Paso 1. Datos personales:** En este primer paso, se solicita al cliente que se registre en nuestra tienda *on-line*, proporcionándonos algunos datos personales. Uno de los errores más frecuentes que nos encontramos son aquellas tiendas que no permiten a los clientes proseguir su compra como invitados, sin necesidad de registrarse en la tienda *on-line*. También es importante solamente solicitar al cliente aquellos datos que sean exclusivamente necesarios para realizar la venta. En todos los datos que le solicitemos, debemos incluir un mensaje indicando el motivo por el que lo estamos solicitando, así como el uso que vamos a realizar de la información que nos proporcione.
- **Paso 2. Datos de facturación:** En este apartado se solicita al cliente una dirección para la facturación del envío que, en la mayoría de los casos coincidirá con la proporcionada para realizar la entrega de los artículos que haya comprado el cliente, por este motivo debemos facilitar una opción para que el cliente pueda utilizar los mismos datos, sin tener que rellenarlos de nuevo.
- **Paso 3. Selección de la forma de envío:** En general se ofrecen como mínimo dos tipos de envío: prioridad normal (más barato) y otro con carácter urgente (con un precio superior). Es importante que se comunique al cliente una fecha estimada de entrega con las diferentes tipologías de envío, para que sea más fácil de comprender las características de cada uno de ellos. Es habitual ofrecer la posibilidad de gastos de envío gratuitos siempre que el pedido supere un determinado importe, con el objetivo de lograr que el importe medio de pedido se incremente. En este apartado es importante mostrar un enlace que resuma las condiciones de envíos y devoluciones para que así el cliente pueda consultarlo en caso de tener alguna duda.

- **Paso 4. Selección del método de pago:** Probablemente el momento del proceso de pago es donde más seguridad debemos transmitir a nuestros clientes. No olvidemos incluir aquí imágenes y certificados que puedan transmitir confianza, como el logotipo de nuestro banco o las imágenes de las tarjetas de crédito que aceptamos. El cliente debe sentirse cómodo y absolutamente seguro de que no va a tener ningún problema a la hora de realizar un pago a través de nuestra tienda *on-line*.
- **Aspectos generales del proceso:** En general, en el proceso de compra debemos evitar mostrar al cliente enlaces que le puedan llevar a otras partes de la tienda o que le puedan "despistar" de su objetivo principal, que en este momento es formalizar una compra. Además debemos indicar claramente la fase del proceso en el que se encuentra, así como los pasos que aún tiene pendientes para finalizar su compra.

Esta definición genérica del proceso de compra no significa que siempre se encuentre dividido de esta manera, de hecho el número de pasos del checkout no es igual en las diferentes tiendas *on-line* y la evolución actual es que todo el proceso de compra se integre en una única página de compra. A este tipo de procesos de compras simplificados se les llama "proceso de compra de página única" o en inglés "one page checkout"

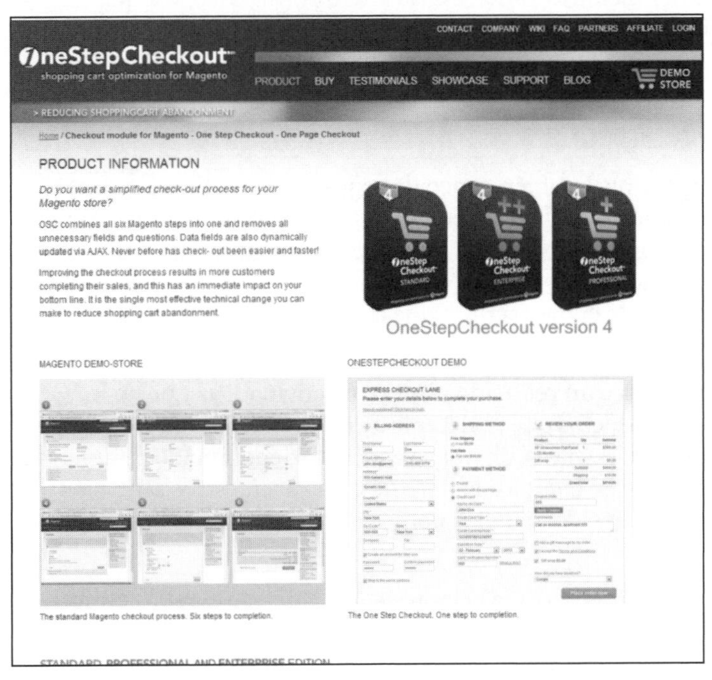

Figura 14.7. Existen multiples módulos para adaptar nuestro proceso de compra Magento a "One page checkout".

La recuperación de carritos abandonados

El flujo a lo largo de la relación con nuestros clientes, desde que comunicamos con ellos hasta que finalmente compran, es como un embudo donde la cantidad de personas en cada una de las fases es menor que en la fase anterior, ya que no todos los clientes avanzan en el proceso y no todos llegan hasta la última fase de compra de un artículo.

Lo que debemos hacer es tomar decisiones sobre qué tipo de acciones vamos a realizar con aquellos clientes que se han marchado a lo largo del proceso. Como muchos de ellos se han abandonado el proceso en fases en las que aún no han introducido ningún dato ni producto dentro de su carrito de la compra es complicado realizar una gestión activa, ya que no disponemos de información de contacto. Lo que sí que podemos hacer es intentar analizar de dónde han venido ese flujo de tráfico y obtener información sobre los motivos que han provocado que hayan abandonado el proceso de compra. Por ejemplo, si han venido por un producto, uno de los aspectos que deberíamos comprobar es si ese producto comparado con los de nuestra competencia tiene algún aspecto en el que sea inferior (precios, no hemos sabido transmitir seguridad, a nivel de fotografías o descripciones somos peores que la competencia y por eso han decidido irse, la competencia les ofrece algún servicio o descuento adicional, gastos de envío gratuitos, tarjeta de fidelización...) Es necesario analizar el tráfico, ver qué productos han analizado y determinar las fortalezas y debilidades con respecto a la competencia.

Las campañas de retargeting

Las campañas de retargeting, también conocidas como remarketing, son una forma de publicidad muy habitual en las tiendas *on-line*. Son acciones dirigidas a usuarios que ya visitaron nuestra tienda virtual pero que no compraron nada, por lo que tratamos de hacerles regresar y que finalicen su compra mostrándoles publicidad de nuestra tienda en las páginas que ese usuario haya visitado posteriormente.

Este tipo de publicidad posee un reducido nivel de efectividad, ya que no le muestra al usuario los productos que realmente a él le interesan. Por este motivo el retargeting ha evolucionado hacia un nuevo concepto denominado retargeting dinámico, en el que se tiene en cuenta a la hora de mostrar nuestros anuncios al cliente, qué productos han sido aquellos por los que ha mostrado interés en nuestra tienda.

Pongamos un ejemplo que nos permita aclarar en qué consiste el retargeting dinámico, imaginemos a Margarita, un cliente potencial de 58 años que visita nuestra tienda de pañuelos personalizados. Tras escoger un diseño de pañuelo que le resulte atractivo, Margarita lo incluye en la cesta de la compra de nuestra tienda *on-line* y está dispuesta a comenzar el proceso pago, pero justo en ese momento recibe una llamada telefónica de su hija que le recuerda que debe ir a recoger a los niños al colegio porque hoy va a salir tarde del trabajo. Apurada, Margarita deja todo lo que estaba haciendo, se viste rápidamente y se encamina a recoger a sus nietos. Este tipo de situaciones, son muy habituales, por lo que tenemos que disponer de herramientas para recuperar a este tipo de clientes que, con ventas casi cerradas, finalmente se nos escapan sin finalizar la compra de los artículos que deseaba.

El retargeting dinámico nos permite que, cuando Margarita se vuelva a conectar esa noche a Internet y visite alguna de las páginas asociadas a nivel de marketing con nuestra campaña, se le muestre un anuncio segmentado con el pañuelo que ella escogió y un mensaje de acción para que finalice su compra en nuestra tienda. En el caso del retargeting simplemente se le hubiera mostrado un banner de nuestra tienda *on-line* lo que, obviamente, resta mucha efectividad al anuncio.

Figura 14.8. Google permite integrar el seguimiento de nuestras campañas de retargeting en Google Analytics.

Una evolución a este concepto es el targeting de comportamiento (en inglés "Behavioral Targeting"), que analiza el comportamiento de los usuarios a lo largo de su navegación, capturando información sobre las páginas que visita, el tiempo que pasa en ellas, los enlaces sobre los que hace click, las búsquedas que realiza en ellas con el objetivo de crear un perfil y mostrarle anuncios que se adecúen al mismo. Por ejemplo si una persona navega por páginas de tenis, y tiendas de artículos deportivos los anuncios que se le muestren estarían relacionados con esta temática. Este tipo de recogida de información, genera muchas incertidumbres en los usuarios sobre cómo puede afectar a su derecho a la privacidad y si es posible controlar toda la información que las grandes empresas tecnológicas están acumulando sobre nosotros.

Los diferentes gobiernos están promoviendo leyes que pretenden garantizar y proteger los derechos de los ciudadanos frente a posibles abusos por parte de estas compañías, aunque, como es habitual, los avances tecnológicos avanzan a un ritmo mucho más rápido que las adaptaciones legislativas.

Probablemente la mayor parte de las empresas estén lanzando sus campañas de retargeting con Google Adwords, aunque no es la única empresa que ofrece este tipo de servicio, algunos otros ejemplos son Retargeter.com y Choicestream.com.

Envío de emails de recuperación de carritos abandonados

De aquellos clientes que han abandonado el carrito pero que disponemos de su email para poder comunicarnos con ellos: Podemos intentar recuperarles enviándoles un email, que normalmente tienen una tasa de éxito razonablemente alto, con casos de estudio que han superado ampliamente el 30% de recuperación.

Figura 14.9. Ejemplo de email de recuperación de carrito abandonado.

En este tipo de acciones comerciales, es habitual ofrecer los clientes un descuento o incentivo, como gastos de envío gratuito o regalar un producto por su compra. Por ejemplo, la empresa de venta de flores Proflowers, ofrece un descuento de un 10% y un jarrón de cristal gratuito.

Aunque se pueda correr el riesgo de que algún cliente pueda intentar aprovecharse de este tipo de acciones, en general no suelen hacerlo, en primer lugar porque no todas las tiendas utilizan este tipo de envíos de email para recuperación de carritos y de hecho, no siempre se lo comunican a todos los clientes, sino que se hace a clientes nuevos, o a aquellos que han superado un tipo de filtro adicional (importe medio de pedido superior a un determinado importe, productos con margen superior a un porcentaje que definamos).

En cualquier caso, siempre se puede considerar esta promoción como un incentivo para la captación de nuevos clientes a cambio de que nos proporcione todos sus datos y empecemos a tener una relación comercial.

Optimizaciones a nivel general de nuestra tienda

Además del proceso de checkout, que sin duda debe ser nuestra prioridad a nivel de optimización, debemos enfocarnos en ofrecer un servicio que intente ponérselo fácil al cliente, por ejemplo si los clientes buscan unas determinadas categorías más que otras, una forma de poder ayudarles sería optimizando el esquema de navegación de nuestra tienda situando esas categorías por delante de otras.

Si existen unas determinadas búsquedas más habituales en nuestra página web, no sería mala idea permitir a nuestros clientes que realicen esas búsquedas de una forma sencilla, poniendo enlaces en la parte inferior del buscador para que dispongan de búsquedas rápidas, etc.

Si hay un determinado servicio que a la gente le interesa pero no se muestra en la portada, pues igual deberíamos tratar de incluirlo y potenciar su imagen en nuestro escaparate.

En general, desarrollamos acciones en nuestra tienda *on-line* encaminadas a ponérselo fácil a nuestros clientes.

Una de las cosas que debemos tener en cuenta es cómo podemos mejorar el diseño de nuestra página web para que se más usable. No es fácil saber con anterioridad de qué forma va a contestar o va a responder nuestro público objetivo ante un determinado cambio en nuestra tienda *on-line*.

No es fácil, porque de hecho hay públicos objetivos muy diferentes. No es lo mismo un público objetivo de gente mayor, que mujeres jóvenes, o niños. Ya que no utilizan Internet de la misma manera ni disponen de los mismos conocimientos en esta área.

Tests A/B

Precisamente por ello, lo mejor es hacer pruebas que nos permitan, con datos reales, tomar decisiones acerca de cuáles son los cambios que debemos realizar a nivel de diseño en nuestra tienda *on-line*.

Estas pruebas se realizan con los denominados Tests "A/B", cuyo nombre proviene de que disponemos de dos escenarios el actual (Escenario A) y el que incluye la modificación cuyo efecto deseamos comprobar (Escenario B).

Consiste en realizar pequeñas modificaciones en el diseño que mostramos a nuestros clientes para comprobar cómo afectan esos cambios a nuestros ratios de conversión.

Una página web muy interesante sobre esto es `whichtestwon.com` en la que podemos ver los resultados de numerosos tests con cambios como el rediseño de un botón, o en lugar de una página corta donde se muestran pocos productos, ofrecer una página más larga que muestre gran cantidad de productos.

Figura 14.10. Página whichtestwon.com recoge los resultados de cientos de tests A/B.

En nuestro caso los tests A/B que nos interesan son aquellos que están enfocados a la mejora del ratio de conversión, aunque se pueden realizar tests A/B que pretendan optimizar otros indicadores como la mejora de usabilidad, mantenimiento de la web, etc.

En nuestro caso, nuestro objetivo es mejorar el número de compras que se realizan en nuestra web realizando pequeñas modificaciones sobre el diseño de nuestra web.

Hay diferentes herramientas para poder realizar tests A/B entre las que se encuentran:

- **Optimizely:** Tras definir las diferentes versiones de nuestra web, podemos decidir a qué clientes mostrar cada una en función de su navegador, idioma u origen de tráfico. Posteriormente esta información nos permitirá decidir qué modificaciones han permitido incrementar nuestras ventas.
- **Visualwebsiteoptimizer:** Permite crear de una manera visual diferentes versiones de nuestra página web y analizar cuáles han sido las variables que han afectado al comportamiento de nuestros usuarios, cuáles son sus características sociodemográficas. Además esta herramienta es capaz de mostrar un mapa de calor con los clic que han ido realizando los usuarios a lo largo de su navegación en las diferentes versiones de nuestra web.
- **Fivesecondtest:** Esta herramienta permite subir una captura de nuestro diseño preliminar de web o landing page, y los usuarios disponen de cinco segundos para valorarla en función de su primera impresión. Esto nos permite conocer si nuestro diseño logra transmitir correctamente el mensaje que deseamos o debemos realizar algún ajuste posterior.

Cuando uno comienza a vender en Internet, puede perder fácilmente la perspectiva y creer que, a diferencia de una tienda física, las tiendas *on-line*, una vez activas, no necesitan una gestión dinámica por parte de sus gestores. Una tienda *on-line* es más barata, cómoda de gestionar y de menor riesgo que una tienda física, pero para conseguir tener éxito vendiendo en Internet es necesario comprometerse con el proyecto que estamos lanzando. Por ello, a lo largo de este capítulo hemos mostrado una serie de recomendaciones que nos permitirán mejorar los procesos de gestión de nuestra tienda *on-line*. Siguiendo todos estos consejos podemos mejorar mucho la rentabilidad de nuestra tienda y conseguir nuestro objetivo final con este libro: Vender en Internet con Éxito.

Para saber más:

- Atención al cliente, Zappos:

  `http://www.zappos.com`

- Directorio de productos, Google Shopping:

  `http://www.google.es/shopping`

- Resoluciones más utilizadas por nuestros usuarios:

  `http://www.w3schools.com/browsers/browsers_display.asp`

- Navegadores más utilizados por nuestros usuarios:

  `http://www.w3schools.com/browsers/browsers_stats`

- Herramienta de desarrollo de landing pages, Unbounce:

  `http://www.unbounce.com`

- Módulo Magento para crear una proceso de compra en un solo paso, Onestepcheckout:

  `http://www.onestepcheckout.com/`

- Empresa que ofrece servicios de retargeting, Retargeter:

  `http://www.retargeter.com`

- Resultados de tests A/B, whichtestwon.com:

  `http://www.whichtestwon.com`

- Herramienta on-line para crear tests A/B, Optimizely:

  `http://www.optimizely.com`

"EN VERDAD NO PUEDES CRECER
Y DESARROLLARTE SI SABES LAS RESPUESTAS
ANTES QUE LAS PREGUNTAS."

Wayne W. Dyer. Psicoterapeuta y Escritor

15. Hacia el infinito y más allá: Busque nuevos mercados

En este capítulo aprenderemos:

- Los motivos que nos obligan a hacer crecer nuestra empresa de forma constante.
- Diferentes técnicas para desarrollar nuestra tienda on-line.
- Dónde obtener la información necesaria para comenzar a exportar.
- Varias alternativas para adaptar nuestra tienda al móvil.
- Técnicas para valorar las nuevas tendencias innovadoras en comercio electrónico.

Después de tanto esfuerzo, y tras un tiempo operando nuestra web, iremos viendo como nuestros pedidos aumentan y se vuelven recurrentes a lo largo del tiempo. Todo este proceso de aprendizaje nos habrá permitido ir afinando nuestros procesos y conseguir ser más y más eficientes.

Parece que este es el momento en el que ya podemos empezar a relajarnos y disfrutar de nuestra bien merecida recompensa, ¿no creéis? ¡Ni pensarlo! Esta forma de pensar es la que nos llevará sin duda al fracaso de nuestra tienda *on-line*.

En la venta *on-line*, y en los negocios en general solamente hay dos estados: ganar o perder. Si no estamos creciendo, nuestros competidores, que no se quedarán parados, nos irán comiendo terreno progresivamente y acabarán por captar nuestros clientes.

Además debemos ser conscientes de que el hecho de tener mayor tamaño nos permite ser más competitivos, ya que mejora nuestra situación negociadora con respecto a nuestros distribuidores y por lo tanto, será más sencillo obtener un mejor precio y ofertas que trasladar a nuestros clientes.

LA IMPORTANCIA DE ESTAR SIEMPRE MOVIÉNDOSE HACIA ADELANTE

Existen multitud de formas de intentar potenciar nuestro crecimiento de forma rentable en el tiempo, el objetivo de todas estas iniciativas, que no tienen por qué ser excluyentes, es incrementar nuestras ventas, abriéndonos a nuevos mercados o necesidades de los clientes.

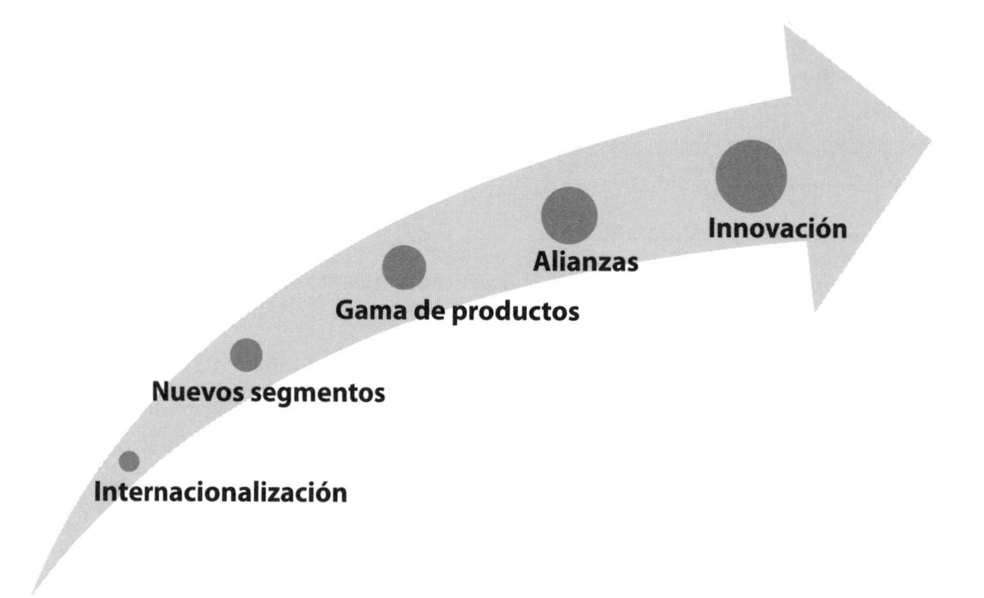

Figura 15.1. Debemos pensar constantemente en formas de crecimiento de nuestra empresa.

Las alternativas más habituales que existen son las siguientes:

1. **Internacionalización:** Cuando encontramos un producto que funciona, debemos analizar si es posible comercializarlo en otros países, y si es necesario realizar adaptaciones sobre él.
2. **Nuevos segmentos de clientes:** Aplicar nuestra capacidad creativa para pensar en nuevos tipos de usuarios que podrían dar utilidad a nuestros productos. Un ejemplo que demuestra que es posible atacar nuevos nichos de clientes adaptando productos ya existentes es la apertura de Nintendo al segmento más mayor de la población.
3. **Aumentar la gama de productos:** Incluir nuevos productos dentro de nuestra oferta a los clientes que permitan incrementar nuestro volumen o nivel de margen.

4. **Establecer alianzas estratégicas:** Realizar acuerdos con colectivos o empresas que nos permitan aumentar nuestras ventas o mejorar nuestra situación competitiva. Por ejemplo, podríamos llegar a un acuerdo con otra empresa para que publicitase nuestros productos a cambio de una comisión o bien asociarnos y crear una central de compras para reducir nuestros costes.
5. **Innovación y nuevos canales:** En una tienda *on-line*, es necesario estar al tanto de todas las innovaciones que puedan incrementar nuestras ventas, o que nos puedan servir para obtener publicidad gratuita en medios *on-line*.

INTERNACIONALIZACIÓN

Con un mundo tan globalizado como el actual, la única forma que existe de evitar ser arrastrado por las crisis económicas que periódicamente golpean al mundo, es diversificar nuestro negocio en diferentes países.

De esta forma es posible que nuestros resultados en España se resientan pero que crezcamos en nuestras ventas en Sudamérica o en Alemania.

Las grandes corporaciones son conscientes de este hecho desde hace décadas, por lo que han desarrollado planes de internacionalización que explican los extraordinarios resultados que obtienen de forma sostenible a pesar de la crisis económica que nos azota.

Lógicamente, la elección de a qué país concreto exportar dependerá de múltiples factores como la aceptación que puedan tener nuestros productos en ese país, el coste que pueda suponer la adaptación de los mismos a ese mercado, el nivel de fraude de dicho país, así como la evolución estimada del comercio electrónico en el mismo.

Evolución del comercio electrónico a nivel internacional

Al revisar las estadísticas de nuestra tienda virtual nos puede sorprender el hecho de que no se reciban únicamente visitas de España, sino que rápidamente comiencen a acceder personas de Latinoamérica y Europa, especialmente si tenemos una tienda *on-line* en varios idiomas.

Cuando nos planteamos vender a otros países siempre nos envuelve un cierto miedo a lo desconocido. Todos sabemos lo complicado que es realizar cualquier trámite burocrático y además, si ya es complejo establecer una logística para España, ¿cómo nos vamos a plantear establecer una logística internacional?

Para los Españoles, una buena forma de comenzar, sin complicar excesivamente nuestro proceso operativo es comenzar a vender en Portugal.

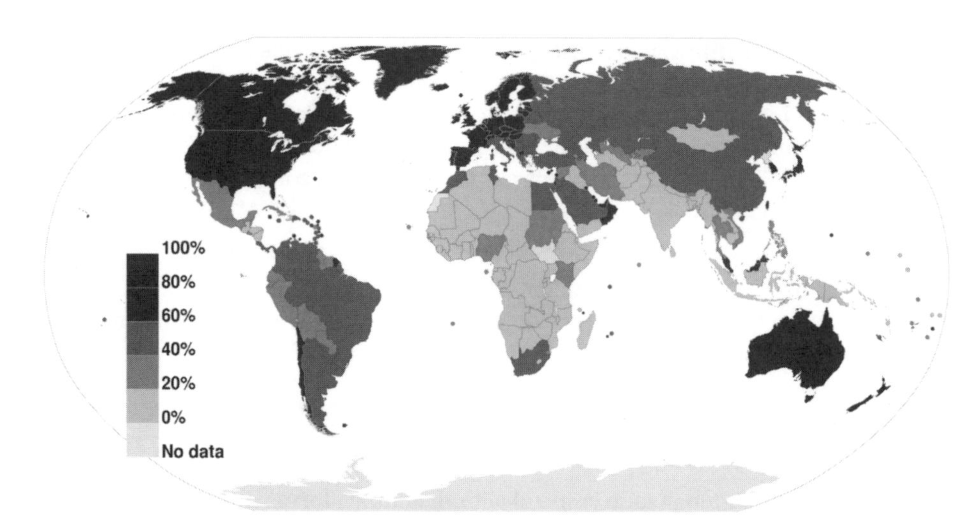

Figura 15.2. Mapa de usuarios de Internet en 2012 como porcentaje de la población del país. Fuente: International Telecommunications Union.

Si consultamos el libro de datos de la CIA (*CIA Factbook*) comprobaremos que Portugal cuenta con 10,8 millones de habitantes, con una media de edad de 41 años y que casi un 32 por 100 de sus importaciones provienen de España, que en total suponen aproximadamente 18.000 millones de Euros.

Este alto nivel de intercambio de productos entre España y Portugal facilita mucho las cosas en temas logísticos, ya que la mayoría de las empresas de transporte con las que trabajamos en España realizarán entregas en Portugal a buen precio.

Por ello, simplemente deberemos solicitarles nuevas propuestas de precios para este destino y fijar la operativa para este tipo de entregas que, por lo general, suele ser la misma que para entregas en España.

Lógicamente, si intentamos orientar nuestra tienda al mercado Portugués, deberemos proceder a crear una versión traducida de la web, y adaptarla a la moneda del país. En este caso, al tratarse del Euro, nuestra tarea se simplifica enormemente ya que no tendremos que realizar modificaciones.

Implantar esta sencilla modificación en nuestra tienda Magento es muy sencillo, ya que por defecto nuestra tienda permite al cliente seleccionar el idioma en el que desea visualizar nuestra web. Un resumen de los pasos concretos a realizar serían los siguientes:

1. Instalar los ficheros de idioma vía FTP, tal y como hicimos con el idioma Español en el capítulo 4.

2. Accedemos al Panel de Administración de nuestra tienda y seleccionamos la ruta Sistema>Gestionar Tiendas y creamos una **Vista de nuestra tienda (denominada en inglés Store View)**.
3. Definimos los datos de la nueva vista y añadimos la posición en la que debe aparecer en el menú de selección de idioma.
4. Accedemos a la pestaña Sistema>Configuración y en el menú desplegable superior de la izquierda denominado Alcance de la configuración actual veremos que ya aparece la nueva vista.
5. Una vez situados en esa vista, en el apartado de opciones locales debemos deseleccionar la opción **Usar website** al lado de la opción **Local**, donde deberemos seleccionar el idioma (en este caso el Portugués).

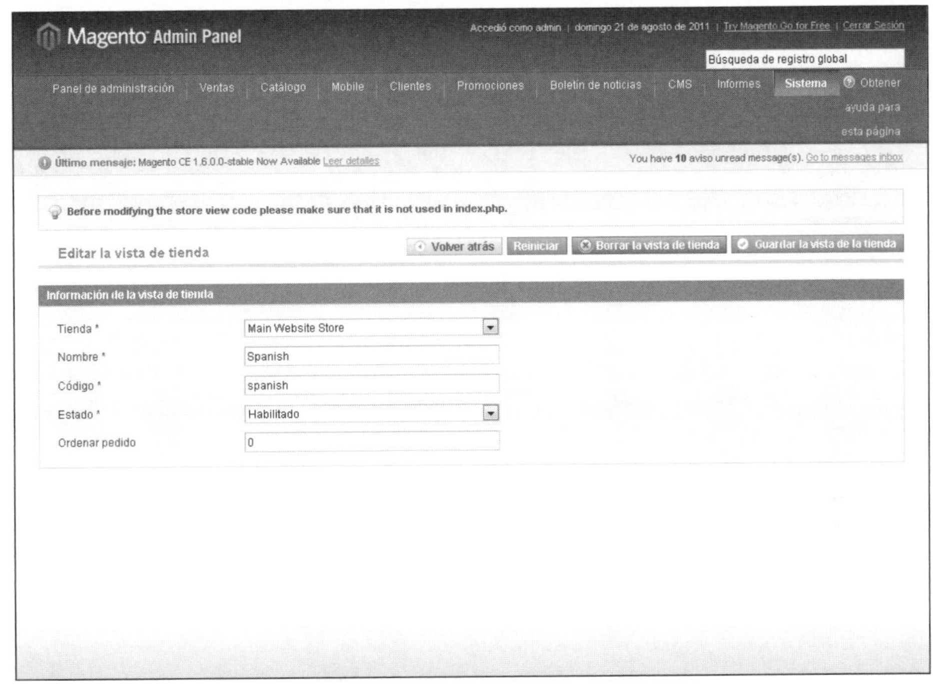

Figura 15.3. Configuración de un segundo idioma en Magento.

La instalación de estos archivos de idioma nos ha permitido traducir los botones y opciones de Magento al Portugués, pero ¿cómo se realiza la traducción de las descripciones de los artículos? Obviamente esta traducción la debemos realizar nosotros en cada caso, el proceso a seguir es dar de alta el artículo en el idioma predeterminado y cuando ya esté creado, entrar a dicho artículo desde el gestor de productos, seleccionar la vista del producto en Portugues y realizar allí la traducción.

Por supuesto estos pasos los podemos repetir en tantos idiomas como queramos, para permitir ampliar nuestra base de clientes potenciales.

Documentación a cumplimentar

Modificar el idioma de nuestra tienda es un primer paso, pero todavía no hemos conseguido solventar el problema burocrático ¿cómo puedo averiguar qué tipo de documentación y trámites debo realizar para poder cumplir los requisitos legales de exportación a dicho país?

Para solucionar este problema, tan común cuando se comienza a vender en otros países, la comisión europea ofrece una herramienta denominada Market Access Database, accesible desde la web "`http://madb.europa.eu/madb/indexPubli.htm`".

Figura 15.4. Market Access Database ofrece información sobre los requisitos legales que debemos cumplir en caso de exportar productos a otros países.

Este servicio consiste en una base de datos actualizada de la documentación que es preciso cumplimentar cada vez que se realiza un envío exportador a otro país.

Desafortunadamente, dichos documentos suelen ser diferentes en todos los países. Cada uno posee documentos y trámites diferentes para la importación de productos españoles, por ello es muy importante que nos mantengamos al día de las posibles modificaciones que se puedan producir en la documentación necesaria para nuestros envíos a otros países.

¿Qué IVA aplico en función de cada país?

El tratamiento del IVA en caso de que nuestro cliente sea una empresa o un consumidor final es diferente:

- En el caso de que nuestro cliente sea una empresa de otro país situada en la UE, dicha venta no estaría sujeta a IVA, aunque la empresa de destino, sí que tiene la obligación de liquidar el impuesto en su país.
- En caso de que el comprador sea un consumidor final, la operación se considera una venta a distancia a través de Internet, y estará sujeta al IVA Español, que incluiremos en la factura de venta.
- En el caso de clientes ubicados fuera de la UE, la factura se realizará sin IVA.

Es necesario hacer el matiz de que estas son consideraciones y reglas generales, para temas concretos es mejor contar con la ayuda de un asesor experto que nos pueda indicar la fiscalidad aplicable a cada uno de nuestros productos y servicios la fiscalidad aplicable en los mercados a los que nos queremos dirigir.

Implantación local o gestión remota de nuestro negocio

Una vez se comienzan a recibir pedidos de otros países, surge la duda de si es posible aprovechar todas las oportunidades de ese mercado, gestionándolo a distancia, o si merece la pena desarrollar una estrategia específica para optimizar nuestra presencia.

Algunas de las posibles alternativas que debemos analizar son las siguientes:

- **Llegar a acuerdos con agentes o distribuidores afincados en el país:** Este sistema consiste en firmar un contrato mercantil con un agente para que trabaje a cambio de una comisión por ventas o bien establecer un acuerdo con una empresa distribuidora que compre nuestros productos para venderlos posteriormente.
- **Establecer relaciones con empresas locales:** Cuando desconocemos un mercado, los clientes que nos podrían comprar en un determinado país y los canales con los que dirigirnos eficientemente a ellos, puede ser buena idea alcanzar un acuerdo con una empresa local que facilite la tarea de vender en dicho país.

- **Crear una sucursal:** En esta opción no es necesario crear una nueva empresa en el país, sino que toda nuestra actividad dependerá de la matriz.
- **Montar una filial:** Con esta opción la actividad y dirección en el país queda separada de nuestra sede central, aunque posteriormente se unificarán las cuentas al ser los accionistas mayoritarios.

A nivel fiscal, cuando establecemos una sucursal el resultado de nuestras actividades (beneficio o pérdida correspondiente al período) se integrará con el obtenido por la empresa y una vez unificado se realizará el pago del impuesto de sociedades que corresponda en España.

Sin embargo si establecemos una filial de nuestra empresa en el país, pagaremos tanto el impuesto que corresponda en el país, como cuando recibamos los dividendos que nos correspondan como accionistas.

Para evitar esta doble imposición, se establece una exención de dicho impuesto, siempre que exista firmado un convenio con España y se cumplan unos requisitos mínimos de porcentaje y nivel de actividad en el extranjero.

AMPLIACIÓN DEL SEGMENTO DE CLIENTES

Cuando las empresas llevan años haciendo algo de una misma manera, la presión del "nosotros lo hacemos así" se vuelve muy fuerte. Probablemente la mejor descripción de este efecto la realizó un alto directivo de una empresa española en su "teoría del dinosaurio".

La teoría del dinosaurio describe cómo cuando una persona, normalmente joven, comienza a trabajar en una empresa con una cultura muy fuerte (representada por el dinosaurio) lo primero que intenta es empujar al dinosaurio para que vaya más deprisa. Comienza a empujar y tirar de sus patas, y pronto se da cuenta que el dinosaurio no se ha movido ni un milímetro. Entonces se frustra y se enfada e intenta frenarle, poniéndose delante de él y tratando de hacerle la zancadilla. Pero se da cuenta que el dinosaurio sigue andando a la misma velocidad, sin inmutarse.

Es entonces, cuando decide subirse al lomo del dinosaurio y guiarle poco a poco, moviéndolo milímetros en la dirección deseada, que al cabo de poco tiempo se convierten en kilómetros recorridos.

Esta es la única forma de mover la cultura de las grandes corporaciones.

La moraleja de esta historia es que cambiar la idea de nuestra empresa acerca de un producto exige un largo proceso de adaptación, por lo que tendremos que guiar a nuestros equipos y clientes en esta nueva dirección de forma gradual. Todos tenemos clichés sobre el funcionamiento y el tipo de persona que debe utilizar un producto y muchas veces nos parece impensable poder obtener nuevos clientes o usos.

Sin embargo, no debemos dejarnos llevar por las apariencias o tendencias actuales, podemos verlo en el caso de las consolas orientadas a la gente mayor, la cantidad de madres que preparan platos precocinados en vez de cocinar ellas mismas, o la necesidad de los hombres de conservarse más jóvenes utilizando cremas y recurriendo a operaciones de estética.

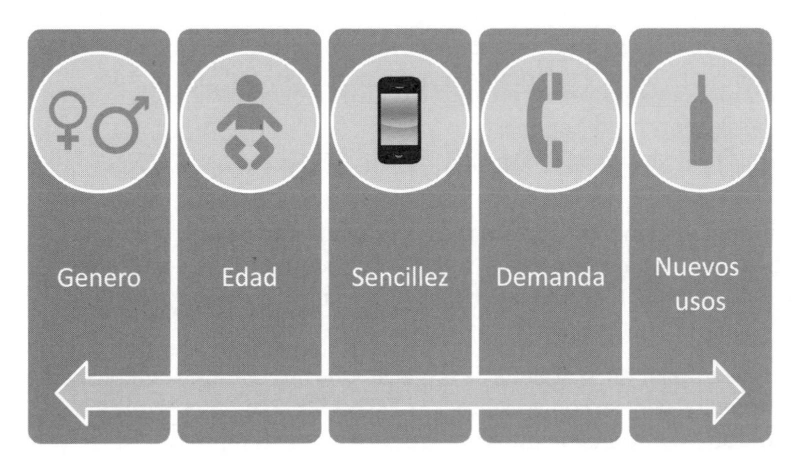

Figura 15.5. Métodos para ampliar el número de clientes a los que dirigir nuestros productos.

Para poder ampliar nuestros productos a estos clientes potenciales (que aún no nos compran pero que lo harán) debemos abrir nuestra mente y tratar de analizar cómo adaptar nuestros productos a nuevos nichos de mercado:

- **Género (masculino o femenino):** En ocasiones nos encontramos productos que a pesar de ser utilizados en su mayor parte por personas de un solo género, las marcas consiguen introducir en el género contrario. Un ejemplo son las cremas antiarrugas o incluso el maquillaje inicialmente productos utilizados por mujeres y que se han ido adaptando con el tiempo a una versión para hombres.
- **Edad:** Muchos productos utilizados por niños, pueden ser utilizados por personas mayores, veamos el caso de los pañales de incontinencia urinaria o la ampliación de productos de ocio inicialmente pensados para gente joven pero que a los mayores les encantan (como los viajes o el cine).
- **Sencillez:** Por lo general, a todas las personas nos atraen las cosas sencillas. Nos hace sentir bien el hecho de comprender y utilizar correctamente una herramienta por nosotros mismos sin necesitar ayuda ni estudiar pesados manuales. Apple, gracias a su diseño basado en la sencillez, ha generado un boom en el mercado de los teléfonos inteligentes (*Smart Phones*). Esta iniciativa ha relanzado el valor de la empresa bolsa.

- **Generar demanda:** Las operadoras de telefonía consiguieron consolidar la necesidad de la población de estar todo el día conectado al móvil, consiguiendo un éxito sin precedentes. Esto que actualmente parece sencillo, en la década de los 90 supuso crear la demanda de un artículo que casi nadie creía necesitar.
- **Nuevos usos:** En 1996 nació en Francia la vinoterapia, consistente en utilizar las propiedades antioxidantes del vino como tratamiento de belleza. Actualmente goza de tal éxito que se ha expandido por todo el mundo.

AMPLIACIÓN DE LA GAMA DE PRODUCTOS

Las empresas no suelen comercializar un solo producto, sino que ofrecen una variedad de artículos, denominada gama, que puedan atender las necesidades de los clientes. Estos productos suelen agruparse por ciertas características similares entre ellos. A estos grupos de productos se les denomina línea.

Cuando hablamos de ampliar nuestra gama de productos, no nos referimos simplemente a incluir nuevos artículos para su comercialización. De hecho, no es interesante tener productos que no sean lo suficientemente rentables para nuestra empresa.

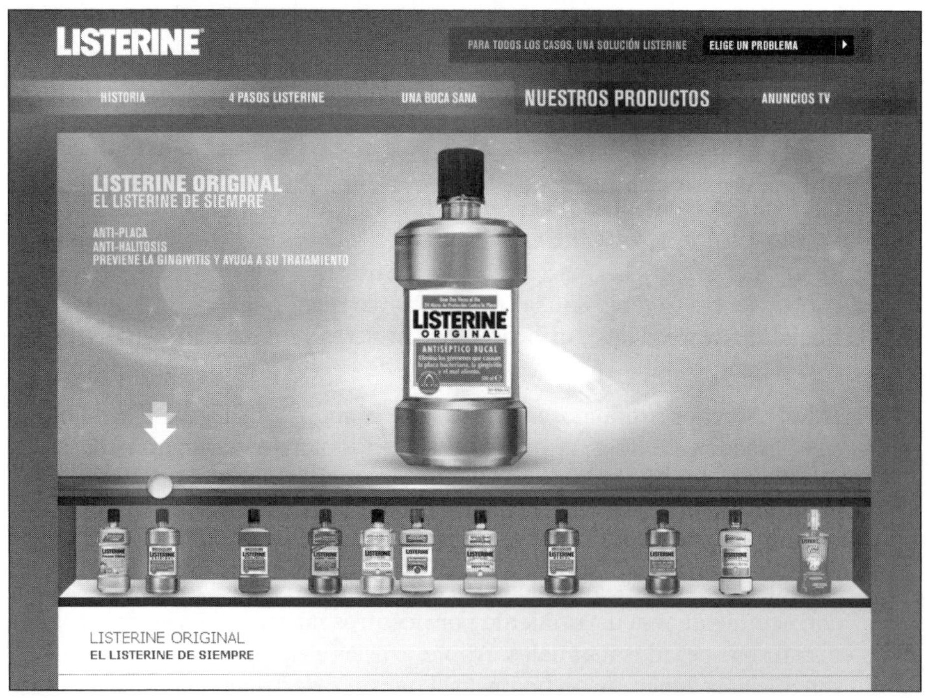

Figura 15.6. Ejemplo de la ampliación de gama de productos Listerine.

Por ello, antes de añadir productos debemos decidir si nuestra estrategia va a consistir en tener una alta o baja amplitud de gama. El tener pocos artículos nos permite optimizar nuestros costes publicitarios y de comunicación, así como tener un proceso operativo más simple, sin embargo el cliente tendrá pocas alternativas de productos que comprar, que podría obtener en la competencia.

Para ayudarnos a tomar estas decisiones, lo mejor es recurrir a la información que podemos recabar mediante encuestas a nuestros clientes.

Algunas de las preguntas que podíamos realizarles son:

- ¿Han buscado y no encontrado algún producto en nuestra tienda?
- ¿Les gustaría que incluyésemos alguna gama o línea nueva?
- ¿Creen que debemos modernizar nuestros productos?

Por supuesto, dejarse asesorar por nuestros distribuidores, así como analizar qué está haciendo la competencia nacional e internacional, nos puede permitir tener algunas guías sobre qué productos incluir en nuestro catálogo.

Sin embargo, no hay fórmulas mágicas, el mercado español tiene sus propias características diferentes a otros países, que pueden provocar que productos que hayan sido líderes de ventas, sean grandes fracasos comerciales en nuestro país.

ALIANZAS ESTRATÉGICAS

Una de las formas más inteligentes de hacer crecer nuestra tienda *on-line* es mediante la cooperación con otras empresas.

Es complejo elegir una empresa con quién sea beneficioso asociarnos. A partir del momento en el que llegamos a un acuerdo con otra empresa para que realice una actividad que afecte a nuestros clientes, debemos responder por su nivel de calidad. Por ello, es necesario dejar claramente establecidas las actividades de cada parte en nuestro acuerdo, para evitar futuros conflictos.

Algunas de los tipos de relaciones entre empresas más comunes son:

- **Externalización:** Consiste en la identificación de actividades de nuestro negocio que pueden ser desarrolladas por otras empresas de forma más eficiente. Con ese fin se formaliza un contrato en el que se indica las tareas a realizar y los niveles de calidad de servicio que deben cumplirse a lo largo de la relación. Es común incluir algún tipo de penalización en caso de incumplimiento. En general no es recomendable externalizar tareas críticas de nuestro negocio o factores clave de nuestro éxito.

- **Franquicia:** El crecimiento de una empresa exige múltiples recursos tanto humanos como económicos. Cuando deseamos tener un crecimiento rápido y es posible realizar un análisis detallado de nuestros procesos para que terceras personas puedan replicar nuestro negocio, el contrato de franquicia es una buena oportunidad de desarrollo.

Dentro de dicho contrato, se le aporta al franquiciado nuestro conocimiento del negocio, las bases operativas, así como nuestra imagen e inversión en marketing y comunicación. A cambio, el franquiciado se compromete a pagar un canon y cumplir de forma estricta con los procesos definidos.

Actualmente es una forma bastante habitual de crecimiento, que implica más al franquiciado en el negocio, al convertirse en dueño, y exige menores necesidades de capital.

- **Alianza comercial:** Es un tipo de acuerdo que engloba empresas de todo tipo, aunque normalmente suelen ser del mismo sector y tamaño, para poder unirse y obtener ventajas con respecto a los competidores.
- **Otro tipo de acuerdos:** Básicamente recogen todos aquellos tipos de alianzas que no persiguen un objetivo comercial, sino que buscan otro tipo de beneficio para la empresa. Algunos ejemplos podrían ser: el incremento del nivel de influencia político o social, o los acuerdos para la prevención de desastres naturales.

Figura 15.7. Panda utilizó el modelo de franquicia para alcanzar un rápido crecimiento.

LOS NUEVOS CANALES: MÓVIL

En los inicios del comercio *on-line*, los clientes realizaban sus compras sentados desde su casa, con una conexión a Internet. Sin embargo, actualmente es posible realizar una compra *on-line* directamente en la tienda física utilizando el móvil mientras tocamos el artículo que deseamos comprar.

El incremento del comercio electrónico a través del móvil es increíble. En Estados Unidos ya supone 30.000 millones de Euros habiéndose multiplicado prácticamente por 100 en los últimos cinco años.

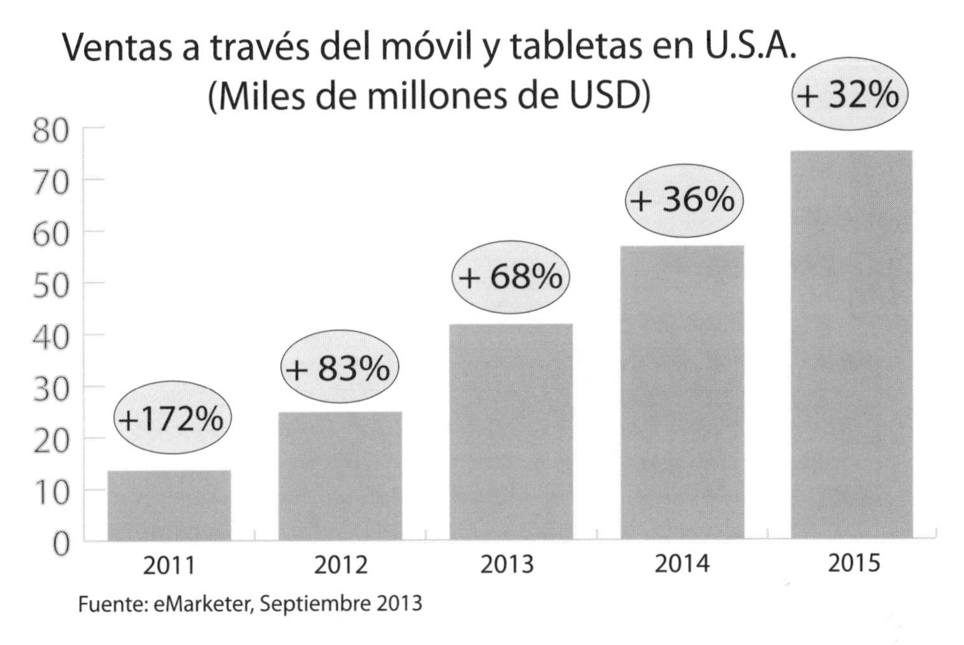

Figura 15.8. Gráfico de evolución del comercio electrónico móvil en EEUU.

La evolución en la tecnología de los teléfonos móviles, ya permite acceder a Internet de una forma casi tan cómoda como hacerlo a través del navegador de nuestro ordenador personal. Por ello, los usuarios cada vez utilizamos más nuestros terminales móviles en tareas relacionadas con el comercio electrónico.

Una de las funciones más utilizadas es la comparación de precios, es decir, imaginemos un cliente que va a comprar una falda en una tienda. Una consulta a través de su móvil le permite comparar los precios de ese mismo producto con varias tiendas *on-line*. Como pretende comprar varias prendas, hace un cálculo de los gastos de envío y decide que le compensa más esperar y comprarlo a través de Internet que adquirirlo directamente en la tienda.

Este tipo de escenarios cada vez será más frecuente en el futuro, lo que obligará a las tiendas tradicionales a integrar sus estrategias física y *on-line* para ofrecer una experiencia global al usuario.

Uno de los ejemplos más exitosos en el comercio electrónico a través del móvil es la herramienta de subastas en línea eBay. En 2008 esta empresa creó una aplicación gratuita para el iPhone que permitía a los usuarios navegar por sus productos y realizar compras directamente desde su móvil. A lo largo de los últimos años han ido desarrollando aplicaciones para los diferentes dispositivos, lo que ha permitido que en 2013 la comunidad de usuarios que accede a eBay a través del móvil haya superado los 100 millones.

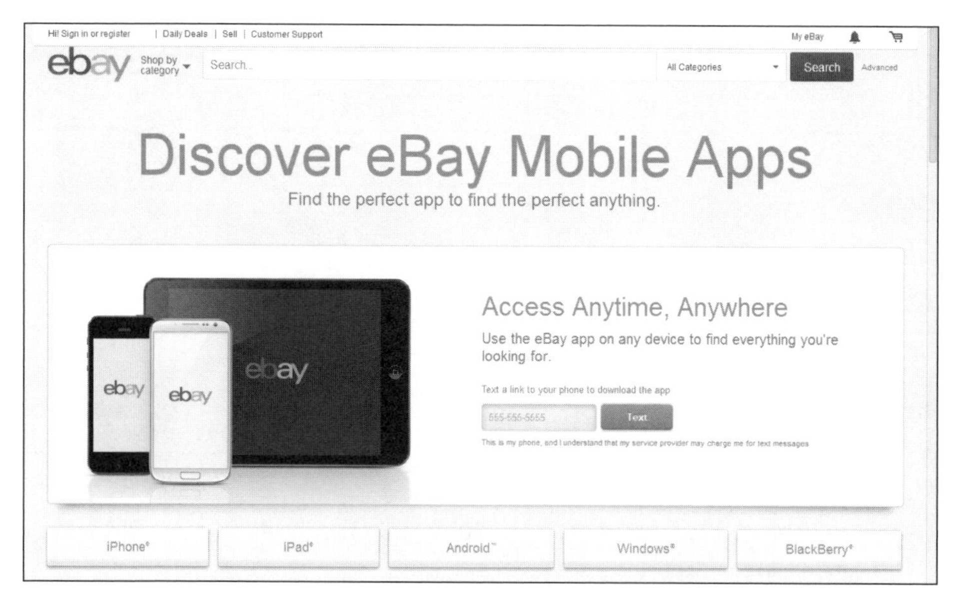

Figura 15.9. En 2008 eBay lanzó una aplicación gratuita para el iPhone.

A lo largo de los siguientes años eBay ha continuado desarrollando su estrategia creando versiones para el iPad y Android, lo que le ha permitido alcanzar unas volumen de comercio electrónico a través del móvil en 2013 de 15.000 millones de euros. Esta tendencia seguirá creciendo a lo largo de los próximos años, donde los usuarios móviles ya representan el 40% de las nuevas altas de eBay.

Debido al éxito del comercio a través del móvil, las empresas están desarrollando aplicaciones de comercio electrónico para el móvil, con el objetivo de mejorar la experiencia de los clientes de las tiendas físicas.

Muchos de estos clientes han nacido ya con Internet (los conocidos como nativos digitales) y no entienden los motivos que provocan que el mundo físico no se haya integrado todavía con el virtual.

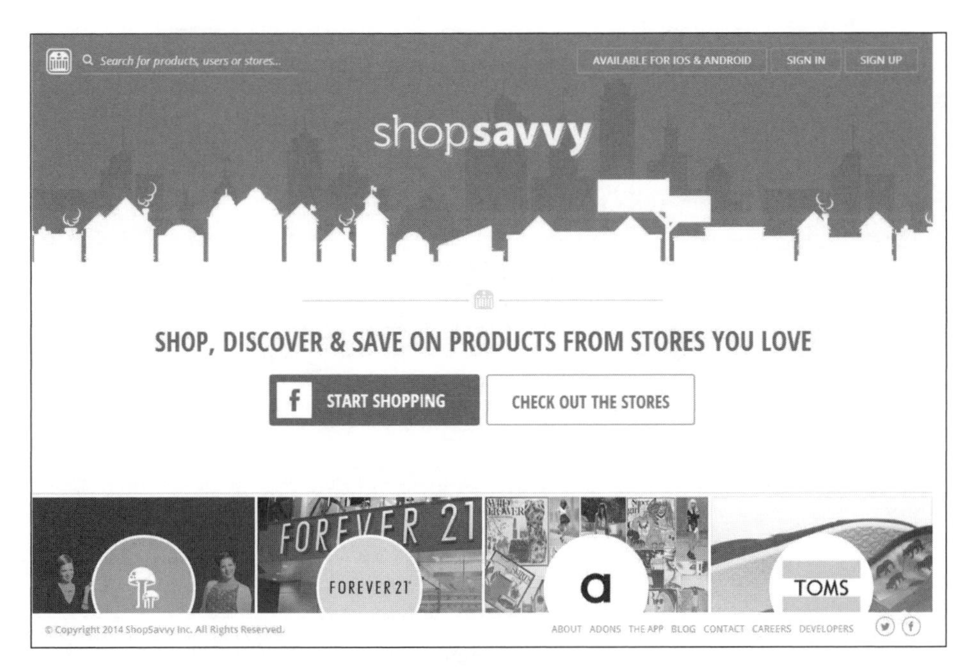

Figura 15.10. ShopSavvy es una aplicación que permite comparar precios de productos con el móvil.

En general se está trabajando en cuatro grandes líneas de aplicaciones:

- **Comparadores de productos:** Aplicaciones que permiten escanear los códigos de barras de los productos y automáticamente ofrecen resultados de diferentes tiendas *on-line* en las que se encuentran disponibles, indicando aquellas de mejor precio.
- **Compras sociales:** Uno de los principales motivadores de compra es la recomendación de un amigo. Por ello, se están desarrollando aplicaciones que aprovechen los contactos que los usuarios tienen en las redes sociales para que comenten y valoren los productos que han adquirido.
- **Geolocalización:** La posibilidad de ofrecer descuentos de aquellos comercios cercanos al cliente ofrece una integración muy interesante del mundo físico y virtual, tanto para promociones de tiendas *on-line* como para las tiendas físicas que deseen establecer un sistema de fidelización.
- **Terminales Punto de Venta a través del móvil:** Son herramientas que permiten a los comercios interactuar con los móviles de sus clientes. Algunos de los ejemplos son los sistemas de recarga de tarjetas sin contactos a través del móvil (muy comunes en Japón) o la redención de cupones de descuento almacenados en el terminal.

Figura 15.11. Se están desarrollando fórmulas para vender a través de redes sociales integrando en ellas nuestra tienda.

Cómo adaptar nuestra tienda Magento al canal móvil

Magento tiene su propia versión adaptada al móvil para el mundo Apple (iPhone y iPad) y Android.

El servicio se denomina Magento Mobile y es posible suscribirse mediante un pago anual de unos 500 Euros.

Con esta suscripción Magento se encargará de incluir nuestras aplicaciones para las diferentes plataformas (Apple y Android) en los distintos mercados donde nuestros clientes podrán descargárselas. Además se encargarán de mantener y actualizar el código de nuestras aplicaciones.

Si dicha opción nos parece muy cara, siempre podemos incluir una nueva plantilla que adapte nuestro diseño a los diferentes tipos de móviles. La principal diferencia es que nuestros clientes no descargarán una aplicación en su móvil sino que podrán acceder a nuestra tienda introduciendo nuestra dirección de Internet en su navegador.

Actualmente existen muchas plantillas personalizadas para el móvil, disponibles previo pago en páginas profesionales como Themeforest o Aheadworks o bien de forma gratuita a través de Magento Connect instalando una plantilla de *m-commerce* optimizada para el iPhone que han desarrollado desde la comunidad Magento y puesto a disposición de los usuarios.

Figura 15.12. Magento ha desarrollado una línea completa de aplicaciones móviles denominada Magento Mobile.

ASISTENTE VIRTUAL INTELIGENTE

En el otoño de 1999 se lanzó una de las más ambiciosas iniciativas de comercio electrónico que jamás se haya puesto en marcha en Internet.

Se llamaba `boo.com` y probablemente les sonará como uno de los mayores representantes de la locura de las empresas "punto com". Consiguieron levantar 95 millones de euros en tan solo 18 meses, y solamente duraron abiertos hasta Mayo del 2000.

Fue una iniciativa claramente adelantada a su época, que no supo valorar correctamente lo que tardaría el mercado en adoptar de forma masiva las nuevas tecnologías de banda ancha.

Su objetivo era crear una tienda de ropa de moda deportiva a nivel internacional, para lo que crearon desde el inicio oficinas comerciales en diferentes países, así como una plataforma que les permitía calcular de forma dinámica los precios en todas las monedas (no solamente la conversión, sino también la fijación del precio) y lidiar con los impuestos imputables a cada país.

Pretendían que tuviera un diseño innovador utilizando las últimas tecnologías de Internet, lo que a la postre provocaba que no fuera posible que los usuarios sin conexión de banda ancha pudieran acceder a su tienda, ya que la página principal podía tardar varios minutos en cargarse.

Una de las ideas más novedosas para la época que lanzaron fue la creación de un asistente virtual (denominada Miss Boo) que orientaba a los clientes a través de la navegación por la tienda, respondiendo sus consultas.

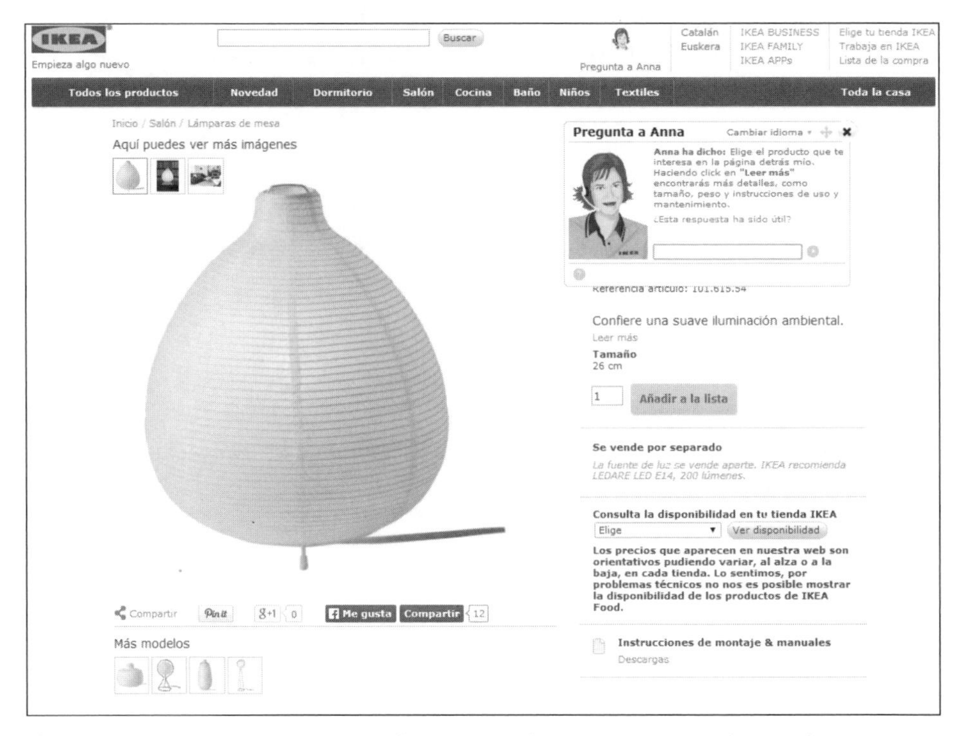

Figura 15.13. Los asistentes virtuales nos ayudan a navegar por la tienda y nos ofrecen productos.

Un asistente virtual (también denominado *bot* conversacional) consiste en un programa informático que simula mantener una conversación con nuestros clientes. A pesar de que puede tener un interfaz de texto, la gran mayoría de asistentes incluidos en tiendas virtuales suelen tener un interfaz multimedia de aspecto humano o de dibujo animado.

Una de las implementaciones de este concepto que más tiempo llevan activas en una tienda *on-line* en castellano, es Anna, el asistente virtual inteligente que la tienda IKEA ofrece a sus clientes.

Este nuevo canal de comunicación que ponen a disposición de sus usuarios, pretende facilitarles la navegación entre los diferentes productos que tienen disponibles.

La inteligencia del sistema se consigue mediante la programación de una serie de reglas de inteligencia artificial que permiten al asistente entender la pregunta que realiza el usuario y buscar en su base de datos, cuál es la respuesta que más se ajusta a las necesidades que transmite el usuario.

Este tipo de asistentes están programados para lidiar con preguntas complicadas intentando ofrecer respuestas ingeniosas a los clientes que pretenden pasar un rato jugando con ellos.

Tenemos que ser conscientes que este tipo de sistemas todavía distan de ser perfectos por lo que, en ocasiones, no comprenderán la consulta que les estamos realizando o no serán capaces de orientarnos dentro de la página web, por lo que pueden llegar a frustrar a algunos usuarios.

Por ejemplo, interactuando con Anna, esta tuvo problemas para entender algunas preguntas sobre conceptos generales como "redecorar" o "muebles de diseño". En general cuando el avatar no conoce una respuesta, se disculpa amablemente y te invita a ponerte en contacto por teléfono, para que te puedan solucionar las dudas que hayan quedado sin resolver.

Sin embargo, estos sistemas evolucionan a gran velocidad, por lo que en el futuro no será extraño que sea un asistente virtual el que nos guíe y recomiende productos en nuestra tienda, cambiando por completo la forma de navegar por ella que tenemos actualmente.

En instituciones como el MIT (Massachusetts Institute of Technology) están desarrollando aplicaciones muy avanzadas de esta tecnología como MACH (My Automated Conversation coach) un avatar que permite simular entrevistas de trabajo con el objetivo de analizar y mejorar nuestras habilidades sociales.

PROBADORES Y ESPEJOS VIRTUALES

Los probadores y espejos virtuales consisten en diferentes mecanismos para poder ver cómo nos quedarán un determinado tipo de ropa sin tener que probárnosla físicamente.

Ambas herramientas no son exactamente iguales:

- **Espejos virtuales:** El sistema captura nuestra imagen y la reproduce como un espejo en el ordenador. Sobre ella pueden incluirse diferentes prendas, con el objetivo de comprobar cómo nos quedarían.
- **Probadores digitales:** Sobre un maniquí en tres dimensiones, que puede o no estar creado a partir de nuestra imagen, se pueden probar combinaciones de ropa para ver qué efecto producen de forma conjunta.

Espejos virtuales

Curiosamente, una de las empresas más prometedoras en este campo a nivel internacional se llama Aitech, una spin-off de la universidad Autónoma de Barcelona, que tiene como socios a investigadores y profesores de la UAB y de la Universidad Pompeu Fabra. Han alcanzado un acuerdo con Cisco para que distribuya su tecnología en los Estados Unidos, donde ya ha probado un sistema de espejo virtual que captura la imagen de un cliente y permite probar sobre ella diferentes prendas de vestir gracias a un acuerdo con la NBA durante el All Star Weekend.

Una de las funcionalidades más interesantes es la posibilidad que ofrece para realizar capturas de nuestra imagen con esa ropa y enviárselas a nuestros amigos en las redes sociales como Facebook para que nos den su opinión y recomendaciones sobre si comprar o no el conjunto.

Existen otro tipo de tecnologías menos avanzadas que permiten que integremos en nuestras tiendas un sistema similar, obteniendo las imágenes de la webcam de nuestros clientes y añadiendo la imagen de nuestros productos por encima.

Figura 15.14. `Zugara.com` ofrece aplicaciones de realidad aumentada aplicada al comercio electrónico.

Una de las empresas que desarrolla este tipo de aplicaciones es `Zugara.com`, que permite incluir de forma sencilla un sistema de espejo virtual en nuestra tienda *on-line*. Todas estas herramientas poseen tres puntos en común:

- **Proceso de ajuste:** El sistema debe reconocer nuestra posición y medidas para que al situar la ropa sobre nuestra imagen, ésta quede lo más natural posible.

Para ello tendremos que cumplir una serie de indicaciones como ponernos en pie o intentar ajustarnos a una forma que aparezca en la pantalla.

- **Selección de artículos:** En general, es en el mundo de la ropa y complementos donde este tipo de tecnologías tiene más sentido. Para poder seleccionar el producto, deberemos hacer un gesto que el sistema reconocerá como una pulsación de alguna de las opciones disponibles.
- **Acompañamiento:** Una vez ajustados con el sistema, cada vez que nos movamos las ropas nos deberán seguir tal y como si las lleváramos puestas realmente.
- **Opinión:** Nos permiten tomar fotografías y compartirlas con nuestros amigos para que nos den su opinión sobre los conjuntos y complementos que nos estemos probando.

Algunas marcas de gafas como Rayban ya están posicionándose en este mercado, permitiendo a sus clientes ver qué tipo de gafas les favorecen y ofreciéndoles la oportunidad de guardar fotografías con varios modelos diferentes para poder comparar posteriormente.

A pesar de que la tecnología está avanzando mucho y que ya existen herramientas que utilizan el dispositivo Kinect de Microsoft para mejorar aún más el reconocimiento, la realidad es que este tipo de herramientas están aún en una fase muy inicial para su integración en nuestra tienda *on-line*.

El mayor problema es que la ropa tiene un efecto muy poco realista al no adaptarse de forma natural a nuestro cuerpo. Por ello, el efecto que se consigue no es el adecuado y puede provocar rechazo en algunos clientes que consideren poco realista el efecto.

Probadores digitales

Precisamente para evitar este efecto tan poco realista en el aspecto de la ropa, algunas empresas están utilizando "probadores digitales".

Una de las empresas que ya lo está utilizando es ASOS, que ha alcanzado un acuerdo con la empresa Virtuesize que ofrece una herramienta que permite a los clientes comparar mejor las medidas de sus prendas con las que va a comprar.

Este tipo de tecnologías tratan de minimizar el número de devoluciones que actualmente se están produciendo en sectores como la moda, y ofrecen algunas estimaciones que cifran la posible reducción en un 30%.

Figura 15.15. Virtuesize nos ofrece la posibilidad de "probarnos" la ropa digitalmente.

Otras empresas ofrecen tecnologías similares como fits.me, clothes horse o truefit. No está claro si estas tecnologías conseguirán reducir significativamente el número de devoluciones, pero desde luego las grandes empresas del sector están intentando tomar posiciones con compras estratégicas que les permitan integrar estas tecnologías dentro de los servicios que ofrecen a sus clientes. Un buen ejemplo es la reciente compra por parte de eBay de la empresa de PhiSix, especializada en la creación de modelos de ropa en tres dimensiones a partir de fotografías y que es capaz de recomendar la talla que mejor puede ajustarse al cuerpo del cliente.

Todas estas tecnologías prometen cambiar la forma en la que los usuarios compramos a través de Internet y abrir nuevas oportunidades de negocio integrando la venta en dispositivos y entornos diferentes como corners de tiendas y centros comerciales o incluso desde espejos situados en los propios domicilios de los clientes.

LA REALIDAD AUMENTADA EN LAS COMPRAS

Aparte de las anteriores iniciativas, se están comenzando a utilizar nuevas aplicaciones de realidad virtual en las compras cuyo objetivo es aprovechar las capacidades de Internet para incrementar las ventas de las tiendas físicas en el propio punto de venta.

Una de estas iniciativas, consiste en aprovechar el escaparate de la tienda como si fuera una gran máquina expendedora en la que se muestran los productos de la tienda con un código identificador que el cliente puede seleccionar y añadir a su carrito de la compra.

Una vez decididos los productos que desea comprar puede tramitar el pedido a través de su móvil y recibirlo cómodamente en su casa sin coste adicional.

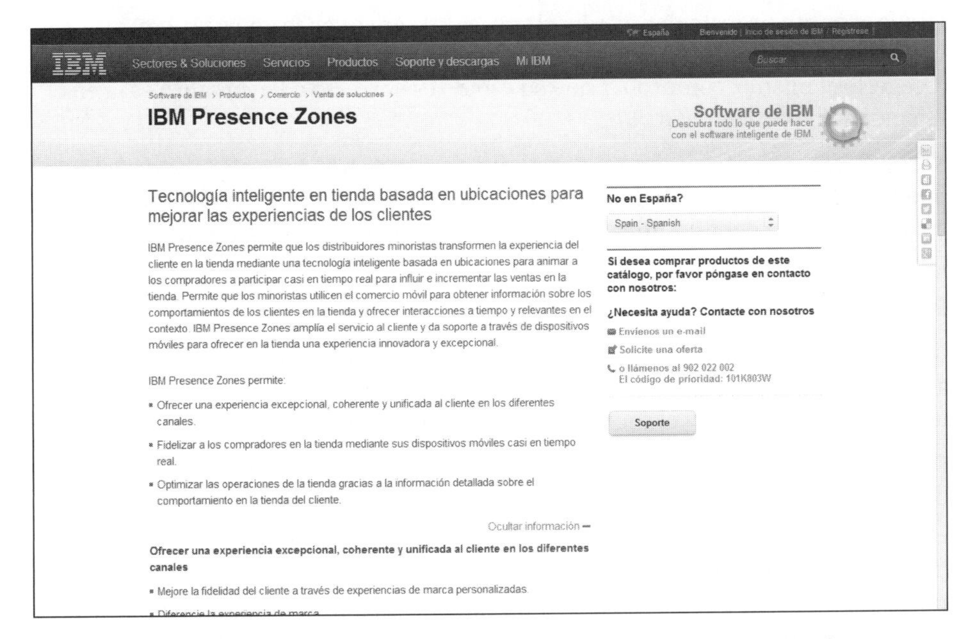

Figura 15.16. IBM Presence Zones trata de mejorar nuestra experiencia de compra en las tiendas.

Dentro de este tipo de aplicaciones, la empresa informática IBM ha desarrollado un sistema denominado Zonas de Presencia (*Presence Zones* en inglés) que sigue nuestro rastro a lo largo del recorrido que realicemos por la tienda y nos recuerda si nos hemos olvidado de echar al carro algo de nuestra lista de la compra o nos informa de aquellos productos con descuento que nos puedan interesar cuando pasemos a su lado.

Lo mismo que la convergencia llegó a la informática y las telecomunicaciones y hoy ya recibimos la señal de nuestro televisor en formato digital, el futuro pasa por la integración de las compras *on-line* y *off-line*.

Para los jóvenes que han nacido con conexión a Internet, su mundo *on-line* es tan real como el físico y nos exigen que los integremos y les permitamos obtener los beneficios de ambos mundos.

La realidad aumentada nos proporciona dicha integración, pero a nivel operativo sigue existiendo un problema: el envío físico.

LAS IMPRESORAS 3D

Uno de los aspectos más odiosos de montar una tienda *on-line*, es la necesidad de manejar productos físicos.

Desde el punto de vista del cliente, el proceso de envío no le aporta ningún valor. Si él acudiera a una tienda de su barrio a adquirir dicho producto, podría recogerlo él mismo, comprobar que su estado es correcto y llevárselo a casa en el mismo momento del pago.

Sin embargo, cuando realiza una compra a través de Internet, el plazo de entrega puede demorarse días o incluso semanas, supone un coste adicional y además cuando lo reciba debe confirmar que el pedido está completo y se encuentra en perfecto estado.

Pero, ¿es técnicamente posible evitar este paso?

Muchos pensarán que en el cine y la televisión ya hemos visto este tipo aplicaciones, simplemente debemos introducir nuestro producto en un sistema de tele transportación y el cliente lo recibirá cómodamente en su casa.

Por bonito que parezca, este tipo de innovaciones aún están lejos de poder llevarse a la realidad, sin embargo ya existe en el mercado algún sistema que podría servir para convertir en envíos digitales, envíos que actualmente se realizan de forma física.

El sistema consiste en recibir el diseño y que una máquina situada en la casa del cliente "imprima" a partir de estas especificaciones los objetos reales que le hemos transmitido.

Esto ya es posible hoy en día con las impresoras 3D, que ya se utilizaban hace años en la fabricación industrial y que ahora, se está desarrollando la tecnología para reducir su coste y que cada casa pueda disponer de una.

Una impresora 3D funciona añadiendo capas de material de forma sucesiva siguiendo un determinado diseño que le habremos proporcionado previamente.

Actualmente se utilizan en la creación de prototipos industriales, aunque ya existen versiones menos profesionales que ofrecen la posibilidad de crear pequeños modelos a varios colores a partir de un diseño tridimensional.

La gran ventaja de este método consiste en la personalización que podemos obtener, ya que cada modelo impreso es único. Sin embargo, así como el modelo de fabricación industrial ayudó a la reducción de los costes en la generación de cada unidad que producía (economías de escala), la impresión 3D tiene los mismos costes para imprimir un modelo que para hacer cientos.

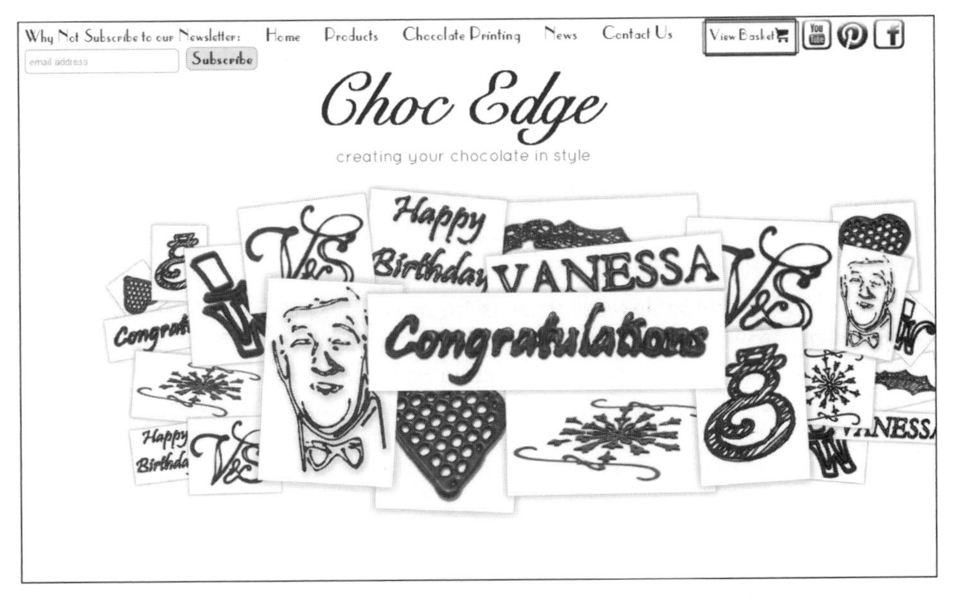

Figura 15.17. La empresa chocedge.com ha puesto a la venta una impresoras que permite realizar crear formas 3D de chocolate.

La impresión tridimensional puede utilizar múltiples materiales como tinta, plásticos e incluso cerámica.

Unos científicos de Reino Unido han conseguido una aplicación muy novedosa para este tipo de impresoras, consistente en la inyección de chocolate, lo que permite generar figuras 3D personalizadas en chocolate. Ya es posible adquirir este tipo de impresoras a través de la empresa Chocedge.

Esto permitiría a los usuarios intercambiar las figuras que hayan desarrollado a través de Internet e imprimir aquellas que más les gusten directamente en su casa para ofrecer sus comentarios después de probarlas.

En España, la empresa Natural Machines está trabajando en desarrollar una impresora de comida, a la que denominan Foodini y que afirman ha sido capaz de imprimir Pizza, hamburguesas y raviolis listos para comer en menos de diez minutos. Según sus planes, podrán tener una impresora lista para ser comercializada a mediados de 2014 a un precio de unos 1.000 Euros.

TODAVÍA ESTOY AMORTIZANDO MIS CLASES DE HELICÓPTERO

Cuando uno se acerca al mundo de la innovación, ve tantas iniciativas interesantes que no puede más que apasionarse y creer que todas ellas llegarán a convertirse en realidad.

Siempre que veo a alguien con el que yo denomino "síndrome de la innovación" recuerdo con cariño una anécdota que me contaron cuando trabajaba en el departamento de innovación de un banco y que creo que ilustra muy bien lo importante que es poner en perspectiva y aterrizar la innovación.

Me contaban los antiguos del lugar, que todavía recordaban cuando estaba de moda recibir cursos de pilotaje de helicópteros, ya que nadie iba a ir a trabajar en el futuro en coche. Eso iba a ser algo del pasado, todos surcarían los cielos para llegar a sus puestos de trabajo.

Cuando llegó la burbuja de las empresas "punto com", y todos los consultores se acercaban diciendo que había que darse prisa y entrar ya en los negocios de Internet, porque, en caso contrario, las empresas iban a perder la oportunidad de su vida, muchos, los que de verdad sabían de innovación, contestaban, no sin sorna, que "aún estaban amortizando sus clases de helicóptero". Y les despedían hasta que volvieran con un modelo de negocio más coherente.

		Gasto en I+D 2009 (millones de $)	Ranking de gasto
1	Apple	$1,333	81
2	Google	$2,843	44
3	3M	$1,293	84
4	GE	$3,300	35
5	Toyota	$7,822	4
6	Microsoft	$9,010	2
7	P&G	$2,044	58
8	IBM	$5,820	12
9	Samsung	$6,002	10
10	Intel	$5,653	13

Fuente: Informe booz&co - Invierno 2010

Figura 15.18. El nivel de inversión VS posición innovadora no siempre van asociados.

Sin duda, muchos creerán que esto es una actitud corta de miras, pero cuando uno se juega su dinero, o el de sus accionistas (donde aún deberíamos ser más prudentes ya que no es nuestro) debe analizar en profundidad cuales son las oportunidades que realmente son rentables para nuestro negocio.

Muchas empresas, creen que invertir en innovación conseguirá que no pierdan su posición competitiva.

Por si alguien aún tenía dudas eso no es así. No importa para nada el presupuesto de I+D, lo que realmente es importante es la forma en que se utiliza.

Es por ello que según un estudio que publicó la consultora Booz&Company en diciembre 2010 Apple fue la empresa más innovadora con un presupuesto siete veces inferior al que Microsoft emplea en I+D (que ocupó la sexta posición como empresas más innovadora), pero más alarmante es aún conocer que la empresa Roche Holding que fue la que más gastó en I+D (más de 6.300 millones de euros) ni siquiera aparece dentro de las 10 empresas más innovadoras.

Esto no quiere decir que no debamos aprovechar que el comercio electrónico esté experimentando un grado de innovación espectacular que seguro afectará a la forma en cómo realizamos nuestras compras.

Y por supuesto, nosotros, como dueños de una tienda *on-line*, debemos estar al corriente de todas estas innovaciones e ir progresivamente incorporándolas una vez se demuestre su rentabilidad, pero no debemos dejarnos cegar e invertir nuestro dinero en cada nueva innovación que vaya surgiendo.

Para saber más:

- Base de documentos de exportación, Market Access Database:

  `http://madb.europa.eu/madb/indexPubli.htm`

- Magento Mobile:

  `http://www.magentocommerce.com/products/mobile`

- Aplicaciones móviles de eBay:

  `http://mobile.ebay.com/`

- Realidad aumentada para compras:

  `http://www.zugara.com`

- Probadores digitales Virtuesize:

  `http://www.virtuesize.com/`

- Impresoras de chocolate 3D, de chocedge:

  `https://chocedge.com/`

16. Recomendaciones Finales

Es habitual pensar que el éxito está directamente asociado al esfuerzo. Todos estamos de acuerdo en que sin esfuerzo es muy complejo que se consiga ningún objetivo ambicioso, pero ¿siempre que nos esforcemos conseguiremos obtener lo que buscamos? Nos vienen a la mente historias como la de Thomas Alva Edison que tuvo que realizar más de mil pruebas antes de conseguir una bombilla que funcionase, sin embargo pocos recuerdan la historia de Philo Farnsworth el inventor de la Televisión. El señor Farnsworth fue un hombre hecho a sí mismo, que trabajaba en una granja en Utah y de forma autodidacta aprendió a desarrollar máquinas para ayudarle en sus quehaceres diarios. Un día leyó un artículo que describía un dispositivo que era capaz de transmitir imágenes, pero utilizando un sistema de discos giratorios y espejos que Farnsworth comprendió que era demasiado lento para obtener una imagen lo suficientemente nítida.

Él estaba acostumbrado a arar sus tierras, línea a línea, lo que le dio la idea de barrer la imagen electrónica de la misma forma mediante un haz de electrones.

Cuando todo parecía perfecto, y Farnsworth ya había conseguido desarrollar un prototipo, apareció en escena David Sarnoff un magnate ruso que trató de alcanzar un acuerdo para adquirir su patente. Tras no conseguir cerrar un acuerdo David Sarnoff decidió entablar una batalla judicial que, aunque finalmente no consiguió ganar, arruinó financieramente a Philo Farnsworth.

Tras la Segunda Guerra Mundial las patentes ya habían expirado, así que David Sarnoff comenzó a comercializar televisores de forma masiva en Estados Unidos, proclamándose a sí mismo como autor del invento.

Todos podemos fracasar. Da igual lo mucho que nos esforcemos, es imposible controlar todos los aspectos que pueden afectar a nuestra vida y tenemos que confiar en que lo que estamos haciendo es lo correcto, en seguir los dictados de nuestro corazón.

Ser conscientes de que existe una posibilidad real de fracaso a lo largo de nuestro camino, nos hace plantearnos muchas preguntas. Todas ellas resuenan de forma simultánea en nuestra cabeza ¿Fracasaré? ¿Todo este esfuerzo tiene sentido? ¿No será que simplemente soy un vago y hago todo esto para no ir a trabajar? y así veremos cómo, en ciertos momentos, el miedo al fracaso se apodera de nosotros limitándonos y poniendo a prueba nuestra capacidad para superarlo.

En mi humilde opinión, debemos dejar de hacernos este tipo de preguntas. Absolutamente nadie sabe lo que pasará mañana, ni cuáles son las probabilidades reales de éxito de nuestra empresa. Si alguna persona fuera capaz saberlo estaría en Wall Street invirtiendo y no dándonos consejos del estilo de: "Esto no va a funcionar" o el clásico español "Por qué no te haces funcionario, como tu padre".

Debemos intentar evitar las grandes emociones ante los sucesos inesperados que suceden a lo largo de nuestra vida, este mensaje queda perfectamente reflejado en una historia china recogida en un libro del jesuita Anthony de Mello titulado "Sadhana, un camino de oración":

Cuenta la historia de un anciano labrador que vivía con su hijo en una casita del campo. Tenía un caballo que le ayudaba en la labranza de la tierra y en la carga de productos para la cosecha, por lo que era uno de sus bienes más preciados. Un día el caballo escapó de su cuadra y se marchó a las montañas. Su vecino, en cuanto se dio cuenta, fue a avisarle y le dijo:

> —Se ha escapado tu caballo, ¿qué harás ahora para trabajar el campo? ¡Menuda mala suerte has tenido!

El labrador lo miró y le dijo:

> —¿Mala suerte? ¿Buena suerte? ¿Quién sabe?

Un tiempo después, el caballo regresó trayendo con él diez caballos salvajes. Su vecino, cuando lo vio, llamó al labrador y le dijo:

> —Has recuperado tu caballo y ahora has conseguido diez caballos más, ¡Qué buena suerte has tenido!

El labrador lo miró y le dijo:

> —¿Mala suerte? ¿Buena suerte? ¿Quién sabe?

Al cabo de un tiempo, el hijo del labrador cayó de su caballo tratando de domarlo y se rompió una pierna. De nuevo, el vecino le dijo:

> —¡Ya es mala suerte! Tu hijo ha tenido un accidente y no podrá ayudarte en el trabajo. Con tu edad será muy complicado finalizar todas las tareas del campo.

El labrador lo miró y le dijo:

—¿Mala suerte? ¿Buena suerte? ¿Quién sabe?

Cuando el país entró en guerra, el ejército fue recorriendo los campos reclutando a los jóvenes para llevarlos al campo de batalla. Al hijo del vecino, al estar sano, se lo llevaron, mientras que al hijo de nuestro labrador, al estar imposibilitado le declararon no apto. De nuevo, el vecino le dijo:

—¡Qué buena suerte has tenido! A mi hijo se lo llevaron por estar sano, mientras que al tuyo lo rechazaron por su pierna rota.

Otra vez el labrador lo miró diciendo:

—¿Mala suerte? ¿Buena suerte? ¿Quién sabe?

La moraleja de esta historia es que en ocasiones, algunos sucesos que inicialmente parecen contratiempos se convierten en grandes oportunidades y viceversa.

Por ello, no debemos tratar de analizar todos los sucesos de nuestra vida y perder tiempo en regodearnos en nuestra mala suerte.

Muchas veces, es nuestra mente la que puede convertir en oportunidades o en auténticos fracasos aquellas situaciones que nos vayan sucediendo en nuestra vida personal y profesional, por ello, a lo largo de este capítulo, vamos a ofrecer una serie de recomendaciones para mantener nuestra mente equilibrada a lo largo del proceso de puesta en marcha de nuestra tienda *on-line*.

POR FIN SOLOS

Nuestra tienda virtual sigue creciendo, hemos alcanzado unos elevados ingresos mensuales que nos permiten vivir holgadamente de este negocio, el número de envíos sube progresivamente y cada vez nos requieren más tiempo, por lo que finalmente tomamos la gran decisión: dejar nuestro empleo y dedicarnos a tiempo completo a nuestra tienda *on-line*.

Es una sensación maravillosa. Por fin vamos a ganarnos la vida con algo que hemos desarrollado nosotros por completo, hemos visto cómo nuestra idea inicial se convertía en un prospero negocio. Ya no tendremos que levantarnos y tener que recorrer kilómetros de carreteras atascadas para ir a trabajar, ya que podremos desarrollar nuestro trabajo desde casa. No tendremos a ningún jefe ni compañero que nos diga lo que tenemos que hacer, ni cómo hacerlo, solo dependeremos de nosotros.

Superada la primera fase de fascinación inicial, nos damos cuenta que, al perder todos los referentes que teníamos (nuestro entorno de trabajo, un horario, los compañeros, el jefe) nos encontramos por primera vez en nuestra vida trabajando absolutamente solos.

No tendremos a nadie que nos diga a qué hora debemos comenzar a trabajar, ni a qué hora dejar de hacerlo. Tampoco nadie nos reclamará las tareas urgentes o importantes, sino que somos nosotros los que tendremos que priorizar y definir la importancia de cada una de ellas.

Estar solos puede provocar que dediquemos demasiado tiempo a pensar en aquellas preguntas que, precisamente, debemos evitar y que solo nos generaran miedos y confusión.

Para poder estar preparados ante esta nueva situación a la que nos enfrentamos, debemos seguir una serie de pautas de actuación para potenciar tres aspectos muy importantes a la hora de lanzar una empresa:

1. La auto motivación.
2. La disciplina.
3. Las relaciones personales.

La auto motivación

Una de las obligaciones más importantes de un buen jefe es motivar a los integrantes de sus equipos, pero, ¿quién motiva al jefe?

Ser optimista y tratar de ver los aspectos positivos de la vida, ayudan a estar motivado. Pero, en ocasiones, por más positivos que queramos ser, no podremos evitar que una sensación de pesimismo nos invada. Para reducir el impacto de estos momentos se deben seguir una serie de pautas que consigan modificar nuestra actitud. Algunas de las recomendaciones a seguir son las siguientes:

- **Ser optimista:** Pensar que los problemas que nos surgen se van a solucionar de una forma positiva para nosotros, tratar de ver la vida en color y no en blanco y negro, nos permite afrontar con mucho más ánimo el futuro. Tenemos que ser conscientes de que una empresa está pensada para vivir muchísimo años, como un árbol, que aunque haya pasado por sequías e inundaciones, en una vida de miles de años no dejan de ser pequeños contratiempos sin importancia.
- **Tener fe en lo que estamos haciendo:** En uno de los discursos más motivadores que se hayan realizado nunca, Steve Jobs (CEO de Apple) planteaba que es necesario creer en algo (tu instinto, el destino, la vida, el karma...) para confiar y seguir a tu corazón, ya que muchas de las decisiones que tomes no tendrán sentido hasta que las analices en el futuro. Sin duda, esta es la recomendación más importante, ya que tener fe en lo que estamos haciendo nos dará la fuerza necesaria para asumir los sacrificios y esfuerzos que tendremos que realizar en nuestro camino hacia el éxito de nuestra tienda *on-line*.

- **Sonreir:** La sonrisa es contagiosa. El mero hecho de encontrarnos en un mal día a una persona agradable que nos brinde una sonrisa puede mejorar un día horrible. No seamos tacaños con nuestro buen humor, y regalemos sonrisas a los demás que no cuestan dinero.
- **Jugar:** Todos los trabajos, desde el director general, hasta el administrativo más bajo de una empresa, desempeñan unas tareas diarias que no tienen ningún *glamour*. En ocasiones hay que realizar tareas repetitivas, acudir a reuniones interminables, o realizar informes de carácter urgente. En estos casos, un método que funciona bastante bien es convertir estas actividades en un juego. Por ejemplo, imaginemos el caso de que estemos trabajando como un agente del servicio de atención al cliente y nuestra función sea contestar e-mails de incidencias, podríamos tratar de fijarnos un reto diario del número de e-mails que debemos contestar y ponernos como objetivo superarlo día a día. Si lo logramos podemos darnos una pequeña recompensa, como salir o tomarnos un baño relajante. El caso es conseguir convertir aquellas tareas que menos nos motiven en juegos y retos que nos atraigan.
- **Ser objetivos con nosotros mismos:** En ocasiones, somos nosotros mismos nuestro principal enemigo. Nos exigimos tanto, que ni siquiera somos capaces de valorar aquellas tareas en las que destacamos, o proyectos que hemos realizado brillantemente. Debemos intentar ser justos con nosotros mismos, tratar de recopilar aquellas iniciativas que más éxito han tenido y ponerlas en valor. Tenemos que evitar centrarnos solamente en nuestros fracasos.
- **Relativizar los fracasos:** Como contaba la historia de nuestro labrador, nunca se sabe si la consecuencia de los sucesos que ocurren son fruto de la buena o de la mala suerte y, en general, no podemos actuar sobre ellos. Así que, ¿por qué perder nuestro tiempo preocupándonos por algo que no podemos controlar? Debemos seguir trabajando para cuando llegue nuestra buena suerte.

La disciplina

En la fase de lanzamiento de la tienda, los ingresos que genere no permitirán tener grandes equipos gestionando nuestra tienda sino que, la mayor parte de las ocasiones, la tendremos que gestionar nosotros mismos en solitario.

Dedicar dinero a una oficina, cuando todo el trabajo se puede desarrollar en nuestro propio domicilio no tiene demasiado sentido, ya que este dinero lo podríamos utilizar en la estrategia de crecimiento de nuestra tienda. Trabajar solos desde nuestra casa implica que debemos aprender una serie de técnicas para mantener la concentración y la capacidad de trabajo:

- **Establecer un horario:** Cuando uno trabaja desde su casa, es común trabajar en horarios diferentes a los habituales de oficina. Esto tiene grandes desventajas ya que, por un lado, nuestros proveedores y empresas de contacto suelen desarrollar el horario de oficina y, por otro lado, afectará a nuestra vida social y familiar. Fijar un horario nos compromete a despertarnos por la mañana y así aprovechar el tiempo, además de seguir una vida más ordenada con respecto a nuestro entorno.
- **Asearse:** A pesar de que trabajemos en nuestra casa, debemos ducharnos y asearnos por las mañanas y vestirnos de forma similar a como lo haríamos para acudir a una oficina fuera de casa. Tanto la ropa, como el encontrarse aseado nos permitirá incrementar nuestra predisposición a trabajar e incrementará nuestra productividad.
- **Separar espacio personal y profesional:** Es recomendable dedicar un espacio de nuestra casa exclusivamente a desarrollar la actividad profesional. En este despacho tendremos documentos internos de la empresa, algunos de ellos confidenciales, por lo que no correremos el riesgo de que desaparezcan o acaben en el cubo de la basura.
- **Evitar distracciones:** Otra de las ventajas de disponer de un espacio reservado donde trabajar es que simplifica la tarea de concentrarse en el trabajo, bien cerrando la puerta o simplemente indicando que no se nos puede molestar durante un determinado período de tiempo. Aprender a desconectar el teléfono y a atender el e-mail a primera y última hora del día, son otras técnicas que ayudan a evitar distracciones.
- **Mantenerse ocupado:** Debemos definir tareas que podemos realizar en aquellos períodos de baja actividad en la empresa, como realizar informes de análisis de la actividad, actualización de descripciones de los artículos, alta en directorios, etc. El objetivo es conseguir estar siempre activos, con tareas que realizar para evitar tener pensamientos negativos dando vueltas en nuestra cabeza.
- **Definir una planificación y seguirla:** Todos los proyectos importantes que desarrollemos en nuestra tienda estarán compuestos de multitud de tareas. En muchas ocasiones no tendremos la posibilidad de acometer todos nuestros proyectos, sino que incluso tendremos que aparcar algunos de ellos. Realizar una planificación de nuestro día a día a corto, medio y largo plazo nos permitirá ajustar las diferentes tareas en función de nuestro excedente de capacidad y, de esta forma, aprovechar nuestras jornadas de trabajo mucho mejor.

Cada desviación con respecto a una tarea debe ser justificada y, en caso contrario, debemos autoimponernos alguna penalización como tener que recuperar esa tarea retrasada fuera del horario laboral (en fin de semana o por la noche) hasta ajustarnos con la planificación.

- **Mantener limpio el lugar de trabajo:** A lo largo de los días las hojas se irán acumulando sobre la mesa, y cada vez será más complicado encontrar los documentos que necesitemos consultar rápidamente. Por ello es muy recomendable ordenar los documentos al finalizar cada jornada de trabajo, y así poder encontrar un despacho limpio cada mañana cuando empecemos a trabajar.

Estas pequeñas recomendaciones ayudan a mantener una disciplina en el trabajo, así como una mente equilibrada y centrada en las tareas a realizar para conseguir los objetivos de nuestra empresa.

Las relaciones personales

Este tipo de trabajo desempeñado en solitario desde nuestro propio domicilio puede afectar a nuestras relaciones personales. Atrás quedaron las conversaciones con nuestros compañeros sobre los temas de actualidad, las comidas diarias fuera de casa, o el descanso para el café donde comentar los últimos cotilleos de la oficina.

Este tipo de vínculos emocionales hacen que nuestro trabajo sea mucho más placentero y nos ayuden a sobrellevar mejor el día a día en la empresa, por desgracia, esto no será posible en nuestra nueva actividad. Para evitar romper nuestros vínculos con el mundo exterior, es conveniente seguir las siguientes recomendaciones:

- **Limita tu horario:** Al igual que es imprescindible cumplir el horario de inicio de nuestra jornada laboral, igualmente es necesario parar a descansar y poder conciliar con nuestra vida familiar. Al trabajar en nuestro domicilio es todavía más importante, ya que nuestra familia tendrá un papel clave en el éxito de nuestra empresa.
- **Desarrolla aficiones en grupo:** Cualquier tipo de afición que podamos realizar con otras personas, nos permitirá apartarnos de nuestros problemas profesionales diarios y descansar mentalmente. Existen multitud de aficiones que pueden desarrollarse con más gente, desde la cocina, hasta el fútbol, pasando por el senderismo o los viajes culturales.
- **Llama a tus amigos y familiares:** No siempre es sencillo podernos reunir físicamente con nuestra familia o amigos, especialmente si estamos involucrados en alguna tarea importante que consuma mucho tiempo. Sin embargo, nada es excusa para no llamar por teléfono periódicamente a las personas que nos importan y que siempre han están allí apoyándonos. Es recomendable impulsar reuniones informales con amigos de forma periódica que incluiremos en nuestra planificación de tareas, por lo que no tendremos excusa para no acudir a ellas.

- **Mantén tu red de contactos:** Las redes sociales profesionales como Linkedin, permiten mantener el contacto con otros profesionales del sector. Asistir a los eventos y conferencias que periódicamente se convocan, es una buena forma para mantenerse al tanto de las nuevas empresas e iniciativas que van surgiendo y al mismo tiempo, mantener relación con nuestros contactos.
- **Evita hablar de trabajo:** A pesar de que el trabajo sea una parte importantísima de nuestra vida, hay otros aspectos de la misma que no debemos olvidar. Hay que aprender a disfrutar de nuestras pequeñas aficiones y seguir manteniéndonos al día de las noticias de actualidad, lo que nos permitirá hablar de aquellos temas que les interesen a nuestros amigos (viajes, deportes, finanzas, etc.).
- **Haz escapadas periódicas:** Las vacaciones ya no son para el verano, y cada vez menos gente escapa a descansar en Agosto. Cuando terminemos un gran proyecto o una temporada especialmente dura de trabajo, tenemos que tratar de hacer una pequeña escapada que rompa con nuestra rutina. Este tipo de escapadas pueden ir desde las más caras y lujosas (como vacaciones en una isla) a algo mucho más simple y barato como ir a visitar a la familia o pasar unos días en casa de un amigo.
- **Únete a asociaciones de emprendedores:** La soledad del emprendedor es mucho menor si se puede compartir con gente que está pasando exactamente por la misma situación que nosotros. En España existen multitud de asociaciones de emprendedores tales como TVSS (*Tetuan Valley StartUp School*), la AIEI (Asociación de Inversores y Emprendedores de Internet), Anei (Asociación Nacional de Empresas de Internet) y la AJE (Asociación de Jóvenes Empresarios) entre otras.
- **Mantente en forma:** Estar sano ayuda a mantener nuestra mente equilibrada. Realizar periódicamente ejercicio, preferiblemente deportes de grupo o, en el caso de no ser posible, ir regularmente al gimnasio o a la piscina, nos permitirá encontrarnos mejor de salud y mantener una actitud mucho más positiva en nuestra vida.

UN ÚLTIMO CONSEJO: REDIMENSIONA TU VIDA

No se necesitan tantas cosas materiales para ser feliz en la vida si uno hace lo que realmente le apasiona. Si ya haces todos los días lo que realmente deseas hacer, ¿ser multimillonario te cambiaría la vida? Observemos el caso de un auténtico millonario, el tercer hombre más rico de la tierra, llamado Warren Buffet. Como reconocido inversor financiero de talla mundial, uno esperaría que viviese en un lujoso apartamento de Nueva York, o que tuviese posesiones a lo largo y ancho del mundo. La realidad es que vive en su casa de siempre en Omaha, su población natal y que se ha fijado un sueldo de 70.000 Euros, porque considera que no necesita más para poder vivir y ser feliz.

Sin embargo, vemos constantemente personas a nuestro alrededor que teniendo una fortuna nada comparable a la de Warren Buffet, compran grandes coches y gigantescas casas, para cuyo pago muchas veces tienen que solicitar dinero prestado.

Debemos reflexionar si tener más nos lleva a ser más feliz o entramos en una espiral que nos esclaviza. Analicemos la situación un momento, ¿quién es más libre? Imaginemos una persona que trabaje en el sector financiero con un sueldo de 300.000 Euros al año, que tenga un Ferrari y un chalet en el centro de Madrid, coma fuera de casa todos los días por trabajo y tenga dos niños. ¿Suena tentador verdad? Es difícil comprender la poca libertad que tiene nuestro amigo en una situación así. Con una hipoteca de un millón de euros en el banco, un préstamo para el coche deportivo, un tren de vida social alto y elevados gastos familiares, es la combinación perfecta para descubrir cómo una familia rica puede tener tantas deudas y obligaciones como una familia mileurista.

Lo primero que debemos hacer cuando lanzamos una empresa es definir aquellos aspectos materiales que son fundamentales para nuestra felicidad y asegurarlos fijándonos un sueldo que los cubra holgadamente. Debemos realizar una criba estricta de aquellas cosas que realmente nos producen felicidad. Por ejemplo ¿es importante para conseguir la felicidad tener televisión digital? ¿O ir un mes de vacaciones al extranjero todos los años? ¿O comprarse un coche deportivo?. Cuando lo analicemos seriamente, podremos quedarnos con aquellos aspectos materiales básicos que nos produzcan felicidad y nos sentiremos aliviados, ya que nos daremos cuenta que realmente son pocas cosas las que verdaderamente necesitamos y valoramos en la vida.

Espero que estas recomendaciones puedan ayudar a superar todas las dificultades que seguro se encontrarán en su camino aquellas personas que sean emprendedoras, que quieran ganarse la vida montando su propio negocio y que por ello hayan decidido comenzar su tienda *on-line* de éxito.

Índice alfabético

A

B

C

D

E

F

G

H

I

J

K

L

M

N

O

P

Q

R

S

T

U

V

W

X

Y

Z

Parir sin estres
PARK STACKS
32520106036741
WITHDRAWN
5/15
Hartford Public Library